Л. Чигуна

Сонечка. Повесть

Бедные родственники. Сборник рассказов

Девочки. Сборник рассказов

Веселые похороны. Повесть

Медея и ее дети. Роман

Казус Кукоцкого. Роман

Сквозная линия. Повесть

Детство сорок девять. Сборник рассказов

Первые и последние. Сборник рассказов

Искренне ваш Шурик. Роман

Людмила **Улицкая**

Медея и ее дети

роман

Москва Эксмо 2007

УДК 882
ББК 84(2Рос-Рус)6-4
  У 48

*В оформлении использованы фрагменты
работ художника* Андрея Красулина

Оформление С. Киселевой

Улицкая Л.
У 48   Медея и ее дети: Роман. — М.: Эксмо,
2007. — 576 с.

УДК 882
ББК 84(2Рос-Рус)6-4

ISBN 5-699-08667-6

Медея и ее дети

1.

Медея Мендес, урожденная Синопли, если не считать ее младшей сестры Александры, перебравшейся в Москву в конце двадцатых годов, осталась последней чистопородной гречанкой в семье, поселившейся в незапамятные времена на родственных Элладе таврических берегах. Была она также в семье последней, сохранившей приблизительно греческий язык, отстоявший от новогреческого на то же тысячелетнее расстояние, что и древнегреческий отстоял от этого средневекового понтийского, только в таврических колониях сохранившегося наречия.

Ей давно уже не с кем было говорить на этом изношенном полнозвучном языке, родившем большинство философских и религиозных терминов и сохранившем изумительную буквальность и первоначальный смысл слов: и поныне на этом языке прачечная зовется катаризма, перевозка — метафорисис и стол — трапеза.

Таврические греки — ровесники Медеи либо вымерли, либо были выселены, а сама она осталась в Крыму, как сама считала, по Божьей милости, но отчасти благодаря своей вдовьей испанской фамилии, которую оставил ей покойный муж, веселый еврей-дантист, человек с мелкими, но заметными недостатками и большими, но глубоко скрытыми достоинствами.

Овдовела она давно, но больше не выходила замуж, храня верность образу вдовы в черных одеждах, который ей очень пришелся.

Первые десять лет она носила все исключительно черное, впоследствии смягчилась до легкого белого крапа или мелкого горошка, все по черному. Черная шаль не по-русски и не по-деревенски обвивала ее голову и была завязана двумя длинными узлами, один из которых лежал на правом виске. Длинный конец шали мелкими античными складками свешивался на плечи и прикрывал морщинистую шею.

Глаза ее были ясно-коричневыми и сухими, темная кожа лица тоже была в сухих мелких складочках.

Когда она в белом хирургическом халате с застежкой сзади сидела в крашеной раме регистратурного окна поселковой больнички, то выглядела словно какой-то не написанный Гойей портрет.

Размашисто и крупно вела она всякую больничную запись, так же размашисто и крупно ходила по окрестной земле, и ей было нетрудно встать в воскресенье до света, отмахать двадцать верст до Феодосии, отстоять там обедню и вернуться домой к вечеру.

Для местных жителей Медея Мендес давно уже была частью пейзажа. Если не сидела она на своем табурете в белой раме регистратурного окна, то непременно маячила ее темная фигура либо в восточных холмах, либо на каменистых склонах к западу от Поселка.

Ходила она не праздно, была собирательницей шалфея, чабреца, горной мяты, барбариса, грибов, шиповника, но не упускала также и сердоликов, и слоистых стройных кристаллов горного хрусталя, и старинных темных монет, которыми полна была тусклая почва этой скромной сценической площадки всемирной истории.

Вся округа, ближняя и дальняя, была известна ей, как содержимое собственного буфета. Она не только помнила, где и когда можно взять нужное растение, но и отмечала про себя, как с десятилетиями медленно меняется зеленая одежда: заросли горной мяты спускаются вдоль весенних промоин восточного склона Киян-горы, вымирает барбарис от едкой болезни, съедающей нижние ветви, а цикорий, напротив, идет в подземное наступление, и корневища его душат легкие весенние цветы.

Крымская земля всегда была щедра к Медее, дарила ей свои редкости. Зато и Медея благодарно помнила каждую из своих находок вместе с самыми незначительными обстоятельствами времени, места и всеми оттенками испытанного когда-то чувства — начиная от первого июля девятьсот шестого года, когда маленькой девочкой обнаружила посреди заброшенной дороги на Ак-Мечеть «ведьмино кольцо» из девятнадцати некрупных, совершенно одинаковых по размеру грибов с бледновато-зелеными шляпками, местной разновидности белого. Венцом же ее находок, не имеющих пищевой ценности, был плоский золотой перстень с помутневшим аквамарином, выброшенный к ее ногам утихающим после шторма морем на маленьком пляже возле Коктебеля двадцатого августа шестнадцатого года, в день ее шестнадцатилетия. Кольцо это она носила и по сей день, оно глубоко вросло в палец и лет тридцать уже не снималось.

Своими подошвами она чувствовала благосклонность здешних мест. Ни на какие другие края не променяла бы она этой приходящей в упадок земли и выезжала из Крыма за всю свою жизнь дважды, в общей сложности на шесть недель.

Родом она была из Феодосии, вернее, из огромного, некогда стройного дома в греческой колонии, давно слившейся с феодосийской окраиной. Ко времени ее рождения дом потерял изначальную стройность, разросся пристройками, террасами и верандами, отвечая этим ростом на бурное увеличение семьи, случившееся в первое десятилетие так весело начинавшегося века.

Этот бурный рост семьи сопровождался постепенным разорением деда, Харлампия Синопли, богатого негоцианта, владельца четырех торговых кораблей, приписанных к новому в ту пору Феодосийскому порту. Старый Харлампий, к старости утративший ненасытно-огненную алчность, только диву давался, отчего это судьба, пытая его многолетним ожиданием наследника, шестикратным рождением мертвых младенцев и бессчетными выкидышами у обеих его жен, так щедро награждала потомством его единственного сына Георгия, которого он выколотил себе после тридцатилетних трудов. Но может, в этом была заслуга второй жены — Антониды, которая по обету дошла до Киева, а родив и выкормив сына, до смерти держала благодарственный пост. А может, многоплодие его сына шло от рыжей тощей невестки Матильды, привезенной им из Батума, вошедшей в их дом скандально непорожней и рожавшей с тех пор раз в два года, в конце лета, с космически-непостижимой точностью, по круглоголовому младенцу.

Старый Харлампий по мере рождения внуков слабел, добрел и утратил к концу жизни вместе с богатством даже и самый образ властного, жестокого и талантливого купца. Но кровь его оказалась сильной, не растворялась в других потоках, и те из его потомков, которых не перемолотило кровожадное время, унаследовали от него и крепость натуры, и талант, а всем известная его жадность в мужской линии проявлялась большой энергией и страстью к строительству, а у женщин, как у Медеи, оборачивалась бережливостью, повышенным вниманием к вещи и изворотливой практичностью.

Семья была столь благословенно велика, что являла бы собой прекрасный объект для генетика, интересующегося распределением наследственных признаков. Генетика не нашлось, зато сама Медея, со свойственным ей стремлением все привести к порядку, к системе, от чайных чашек на столе до облаков в небе, не однажды в своей жизни забавлялась, выстраивая своих братьев и сестер в шеренгу по усилению рыжести — разумеется, в воображении, поскольку она не помнила, чтобы вся семья собиралась вместе. Всегда кто-нибудь из старших братьев отсутствовал... Материнский медный оттенок проявлялся так или иначе у всех, но только сама Медея и младший из братьев, Димитрий, были радикально рыжими. У Александры, по-домашнему — Сандрочки, волосы были сложного цвета красного дерева, даже и с пламенем.

Выскакивал иногда укороченный дедов мизинец, который доставался почему-то только мальчикам, да бабушкина приросшая мочка уха и исключительная способность к ночному видению, которой, между прочим, обладала и Медея. Все эти родовые особенности и еще несколько менее ярких играли в потомстве Харлампия.

Даже семейная плодовитость расщепилась на две линии: одни, как Харлампий, годами не могли произвести на свет хоть самого малого ребеночка, другие, напротив, сыпали в мир красноголовую мелочь, не придавая этому большого значения. Сам Харлампий с десятого года лежал на феодосийском греческом кладбище, на самой высокой его точке, с видом на залив, где до самой второй войны шлепали последние два его парохода, приписанные, как и прежде, к Феодосийскому порту.

Спустя много лет бездетная Медея собирала в своем доме в Крыму многочисленных племянников и внучатых племянников и вела над ними свое тихое ненаучное наблюдение. Считалось, что она всех их очень любит. Какова бывает любовь к детям у бездетных женщин, трудно сказать, но она испытывала к ним живой интерес, который к старости даже усиливался.

Сезонными наплывами родни Медея не тяготилась, как не тяготилась и своим осенне-зимним одиночеством. Первые племянники приезжали обыкновенно в конце апреля, когда после февральских дождей и мартовских ветров появлялась из-под земли крымская весна в лиловом цветении глициний, розовых тамарисков и китайски желтого дрока.

Первый заезд обычно бывал кратким, несколько праздничных майских дней, кое-кто дотягивал до девятого. Потом небольшая пауза, и в двадцатых числах мая съезжались девочки — молодые матери с детьми дошкольного возраста.

Поскольку племянников было около тридцати, график составляли еще зимой — больше двадцати человек четырехкомнатный дом не выдерживал.

Феодосийские и симферопольские шоферы, промышлявшие курортным извозом, отлично знали дом Медеи, иногда делали ее родне небольшую скидку, но оговаривали, что в дождь наверх не повезут, высадят в Нижнем Поселке.

Медея не верила в случайность, хотя жизнь ее была полна многозначительных встреч, странных совпадений и точно подогнанных неожиданностей. Однажды встреченный человек через многие годы возвращался, чтобы повернуть судьбу, нити тянулись, соединялись, делали петли и образовывали узор, который с годами делался все яснее.

В середине апреля, когда, казалось, погода установилась, выдался сумрачный день, похолодало, пошел темный дождь, обещавший обернуться снегом.

Задернув занавески, Медея довольно рано зажгла свет и, бросив в свою умную печурку, которая брала мало топлива, но давала много тепла, горсть хвороста и два полена, разложила на столе изношенную простыню и прикидывала: то ли порезать ее на кухонные полотенца, то ли, вырезав рваную середину, сшить из нее детскую простыню?

В это время в дверь крепко постучали. Она открыла. За дверью стоял молодой человек в мокром плаще и меховой шапке.

Медея приняла его за одного из редких племянников и впустила в дом.

— Вы Медея Георгиевна Синопли? — спросил молодой человек, и Медея поняла, что он не из родни.

— Да, это я, хотя уже сорок лет ношу другую фамилию, — улыбнулась Медея. Молодой человек был приятной наружности, со светлыми глазами и черными жидкими усиками, отпущенными книзу. — Раздевайтесь...

— Извините, я как снег на голову... — Он стряхивал жидкий снежок с мокрой шапки. — Равиль Юсупов, из Караганды...

Все дальнейшее, что произошло в этот вечер и в ночь, было изложено Медеей в письме, написанном, вероятно, на следующий день, но так и не отправленном.

Много лет спустя оно попало в руки племянника Георгия и объяснило ему загадку совершенно неожиданного завещания, найденного им в той же пачке бумаг и помеченного одиннадцатым апреля семьдесят шестого года. Письмо было следующее:

«Дорогая Еленочка! Хотя я отправила тебе письмо всего неделю тому назад, произошло одно событие, которое действительно выходит из ряда вон, и об этом я и хочу тебе рассказать. Это из тех историй, начало которым положено давным-давно. Ты помнишь, конечно, возчика Юсима, который привез тебя с Армик Тиграновной в Феодосию в декабре восемнадцатого года? Представь себе, меня разыскал его внук через феодосийских знакомых. Удивительно, что и по сей день можно разыскать человека в большом городе без всяких адресных книг. История для наших мест довольно обыкновенная: их выселили из Алушты после войны, когда Юсима уже не было в живых. Мать Равиля отправили в Караганду — это при том, что отец этих ребятишек погиб на фронте. Молодой человек с детства знает об этой истории — я имею в виду вашу эвакуацию —

и помнит даже сапфировое кольцо, которое ты тогда Юсиму в благодарность подарила... Мать Равиля многие годы носила его на руке, а в самые голодные времена променяла на пуд муки. Но это была только предварительная часть разговора, который, скажу тебе откровенно, меня глубоко тронул. Всплыло в памяти то, о чем мы не так уж любим вспоминать: мытарства тех лет. Потом Равиль мне открыл, что он участник движения за возвращение татар в Крым, что они давно уже начали и официальные, и неофициальные шаги.

Он расспрашивал меня о старом татарском Крыме с жадностью, даже вытащил магнитофон и записывал, чтобы мои рассказы могли услышать его узбекские и казахские татары. Я рассказывала ему, что помнила о бывших моих соседях по Поселку, о Галии, о Мустафе, о дедушке Ахмете-арычнике, который с рассвета до заката чистил здешние арыки, каждую соринку, как из глаза, вытаскивал, о том, как выселяли здешних татар, в два часа, не дав и собраться, и как Шура Городовикова, партийная начальница, сама их выселяла, помогала вещи складывать и плакала в три ручья, а на другой день ее разбил удар — и она уже перестала быть начальницей, а лет десять еще ковыляла по своей усадьбе с кривым.лицом и невнятной речью. В наших местах и при немцах, хотя у нас не немцы, а румыны стояли, ничего такого не было. Хотя, я знаю, евреев брали, но не в наших местах.

Рассказала я ему и про то, как в сорок седьмом, в половине августа, пришло повеление вырубить здешние ореховые рощи, татарами посаженные. Как мы ни умоляли, пришли дурни и срубили чудесные деревья, не дав и урожая снять. Так и лежали эти убитые деревья, все ветви в недозрелых плодах, вдоль дороги. А потом пришел приказ их пожечь. Таша Лавинская из Керчи тогда у меня гостила, и мы сидели и плакали, глядя на этот варварский костер.

Память у меня, слава богу, еще хорошая, все держит, и мы разговаривали за полночь, даже выпили. Старые татары, как помнишь, вина не брали. Уговорились, что назавтра я его поведу по здешним местам, все покажу. И тут он мне высказал свою тайную просьбу — купить ему дом в Крыму, но на мое имя, потому что татарам, оказывается, домов не продают, есть на этот счет специальный указ от сталинских еще времен.

Помнишь ли, Еленочка, каков был Восточный Крым при татарах? А Внутренний? Какие в Бахчисарае были сады! А сейчас по дороге в Бахчисарай ни деревца: все свели, все уничтожили... Только я постелила Равилю в Самониной комнате, как слышу — машина к дому подъехала. Через минуту — стучат. Он грустно так посмотрел на меня: «Это за мной, Медея Георгиевна».

Лицо у него сделалось усталым до крайности, и я поняла, что не такой уж он и молодой, за тридцать, пожалуй. Он вы-

23

тянул из магнитофона ленту, бросил в печь: «Неприятности у вас будут, простите меня. Я скажу им, что просто на ночлег зашел, и все...» Ленточка эта, весь мой длинный рассказ, вмиг пшикнула.

Пошла я открывать — стоят двое. Один из них — Петька Шевчук, сын здешнего рыбака Ивана Гавриловича. Он мне, наглец, говорит: «Паспортная проверка. Не пускаете ли жильцов?»

Ну, я ему отпустила по первое число: как ты смеешь в дом ко мне ночью вламываться?! Нет, не пускаю жильцов, но сейчас в доме у меня гость, и пусть они отправляются куда им будет угодно и до утра меня не беспокоят. Свинья такая, посмел в мой дом прийти. Если ты помнишь, я всю войну больничку продержала, здесь вообще, кроме меня, никаких медицинских сил не было. Сколько я ему фурункулов перелечила, а один был в ухе, пришлось вскрывать. Я чуть от страха не умерла: шутка ли, пятилетний ребенок — и все признаки мозгового поражения, а я кто — фельдшер! Ответственность какая... Они повернулись и ушли, но машина не уехала, стоит возле дома наверху, мотор выключили.

А мальчик мой татарский, Равиль, улыбается спокойно: «Спасибо, Медея Георгиевна, вы необыкновенно мужественный человек, редко такие встречаются. Жаль, что вы мне не покажете завтра ни долину, ни восточные холмы. Но я сюда приеду еще, времена переменятся, я уверен».

Достала я еще одну бутылку вина, и спать мы уже не ложились, беседовали. Потом пили кофе, а когда рассвело, он умылся, я ему испекла лепешку, консервы дала московские, с лета еще оставшиеся, но он не взял: все равно, говорит, отберут. Проводила его до калитки, до самого верха. Дождь кончился, так хорошо. Петька возле машины стоит, и второй с ним рядом. Простились мы с Равилем, а у них уже и дверка распахнута. Вот, Еленочка, какая история приключилась. Да, шапку он свою забыл. Ну, я думаю, и хорошо. Может, повернется еще вспять, вернутся татары и отдам я ему шапку-то? Право, это было бы по справедливости. Ну, как Бог рассудит. А пишу я тебе так спешно вот по какой причине: хотя я никогда в жизни ни в какие политические истории не попадала, Самоня был по этой части специалист, но, представь себе, вдруг в конце жизни, во времена послаблений, к старухе придерутся? Чтоб ты знала, где меня искать. Да, в прошлом письме забыла тебя спросить, пришелся ли тебе новый слуховой аппарат. Хотя, признаться, мне кажется, что большая часть того, что говорят вокруг, не стоит того, чтобы слышать, и ты не много теряешь. Целую тебя. Медея».

Был конец апреля. Медеин виноградник был вычищен, огород уже напыжился всеми своими грядками, а в холодильнике два дня как лежала разрезанная на куски гигантская камбала, которую принесли ей знакомые рыбаки.

Первым появился племянник Георгий с тринадцатилетним сыном Артемом. Сбросив рюкзак, Георгий стоял посреди дворика, морщился от прямого сильного солнца и вдыхал сладкий, густой запах.

— Режь да ешь, — сказал он сыну, но тот не понял, о чем идет речь.

— Вон Медея белье вешает, — указал Артем.

Дом Медеи стоял в самой верхней части Поселка, но усадьба была ступенчатая, террасами, с колодцем в самом низу. Там между большим орехом и старым айлантом была натянута веревка, и Медея, проводящая обыкновенно свой обеденный перерыв в хозяйственных хлопотах, развешивала густо посиненное белье. Темно-синие тени гуляли по голубому полотну латаных простыней, простыни медленно, парусообразно выгибались, грозя развернуться и уплыть в грубо-синее небо.

«Бросить бы все к черту и купить здесь дом, — думал Георгий, спускаясь вниз к тетке, которая их все еще не заметила. — А Зойка как хочет. Взял бы Темку, Сашку...»

Последние десять лет именно это приходило ему в голову в первые минуты в крымском доме Медеи...

Медея наконец заметила Георгия с сыном, бросила в пустой таз последнюю свернутую жгутом простыню, распрямилась:

— А, приехали... Второй день жду... Сейчас, сейчас я подымусь, Георгиу.

Одна только Медея звала его так, на греческий лад. Он поцеловал старуху, она провела ладонью по родным черным с медью волосам, погладила и второго:

— Вырос.

— А можно там посмотреть, на двери? — спросил мальчик.

Дверная коробка была по бокам вся иссечена многочисленными зарубками — дети метили рост.

Медея прицепила последнюю простыню, и она полетела, накрыв собой половину детского облачка, случайно забредшего в голое небо.

Георгий подхватил пустые тазы, и они пошли наверх: черная Медея, Георгий в мятой белой рубашке и Артем в красной майке.

А из соседской усадьбы через чахлый и кривой совхозный виноградник следили за ними Ада Кравчук, ее муж Михаил и их постоялица из Ленинграда, белая мышка Нора.

— Здесь народу собирается — тьма! Мендесихина родня. Вон Георгий приехал, он всегда первый, — не то с одобрением, не то с раздражением пояснила Ада постоялице.

Георгий был всего несколькими годами моложе Ады, в детские годы они вместе хороводились, и Ада теперь недолюбливала его за то, что сама она постарела, расквашнела, а он все молод и только-только седину стал набирать.

Нора завороженно смотрела в ту сторону, где сходились балка, горушка, завивалась какая-то длинная складка земли и там, в паху, стоял дом с черепичной крышей и звенел промытыми окнами навстречу трем стройным фигурам — черной, белой и красной... Она любовалась устройством пейзажа и думала с благородной грустью: «Написать бы такое... Нет, не справиться мне...»

Была она художница, кончила училище не совсем блестяще, однако кое-что у нее получалось: акварельные летучие цветы — флоксы, сирени, легкие полевые букеты. Вот и теперь, приехав только что сюда на отдых, она приглядывалась к глициниям и предвкушала, как поставит одни кисти, совсем без листьев, в стеклянную банку, на розовую скатерть и, когда дочка будет днем спать, сядет рисовать на заднем дворике... Однако этот изгиб пространства, его сокровенный поворот волновал ее, побуждал к работе, которая самой же и казалась не по плечу. А три фигуры поднялись к дому и скрылись из виду...

На маленькой площадке, как раз посередине между крыльцом и летней кухней, Георгий распаковывал две привезенные им коробки, а Медея распоряжалась, что куда нести. Момент был ритуальный. Каждый приезжающий привозил подарки, и Медея принимала их как будто не от своего имени, а от имени дома.

Четыре наволочки, два заграничных флакона с жидким мылом для мытья посуды, хозяйственное мыло, которого в прошлом году не было, а в этом появилось, консервы, кофе — все это приятно волновало старуху. Она разложила все по шкафам и комодам, велела не раскрывать без нее вторую коробку и убежала на службу. Обеденный перерыв уже окончился, а опаздывать она обычно себе не позволяла.

Георгий поднялся на самый верх теткиных угодий, где, как сторожевая башня, возвышалась сооруженная покойным Мендесом деревянная будка уборной, вошел в нее и сел без малейшей надобности на отскобленное деревянное сиденье. Огляделся. Стояло ведерко с золой, поломанный ковшик при нем, висела на стене выцветшая картонная инструкция по пользованию уборной, написанная еще Мендесом, со свойственным ему простодушным остроумием. Заканчивалась она словами: «Уходя, оглянись, чиста ли твоя совесть...»

Георгий задумчиво глядел поверх короткой, закрывающей лишь нижнюю часть уборной двери в образовавшееся выше прямоугольное оконце и видел двойную цепь гор, опускающуюся довольно резко вниз, к далекому лоскуту моря и развалинам древней крепости, различимым лишь острым глазом, да и то в ясную погоду. Он любовался этой землей, ее выветренными горами и сглаженными предгорьями, она была скифская, греческая, татарская и хотя теперь стала совхозной и давно тосковала без человеческой любви и медленно вымирала от бездарности хозяев, история все-таки от нее не уходила, витала в весеннем блаженстве и напоминала о себе каждым камнем, каждым деревом... Среди племянников давно уже было договорено: лучший на свете вид открывается из Медеиного сортира.

А под дверью переминался с ноги на ногу Артем, чтобы задать отцу вопрос, который — сам знал — задавать сейчас не стоило, но, дождавшись, когда отец вышел, все-таки спросил:

— Пап, а когда на море пойдем?

Море было довольно далеко, и потому обычные курортники ни в Нижнем Поселке, ни тем более в Верхнем не селились. Отсюда либо ездили на автобусе в Судак, на городской пляж, либо ходили в дальние бухты, за двенадцать километров, и это была целая экспедиция, иногда на несколько дней, с палатками.

— Что ты как маленький! — разозлился Георгий. — Какое сейчас море? Собирайся, на кладбище сходим...

На кладбище идти Артему не хотелось, но выбора у него теперь не оставалось, и он пошел надевать кеды. А Георгий взял холщовую сумку, положил в нее немецкую саперную лопатку, подумал немного над банкой краски-серебрянки, но медленное это дело решил оставить на следующий раз. С вешалки в сарае он сдернул линялую шляпу из солдатского среднеазиатского комплекта, им же когда-то сюда привезенного, стукнул шляпой о колено, выбив облако мельчайшей пыли, и, заперев дверь дома, сунул ключ под известный камень, мимоглядно порадовавшись этому треугольному камню с одним раздвоенным углом — он помнил его с детства.

Георгий, в прошлом геолог, шел легким и длинным профессиональным шагом, за ним семенил Артем. Георгий не оглядывался, спиной видел, как торопится Артем, сбиваясь с шага на бег.

«Не растет, в Зойку пойдет», — с привычным огорчением подумал Георгий.

Младший сын, трехлетний Саша, был ему гораздо милей своим набыченным бесстрашием и непробиваемым упрямством, обещавшим превратиться во что-то бесспорно более мужское, чем этот неуверенный в себе и болтливый, как девочка, первенец. Артем же боготворил отца, гордился его столь явной мужественностью и уже догадывался, что никогда не станет таким сильным, таким спокойным и уверенным, и сыновняя его любовь была горько-сладкой.

Но теперь настроение у Артема стало прекрасным, как если бы он уговорил отца пойти на море. Он и сам не вполне понимал, что важно было не море, а выйти вдвоем с отцом на дорогу, еще не пыльную, а свежую и молодую, и идти с ним куда угодно, пусть и на кладбище.

Кладбище шло от дороги на подъем. Наверху была разрушенная татарская часть с остатками мечети — восточный склон был христианским, но после выселения татар христианские захоронения стали переползать на татарскую сторону, как будто и мертвые продолжали неправедное дело изгнания.

Вообще-то предки Синопли покоились на старом феодосийском кладбище, но к тому времени оно уже было закрыто, а отчасти и снесено, и Медея с легким сердцем похоронила мужа-еврея здесь, подальше от своей матери. Рыжая Матильда, добрая во всех отношениях христианка, истовая православная, недолюбливала мусульман, боялась евреев и шарахалась от католиков. Неизвестно также, что она думала о прочих буддистах и даосах, если о таковых слыхала.

Над могилой Медеиного мужа стоял обелиск со звездой в навершии и разляпистой надписью на цоколе: «Самуил Мендес, боец ЧОН, член партии с 1914 года. 1890 — 1952».

Надпись соответствовала воле покойного, высказанной им задолго до смерти, вскоре после войны, звезду Медея несколько переосмыслила, выкрасив серебрянкой заодно и острие, на которое она была насажена, отчего та приобрела шестой, перевернутый луч и напоминала рождественскую, как ее изображали на старинных открытках, а также наводила и на другие ассоциации.

Слева от обелиска стояла маленькая стела с овальной фотографией круглолицего, улыбающегося умными узкими глазами Павлика Кима, приходившегося Георгию родным племянником и утонувшего в пятьдесят четвертом году на городском судакском пляже на глазах у матери, отца и деда — старшего Медеиного брата Федора.

Придирчивому глазу Георгия не удалось найти неполадки — Медея, как всегда, его опередила: ограда была покрашена, цветник вскопан и засажен дикими крокусами, взятыми на восточных холмах.

Георгий для порядка укрепил бровку цветника, потом обтер штык лопаты, сложил ее и бросил в сумку. Молча посидели отец с сыном на низкой лавочке, Георгий выкурил сигарету. Артем не прерывал отцовского молчания, и Георгий благодарно положил руку ему на плечо.

Солнце клонилось к западному хребту, нацеливаясь в ложбинку между двумя круглыми горками Близнецами, как шар в лузу. В апреле солнце садилось между Близнецами, сентябрьское солнце уходило за горизонт, распарывая себе брюхо о шлык Киян-горы.

Год от года высыхали источники, вымирали виноградники, приходила в упадок земля, которую он исходил еще мальчиком, и только профили гор держали облик этого края, и Георгий любил их, как можно любить лицо матери или тело жены, — наизусть, с закрытыми глазами, навсегда.

— Пошли, — бросил он сыну и начал спуск к дороге, шагая напрямик, не замечая обломков каменных плит с арабской вязью.

Артему сверху показалось, что серая дорога внизу движется как эскалатор в метро, он даже приостановился от удивления:

— Пап! — И тут же засмеялся: это шли овцы, заполняя буроватой массой всю дорогу и выплескиваясь на обочину. — Я думал, дорога движется.

Георгий понимающе улыбнулся...

Они смотрели на течение медленной овечьей реки и были не единственными, кто наблюдал за дорогой: метрах в пятидесяти на пригорке сидели две девочки, подросток и совсем маленькая.

— Давай обойдем стадо, — предложил Артем. Георгий согласно кивнул. Проходя совсем рядом с девочками, они увидели, что разглядывают они совсем не овец, а какую-то находку на земле. Артем вытянул шею: между двумя сухими плетьми каперсового куста торчком стояла змеиная кожа; цвета старческого ногтя, полупрозрачная, местами она была скручена, кое-где треснула, и маленькая девочка, боясь тронуть ее рукой, опасливо прикасалась к ней палочкой. Вторая же оказалась взрослой женщиной, это была Нора. Обе были светловолосые, обе в легких косынках, в длинных цветастых юбках и одинаковых кофточках с карманами.

Артем тоже присел возле змеиной кожи:

— Пап, ядовитая была?

— Полоз, — пригляделся Георгий. — Здесь их много.

— Мы никогда такого не видели, — улыбнулась Нора. Она узнала в нем того утреннего, в белой рубашке.

— Я в детстве здесь однажды змеиную яму нашел. — Георгий взял в руки шуршащую шкуру и расправил ее. — Свежая еще.

— Неприятная вещица, — передернула плечом Нора.

— Я ее боюсь, — шепотом сказала девочка, и Георгий заметил, что мать и дочь уморительно похожи круглыми глазами и острыми подбородочками на котят.

«Какие милые малышки», — подумал Георгий и положил их страшную находку на землю.

— Вы у кого живете?

— У тети Ады, — ответила женщина, не отрывая глаз от змеиной кожи.

— А, — кивнул он, — значит, увидимся. В гости приходите, мы вон там... — Он махнул в сторону Медеиной усадьбы и, не оглядываясь, сбежал вниз.

Артем вприпрыжку понесся за ним.

Стадо тем временем прошло, и только арьергардная овчарка в полном безразличии к прохожим трусила по дороге, заваленной овечьим пометом.

— Ноги большие, как у слона, — с осуждением сказала девочка.

— Совсем не похож на слона, — возразила Нора.

— Я же говорю, не сам, а ноги, — настаивала девочка.

— Если хочешь знать, он похож на римского легионера. — Нора решительно наступила на змеиную кожу.

— На кого?

Нора засмеялась своей глупой привычке разговаривать с пятилетней дочкой как со взрослым человеком и поправилась:

— Не похож, не похож на римского легионера, они же брились, а он с бородой!

— А ноги как у слона...

* * *

Поздним вечером того же дня, когда Нора с Таней уже спали в отведенном им маленьком домике, а Артем свернулся по-кошачьи в комнате Мендеса, Медея сидела с Георгием в летней кухне. Обычно она перебиралась туда в начале мая, но в этом году весна была ранняя, в конце апреля стало совсем тепло, и она открыла и вымыла кухню еще до приезда первых гостей. К вечеру, однако, похолодало, и Медея надела выношенную меховую безрукавку, крытую старым бархатом, а Георгий накинул татарский халат, который уже много лет служил всей Медеиной родне.

Кухня была сложена из дикого камня, на манер сакли, одна стена упиралась в подрытый склон холма, а низенькие, неправильной формы окна были пробиты с боков. Висячая керосиновая лампа мутным светом освещала стол, в круглом пятне света стояли последняя сбереженная Медеей для этого случая бутылка домашнего вина и початая бутылка яблочной водки, которую она любила.

В доме был давно заведен странный распорядок: ужинали обыкновенно между семью и восьмью, вместе с детьми, рано укладывали их спать, а к ночи снова собирались за поздней трапезой, столь не полезной для пищеварения и приятной для души. И теперь, в поздний час, переделав множество домашних дел, Медея и Георгий сидели в свете керосиновой лампы и радовались друг другу. У них было много общего: оба были подвижны, легки на ногу, ценили приятные мелочи и не терпели вмешательства в их внутреннюю жизнь.

Медея поставила на стол тарелку с кусочками жареной камбалы. Широта натуры забавным образом сочеталась у нее со скупостью: порции ее всегда были чуть меньше, чем хотелось бы, и она могла спокойно отказать ребенку в добавке, сказавши: «Вполне достаточно. Не наелся — возьми еще кусок хлеба».

Дети быстро привыкали к строгой уравниловке застолья, а те из племянников, кому уклад ее дома не нравился, сюда и не приезжали.

Подперев рукой голову, она наблюдала, как Георгий подкладывал в открытый очаг — примитивное подобие камина — небольшое поленце.

По верхней дороге проехала машина, остановилась и дала два хриплых сигнала. Ночная почта. Телеграмма. Георгий пошел наверх. Почтальонша была знакомая, шофер новый. Поздоровались. Она дала ему телеграмму:

— Что, съезжаются ваши?

— Да, пора уже. Как Костя-то?

— А чего ему сделается? То пьет, то болеет. Хорошая жизнь.

При свете фар он прочитал телеграмму: «приезжаем тридцатого ника маша дети».

Он положил телеграмму перед Медеей. Она, прочитав, кивнула.

— Ну что, тетушка, выпьем? — Он открыл початую бутылку, разлил по рюмкам.

«Как жаль, — думал он, — что они так быстро приезжают. Как хорошо бы пожить здесь вдвоем с Медеей».

Каждый из племянников любил пожить вдвоем с Медеей.

— Завтра с утра воздушку натяну, — сказал Георгий.

— Как? — не поняла Медея.

— Электричество на кухню проведу, — пояснил он.

— Да-да, ты уже давно собирался, — вспомнила Медея.

— Мать велела с тобой поговорить, — начал Георгий, но Медея отвела давно известный ей разговор:

— С приездом, Георгиу, — и взялась за рюмку.

— Только здесь я чувствую себя дома, — как будто пожаловался он.

— И потому каждый год пристаешь ко мне с этим глупым разговором, — хмыкнула Медея.

— Мать просила...

— Да я письмо получила. Глупости, конечно. Зима уже кончилась, впереди лето. В Ташкенте я не буду жить ни в зиму, ни в лето. И Елену к себе не приглашаю. В нашем возрасте места не меняют.

— Я в феврале там был. Мать постарела. По телефону с ней говорить теперь невозможно. Не слышит. Читает много. Газеты даже. Телевизор смотрит.

— Твой прадед тоже все газеты читал. Но тогда их не так много было. — И они надолго замолчали.

Георгий подбросил в огонь несколько хворостин, они сухо затрещали, в кухне стало светлей.

Как хорошо бы он жил здесь, в Крыму, если бы решился плюнуть на потерянные десять лет, на несостоявшееся открытие, недописанную диссертацию, которая всасывала его в себя как злая трясина, как только он к ней приближался, но зато, когда он уезжал из Академгородка, от этой трухлявой кучи бумаги, она почти переставала его занимать и сжималась в маленький темный комочек, про который он забывал... Построил бы дом здесь... Феодосийское начальство все знакомое, дети Медеиных друзей... Можно в Атузах или по дороге к Новому Свету, там маячит полуразрушенная чья-то дача — надо спросить чья...

Медея думала о том же. Ей хотелось, чтобы именно он, Георгий, вернулся сюда, чтобы опять Синопли жили в здешних местах...

Они медленно пили водку, старуха подремывала, а Георгий прикидывал, как бы он пробил артезианский колодец; хорошо бы найти промышленный бур...

2.

Елена Степанян, мать Георгия, принадлежала к культурнейшей армянской семье и вовсе не помышляла о том, чтобы стать женой простоватого грека из феодосийского пригорода, старшего брата задушевной гимназической подруги.

Медея Синопли была немеркнущей звездой женской гимназии; ее образцовые тетради показывали последующим поколениям гимназисток. Дружба девочек началась с тайного и горячего соперничества. В тот год — а это был год двенадцатый — семья Степанян не уехала, как обычно, на зиму в Петербург из-за легочной болезни младшей сестры Елены, Анаит. Семья осталась зимовать на своей даче в Судаке. а Елена с гувернанткой весь тот год прожила в Феодосии, в гостинице, и ходила в женскую гимназию, составляя острую конкуренцию Медеиной репутации первой отличницы.

Толстенькая, приветливая Леночка, казалось, не испытывала никакой нервозности и в соревновании как бы и не участвовала. Такое поведение можно было объяснить либо ангельским великодушием, либо гордыней сатанинской. Елена в грош не ставила свои успехи: сестры Степанян получали хорошее домашнее воспитание, французскому и немецкому их обучали гувернантки, к тому же раннее детство они провели в Швейцарии, где на дипломатической службе состоял их отец.

Обе девочки — и Медея, и Елена — окончили третий класс на круглые пятерки, но пятерки эти были разные: легкие, с большим запасом прочности — у Елены и трудовые, мозолистые — у Медеи. При всем неравном весе их пятерок на годовом выпуске они получили одинаковые подарки — темно-зеленые с золотым тиснением одно-томники Некрасова с каллиграфической надписью на форзаце.

На следующий день после выпуска, около пяти часов, в дом Синопли приехало неожиданно семейство Степанян в полном составе. Все женщины дома во главе с Матильдой, убравшей свои потускневшие волосы под белую косынку, возле большого стола в тени двух старых тутовых деревьев раскатывали тесто для пахлавы. Наиболее простая часть операции, производимая на самом столе, уже закончилась, и теперь они растягивали его края на тыльных сторонах ладоней. Медея вместе с остальными сестрами принимала в этом равноправное участие.

Госпожа Степанян всплеснула руками — в Тифлисе во времена ее детства готовили пахлаву точно так же.

— Моя бабушка это делала лучше всех! — воскликнула она и попросила передник.

Господин Степанян, поглаживая одной рукой седоватые усы, с доброжелательной улыбкой наблюдал за праздничной женской работой, любовался, как мелькали в пестрой тени натертые маслом женские руки, как легко и нежно касались они тестяного листа.

Потом Матильда пригласила их на террасу, они выпили кофе с засахаренными фруктами, и снова Армик Тиграновна умилилась детским воспоминаниям об этом сухом варенье. Общие кулинарные пристрастия, в корне своем турецкие, еще более расположили знаменитую даму к трудолюбивому дружному семейству, и казавшийся ей сомнительным проект — пригласить малознакомую девочку из семьи портового механика в качестве малолетней компаньонки своей дочери — показался ей теперь очень удачным.

Предложение было для Матильды неожиданным, но лестным, и она обещала сегодня же посоветоваться с мужем, и это свидетельство супружеского уважения в столь простой семье еще более расположило Армик Тиграновну.

Через четыре дня Медея вместе с Еленой была отправлена в Судак, на прекрасную дачу на берегу моря, которая и по сей день стоит на том же месте, переоборудованная в санаторий, не так далеко от Верхнего Поселка, в который много лет спустя будут приезжать общие потомки Армик Тиграновны и рыжей Матильды, так ловко раскатывающей тесто для пахлавы...

Девочки нашли друг в друге совершенство: Медея оценила благородное простодушие и сияющую доброту Елены, а Елена восхищалась Медеиным бесстрашием, самостоятельностью и особой женской одаренностью рук, отчасти унаследованной, отчасти перенятой у матери.

По ночам, лежа на немецких гигиенически жестких складных кроватях, они вели долгие содержательные разговоры, сохранив с тех пор на всю жизнь глубокое чувство душевной близости, хотя в более поздние годы им так и не удалось вспомнить, о чем же таком заветном говорили они тогда до рассвета.

Медея отчетливо помнила Еленин рассказ о том, как однажды ночью, во время болезни, ей привиделся ангел на фоне ставшей вдруг прозрачной стены, за которой она разглядела молодой, очень светлый лес, а у Елены в памяти запечатлелись рассказы Медеи о ее многочисленных находках, которыми так богата была ее жизнь. Дарование это, к слову сказать, она полностью всем явила в то лето, собрав целую коллекцию крымских полудрагоценных камней.

Еще один сохранившийся в памяти эпизод был связан с припадком смеха, который обуял их однажды ночью, когда они представили себе, что учитель пения, хромой жеманный молодой человек, женится на начальнице гимназии, огромной строгой даме, перед которой трепетали даже цветы на подоконнике.

К осени Елену увезли в Петербург, и тогда началась их переписка и с некоторыми перерывами длилась уже более шестидесяти лет. Первые годы переписка велась исключительно на французском языке, на котором Елена в те годы писала значительно лучше, чем на русском. Медея прилагала немало усилий, чтобы достичь той же свободы, которую обрела ее подруга, гуляя с гувернанткой по бережку Женевского озера. Девочки, следуя духовной моде тех лет, признавались друг другу в дурных мыслях и дурных намерениях («...и у меня возникло острое желание ударить ее по голове!.. история с чернильницей была мне известна, но я промолчала, и думаю, что это была с моей стороны настоящая ложь... и мама до сих пор уверена, что деньги взял Федор, а меня так и подмывало сказать, что виновата была Галя...»). И все это исключительно на французском языке!

Эти трогательные самораскопки прерываются навсегда Медеиным письмом от десятого октября девятьсот шестнадцатого года. Это письмо написано по-русски, жестко и коротко. В нем сообщается, что седьмого октября девятьсот шестнадцатого года вблизи севастопольской бухты взорвался корабль «Императрица Мария» и среди погибших числится судовой механик Георгий Синопли. Предполагали, что это была диверсия. По обстоятельствам военного времени, плавно перетекавшего в революцию и хаотическую войну в Крыму, корабль сразу после его потопления поднять не смогли, и только три года спустя, уже в советское время, заключение экспертов показало, что взрыв произошел действительно от взрывного устройства, помещенного в судовой двигатель. Один из сыновей Георгия, Николай, работал на подъеме затонувшего судна в команде водолазов.

В те октябрьские дни Матильда донашивала своего четырнадцатого ребенка, собиравшегося родиться не в августе, как все ее остальные дети, а в середине октября.

Обе они, и Матильда, и розовоголовая девочка, на девятый день после гибели Георгия последовали за ним.

Медея была первой, кто узнал о смерти матери. Она пришла утром к больнице, и вышедшая ей навстречу санитарка Фатима остановила ее на лестнице и сказала на крымско-татарском, который в те годы знали многие жители Крыма:

— Девочка, не ходи туда, иди к доктору, он тебя ждет...

Доктор Лесничевский вышел ей навстречу с мокрым лицом. Он был маленький толстый старичок, Медея была выше его на голову. Он сказал ей:

— Золотко мое! — и протянул руки вверх, чтобы погладить ее по голове...

Они с Матильдой в один год начинали свое дело: она — рожать, а он — заведовать акушерским отделением, и всех ее детей он принимал сам.

Их осталось тринадцать. Тринадцать детей, только что потерявших отца, еще не успевших поверить в реальность его смерти. Те символические похороны погибших моряков, с оркестром и оружейными залпами, младшим детям показались каким-то военным развлечением вроде парада. В шестнадцатом году смерть не настолько еще осуетилась, как в восемнадцатом, когда умерших хоронили во рвах, едва одетыми и без гробов. Хотя война шла уже давно, но она была далеко, а здесь, в Крыму, смерть была еще штучным товаром.

Матильду обрядили, черным кружевом покрыли звонкие волосы и некрещеную девочку положили к ней... Старшие сыновья отнесли на руках гроб сперва в греческую церковь, а оттуда на старое кладбище, под бок Харлампию.

Похороны матери запомнил даже самый младший, двухлетний Димитрий. Через четыре года он рассказал Медее о двух поразивших его событиях того дня. Похороны пришлись на воскресенье, и на более ранний час в церкви было назначено венчание. На узкой дороге, ведущей к церкви, свадебный поезд встретился с погребальным шествием. Произошла заминка, и несшим гроб пришлось сойти на обочину, чтобы дать проехать автомобилю, на заднем сиденье которого восседала, как муха в сметане, чернявая испуганная невеста в белейшем облаке свадебного наряда, а рядом с ней — лысый жених. Это был чуть ли не первый автомобиль в городе, принадлежал он богачам Мурузи, и был он зеленого цвета. Об этом автомобиле и рассказал Медее Димитрий. «Автомобиль был действительно зеленым...» — вспомнила Медея. Второй эпизод был загадочным. Мальчик спросил у нее, как назывались те белые птицы, которые сидели возле маминой головы.

— Чайки? — удивилась Медея.

— Нет, одна побольше, а другая поменьше. И личики у них другие, не как у чаек, — объяснил Димитрий.

Больше ничего он вспомнить не мог. В тот год Медее было шестнадцать. Пятеро были старшие, семеро младшие. Двух в тот день не хватало, Филиппа и Никифора, оба они воевали. Оба впоследствии и погибли, один от красных, другой от белых, и всю жизнь Медея писала их имена в одну строку в поминальной записке...

Приехавшая из Батума на похороны младшая сестра Матильды, вдовая Софья, рассудила взять к себе двух мальчиков из тех, что постарше. После мужа у нее осталось большое хозяйство, и со своими тремя дочерьми она с ним едва управлялась. Четырнадцатилетний Афанасий и двенадцатилетний Платон обещали стать в недалеком времени мужчинами, которых так не хватало в доме.

Но им не было суждено поднимать теткино хозяйство, потому что двумя годами позже умная Софья продала остатки имущества и увезла всех детей сначала в Болгарию, потом в Югославию. В Югославии Афанасий, совсем еще неоперившийся юноша, стал послушником в православном монастыре, оттуда перебрался в Грецию, где и затерялись его следы. Последнее, что было о нем известно, — что он живет в горах никому не известной Метеоры. Софья с дочками и Платоном прижилась в конце концов в Марселе, и венцом ее жизни был греческий ресторанчик, образовавшийся из розничной торговли восточными сладостями, в частности пахлавой, тесто для которой так ловко растягивали ее проворные некрасивые дочери. Платон, единственный в доме мужчина, действительно подпирал весь дом. Он выдал замуж сестер, похоронил перед Второй мировой войной тетку и уже после войны, далеко не молодым человеком, женился на француженке и родил двух французов с веселой фамилией Синопли.

Десятилетнего Мирона забрал родственник со стороны Синопли, милейший Александр Григорьевич, владелец кафе «Бубны» в Коктебеле, — он приехал на похороны Матильды и не собирался брать к себе в дом новых детей.

Сердце дрогнуло — взял. Через несколько лет мальчик умер от быстрой и непонятной болезни.

Месяц спустя Анеля, старшая сестра, самая, как считали, удачливая, забрала шестилетнюю Настю к себе в Тбилиси, где жила с мужем, известным в то время музыкантом. Она была намерена взять и младших мальчиков, но они подняли такой могучий рев, что их решили пока оставить с Медеей. Осталась с Медеей также и восьмилетняя Александра, всегда к ней сильно привязанная, а в последнее время просто от нее не отходившая.

Анеля была в смущении: как оставить троих малолетних на руках шестнадцатилетней девочки? Но вмешалась старая Пелагея, одноглазая нянька, всю жизнь прослужившая в их доме и приходившаяся Харлампию дальней родственницей:

— Пока я жива, пусть меньшие растут в доме.

Так все и решилось.

Через некоторое время Медея получила сразу три письма из Петербурга — от Елены, Армик Тиграновны и Александра Арамовича. Его письмо было самым коротким: «Вся наша семья глубоко вам сочувствует в постигшем вас горе и просит принять то немногое, чем мы можем вам помочь в трудную минуту».

«Немногим» оказалась очень значительная по тем временам сумма денег, половину которой Медея потратила на крест черного хрупкого мрамора с выбитыми на нем именами матери и отца, тело которого растворилось в чистой и крепкой воде Понта Эвксинского, принявшего многих мореходов Синопли...

На этом самом месте, в тени дикой оливы, посаженной над могилой Харлампия, в двадцать шестом году, в октябрьские дни, задремав на лавочке, Медея увидела всех троих: Матильду в нимбе рыжих волос, не собранных в пучок, как при жизни, а празднично стоящих над ее головой, с голенькой розовоголовой девочкой на руках, но не новорожденной, а почему-то трехлетней, и отца, седоволосого, с совершенно белой бородой и выглядевшего гораздо старше, чем помнила его Медея. Не говоря уж о том, что при жизни он никогда бороды не носил.

Они были к ней ласковы, но ничего не сказали, а когда исчезли, Медея поняла, что она вовсе не дремала. Во всяком случае, никакого перехода от сна к бодрствованию она не заметила, а в воздухе ощутила чудесный смолистый запах, древний и смуглый. Вдыхая этот запах, она догадалась, что своим появлением, легким и торжественным, они благодарили ее за то, что она сохранила младших, и как будто освобождали ее от каких-то полномочий, которые она давно и добровольно взяла на себя.

Прошло некоторое время, прежде чем она смогла описать это необыкновенное событие в письме к Елене:

«Прошло уже несколько недель, Еленочка, как я не могу сесть за письмо, чтобы описать тебе одно необычайное мистическое происшествие...»

Дальше она переходит на французский: все русские слова, которые она могла бы здесь употребить, такие, как «видение», «явление», «чудо», оказались невозможны, и легче было прибегнуть к иностранному языку, в котором богатство оттенков как бы отсутствует.

И пока она писала это письмо, снова откуда-то приплыл смолистый запах, который она тогда почувствовала на кладбище.

«Qu'en penses-tu?» — закончила она своим каллиграфическим почерком, который во французском варианте делался решительней и острей.

Письма долго тряслись в брезентовых мешках в почтовых вагонах, и переписка отставала от жизни на два-три месяца. Через три месяца Медея получила ответ на посланное письмо. Это было одно из самых длинных писем, написанных Еленой, и написано оно было тем же гимназическим почерком, так похожим на Медеин.

Она благодарила ее за письмо, писала, что пролила много слез, вспоминая те ужасные годы, когда, казалось, все было потеряно. Далее Елена признавалась, что и ей пришлось пережить подобную мистическую встречу накануне спешной эвакуации семьи в ночь на семнадцатое ноября восемнадцатого года:

«За три дня до этого мама перенесла удар. Вид у нее был ужасный, гораздо хуже того, что ты видела через три недели, когда мы добрались до Феодосии. Лицо ее было синим, один глаз закатился, мы с минуты на минуту ожидали ее смерти. Город простреливался, в порту шла бешеная погрузка штабов и гражданского населения. Папа был, как ты знаешь, член крымского правительства, оставаться ему было никак невозможно. Арсик болел одной из своих нескончаемых ангин, а Анаит, всегда такая жизнерадостная, плакала не переставая. Отец все время проводил в городе, приезжал на считанные минуты, клал руку маме на голову и снова уезжал. Обо всем этом я тебе рассказывала, кроме, может быть, самого главного.

В тот вечер я уложила спать Арсика и Анаит, прилегла рядом с мамой и сразу задремала. Комнаты были все проходными, анфиладой, я не случайно об этом упоминаю, это существенно. Вдруг сквозь сон слышу, что кто-то входит. «Отец», — подумала я, но не сразу поняла, что вошли в правую дверь, изнутри квартиры, тогда как вход со стороны улицы был слева. Я хотела встать, дать отцу чаю, но меня как будто сковало, и рукой пошевелить не могла. Отец, как ты помнишь, был небольшого роста, а стоящий у двери был крупным человеком и, как мне показалось, в халате. Видно было смутно: старик, лицо его было очень белым и как будто светилось. Было страшно, но, представь себе, интересно. Я поняла, что это кто-то близкий, родственник, и тут же как будто вслух мне сказали: Шинарарян. Мама рассказывала мне об одной удивительной ветви ее предков, которые строили армянские храмы. Он как-то плавно приблизился ко мне и сказал внятно, певучим голосом: «Пусть все уезжают, а ты, деточка, оставайся. В Феодосию поедешь. Ничего не бойся».

И тут я увидела, что он не полный человек, а только верхняя часть, а ниже туман, как будто призрак не успел целиком сложиться.

Так все и было. Обливаясь слезами, под утро расстались. Они уехали последним пароходом, а я с мамой осталась. Через сутки город взяли красные. В эти ужасные дни, когда по городу шли расстрелы и казни, нас не тронули. Юсим, возчик покойной княгини, в доме которой мы жили все это время, сначала увез нас с мамой в пригород, к своей родне, а через неделю посадил нас в фаэтон и повез. До Феодосии добирались две недели, и про эту поездку ты все знаешь. Ехала я к тебе как в дом родной, и только сердце мое оборвалось, когда мы увидели, что ворота вашего дома заколочены. Я не сразу догадалась, что вы стали пользоваться боковым входом.

Ни мама, ни папа никогда даже во сне мне не приснились — наверное, оттого, что я сплю слишком крепко, никаким снам до меня не достучаться. Какое счастье тебе, Медея, даровано, такой живой привет получить от родителей. Ты не смущайся, не пытай себя вопросами, зачем, для чего... Все равно мы сами не догадаемся. Помнишь, ты читала мне свой любимый отрывок из Апостола, про тусклое стекло. Все разъяснится со временем, за временем. В детстве, в Тбилиси, с нами Господь в одном доме жил, ангелы по комнатам гуляли, а здесь, в Азии, все по-другому. Он далеко от меня отстоит, и церковь здешняя как пустая... Но грех жаловаться, все хорошо. Наташа болела, теперь почти выздоровела, немного кашляет только. Федор уехал в поле на неделю. Есть у меня большая новость: будет еще ребенок. Уже скоро. Ни о чем так не мечтаю, как о твоем приезде. Может, собрала бы мальчиков да приехала весной?..»

3.

Медея всегда вставала очень рано, но в это утро прежде всех поднялся Артем. Солнце еще не рассиялось, утро было бледноватое, все в блестящей дымке, прохладное. Через несколько минут, разбуженный медным бряцанием, вышел и Георгий. Позже всех на этот раз поднялась Медея.

Медея, человек вообще молчаливый, по утрам была особенно несловоохотлива. Все это знали и вопросами ее донимали по вечерам. И в этот раз, кивнув, она прошла к уборной, а оттуда на кухню — разжечь керогаз. Воды в доме не оказалось, и она вынесла пустое ведро и поставила его к ногам Георгия. Это был один из обычаев дома: после захода солнца не ходить к колодцу. Из уважения к Медее и этот, и другие необъяснимые законы всеми жильцами строго соблюдались. Впрочем, чем закон необъяснимей, тем и убедительней.

Георгий спустился к колодцу. Это был глубокий каменный резервуар, сложенный татарами в конце прошлого века, — в этом наливном колодце хранилась привозная драгоценная вода. Сейчас она стояла низко, и Георгий, достав ведро, долго ее рассматривал. Вода была мутной и даже на глаз жесткой. Для него, родившегося в Средней Азии, крымское безводье было не в диковинку.

«Надо будет артезианскую скважину пробить», — подумал он уже во второй раз со вчерашнего дня, поднимаясь к дому по неудобной лестнице-тропке, как будто приноровленной к шагу женщины, несущей на голове кувшин.

Медея поставила чайник и, метя подолом выцветшей черной юбки по глинобитному полу кухни, вышла. Георгий сел на лавку, разглядывая ровные пучки трав, свисающие с потолочной балки. Татарская медная утварь стояла на высоких полках, а по углам громоздились друг на друге огромные казаны. Медный кунган венчал пирамиду. Вся эта утварь была грубей и проще узбекской, родственной, продававшейся на ташкентском базаре, но Георгий, обладающий глазом верным и несколько аскетическим, предпочитал эти бедные тем, многоработным, полным болтливого азиатского орнамента.

— Пап, а на море? — просунулся Артем.

— Вряд ли, — со скрытым раздражением бросил он сыну, отлично разбиравшемуся в оттенках отцовской речи.

Мальчик понял, что на море они не пойдут.

По склонности характера ему бы поканючить, поныть, но по тонкости души, уловившей благодать утренней тишины, он смолчал.

Пока вода согревалась на керогазе, Медея застилала свою постель, складывая подушки и одеяла в сундучок у изножия кровати, и бормотала коротенькое утреннее правило из совершенно стершихся молитвенных слов, которые, невзирая на их изношенность, неведомым образом помогали ей в том, о чем она просила: принять новый день с его трудами, огорчениями, чужими пустыми разговорами и вечерней усталостью, дожить до вечера радостно, ни на кого не гневаясь и не обижаясь. Она с детства знала за собой это неприятное качество — обидчивость и, так давно с ней борясь, не заметила, что уже многие годы ни на кого не обижается. Только одна давняя, многолетняя обида сидела в ней глухой тенью... «Неужели и в могилу унесу?» — мимолетно подумала она.

Добормотав последнее, она тщательно, за многие годы выработанным движением сплела косу, свила ее в узел, обмотала голову черной шелковой шалью, выпростала длинный хвост из-под пучка на шею — и вдруг увидела в овальном зеркале, обложенном ракушками, свое лицо. Собственно, каждое утро она повязывала шаль перед зеркалом, но видела только складку материи, щеку, воротник платья. Сегодня же — это было как-то связано с приездом Георгия — она вдруг увидела свое лицо и удивилась ему. С годами оно еще больше удлинилось — вероятно, за счет опавших, съеденных двумя глубокими морщинами щек. Нос был фамильный и с годами не портился: довольно длинный, но нисколько вперед не выдающийся, с тупо подрезанным кончиком и круглыми ноздрями.

Ее лицо напоминало красивую лошадиную морду, особенно в те годы, когда вскоре после замужества она неожиданно остригла челку и ненадолго завела себе парикмахерскую прическу взамен вечного узла волос, тяжелого и утомляющего шею.

Медея с некоторым удивлением разглядывала свое лицо — не скользящим боковым взглядом, а внимательно и строго — и поняла внезапно, что оно ей нравится. В отрочестве она много страдала от своей внешности: рыжие волосы, чрезмерный рост и чрезмерный рот, она стеснялась больших рук и мужского размера обуви, который носила...

«Красивая старуха из меня образовалась», — усмехнулась Медея и покачала головой. Слева от зеркала, среди выводка фотографий, из черной прямоугольной рамы смотрела на нее молодая пара — с низкой челкой женщина и пышноволосый, благородно-левантийского облика мужчина с чересчур большими для худого лица усами.

И снова Медея покачала головой: чего было так убиваться в юности? Хорошее лицо ей досталось, и рост хороший, и сила, и красота тела — это Самуил, дорогой ее муж Самуил ей внушил... Она перевела взгляд на его большой портрет с траурной ленточкой в углу, с последней его фотографии увеличенный. Там он был все еще пышноволос, но две глубокие залысины подняли вверх его невысокий лоб, усы поскромнели и увяли, глаза смотрели мягко, и неопределенная ласковость была в лице.

«Все хорошо. Все прошло», — отогнала от себя Медея тень старой боли и вышла из комнаты, прикрыв за собой дверь. Комната ее для всех приезжающих была священна, и без особого приглашения туда не входили...

Георгий уже сварил кофе. Он делал это точно так же, как Медея и его мать Елена, — наука была общая, турецкая. Маленький медный кофейник стоял в середине стола, на невычищенном подносе. Медея, при всей ее педантической аккуратности, не любила это занятие — чистить медь. Может быть, оттого, что в патине она ей больше нравилась. Медея налила кофе в грубую керамическую чашку, из которой пила уже лет пятнадцать. Чашка была тяжелой и нескладной. Это был подарок племянницы Ники, одна из первых ее керамик, плод недолгого увлечения лепкой. Темно-сине-красная, в потеках запекшейся глазури, шершавая, слишком декоративная для ежедневного пользования, она почему-то полюбилась Медее, и Ника по сей день гордилась, что угодила тетке.

Делая первый глоток, Медея подумала о Нике, о том, что сегодня она приедет с детьми и с Машей. Маша была ранней внучкой, а Ника — поздней дочерью сестры Александры, разница в годах невелика.

— Скоре всего, прилетят утренним рейсом, тогда будут к обеду, — сказала Медея, как будто ни к кому не обращаясь.

Георгий промолчал, хотя и сам думал, не сходить ли ему на рынок за вином и какой-нибудь весенней радостью вроде зелени или мушмулы.

«Нет, для мушмулы рано», — прикинул он и через некоторое время спросил тетку, придет ли она к обеду.

Та кивнула и в молчании допила кофе.

Когда она ушла, Артем попробовал было атаковать отца, но тот велел ему собираться на базар.

— Ну вот, то на кладбище, то на базар, — проворчал Артем.

— Не хочешь, можешь оставаться, — миролюбиво предложил ему отец, но Артем уже сообразил, что и на базар пойти тоже неплохо.

Через полчаса они уже шли по дороге. Оба были с рюкзаками, Артем в холщовой панаме, Георгий в брезентовой солдатской, которая придавала ему военно-авантюрный вид. Почти на том же месте, что и накануне, они снова увидели мать с дочерью, те опять были одеты в одинаковую одежду, но на этот раз женщина, сидя на маленьком складном стульчике, рисовала на каком-то детском мольберте.

Заметив их с дороги, Георгий крикнул, не купить ли им чего на базаре, но легкий ветерок отнес его слова в сторону, и женщина показала рукой, что не слышит.

— Ты сбегай спроси, не надо ли им чего, — попросил он сына, и тот побежал вверх по склону, осыпая мелкие камешки.

Георгий с удовольствием смотрел вверх. Трава была еще молодая, свежая, на взлобке холма дымился розово-лиловый тамариск, совсем безлиственный.

Женщина что-то говорила Артему, потом махнула рукой и сбежала вниз.

— Картошки нам купите? Два кило, пожалуйста. Мне Таню оставить не с кем, а она туда не дойдет, устанет. И укропа пучок. Только у меня с собой денег нет. — Она говорила быстро, чуть-чуть пришепетывая, и розовела на глазах.

Она поднималась к дочке, стоявшей рядом с мольбертом, сердце ее мчалось галопом и отдавалось в горле: «Что случилось? Что случилось? Ничего не случилось. Два кило картошки и пучок укропа...»

Она поднялась на холм и увидела, как все изменилось за те несколько минут, что она спускалась к дороге: солнце наконец пробило блестящую дымку, и тамариски, которые она пыталась нарисовать, уже не поднимались розовым паром, а плотно, как клюквенный мусс, лежали на гребне холма. Ушла вся нежная неопределенность пейзажа, а место, на котором она стояла, показалось ей вдруг тем неподвижным центром, вокруг которого и происходит движение миров, звезд, облаков и овечьих отар.

Но эта мысль не успокоила ее колотившееся сердце, оно все неслось куда-то, обгоняя само себя, а взгляд независимо от нее впитывал округу, чтобы ничего не упустить, не забыть ни одной черты этого мира. О, если бы она могла, как в детстве, когда увлекалась ботаникой, сорвать и засушить, как приглянувшийся цветок, это мгновенье со всем принадлежащим ему реквизитом: дочкой возле мольберта, криво установленного в центре мироздания, цветущий тамариск, дорогу, по которой, не оглядываясь, идут два путника, далекий лоскут моря, складчатая долина с бороздой давно ушедшей реки. И то, что было за ее спиной, и то, что не входило в окоем: позади горбатых, состарившихся на этом месте холмов — столовые горы, аккуратные, с отсеченными вершинами, вытянувшиеся одна за другой, как послушные животные...

Автобусная дорога от Симферополя до Медеиного дома занимала около пяти часов, к тому же рейс до начала курортного сезона был всего раз в сутки, но, несмотря на дороговизну — двухчасовая поездка на машине стоила едва ли не дороже авиационного билета от Москвы до Симферополя, — Ника и Маша приезжали обычно на такси.

Артем, вернувшись с базара, залез на крышу со старым биноклем и не спускал вооруженного глаза с просвета между холмами, где мелькала каждая едущая в поселок машина. Георгий разбирал на кухне покупки. День оказался не базарный, скучный, продавцов мало. Он купил пересушенный сверток сливовой домашней пастилы, грубо приготовленной на горячем железном листе, — любимое детское лакомство, — зелень и большой пакет чебуреков.

Главную радость доставил Георгию хозяйственный магазин, всегда удивлявший курортников неожиданным изобилием. В этот раз Георгий купил модную вещицу — чайник со свистком, две дюжины граненых стаканов и полкило ахналей — подковных гвоздей, по которым страдал его новосибирский приятель Тарасов, председатель колхоза. Еще купил редкий по тем временам чешский клей и довольно уродливую клеенку на стол. Все покупки он выложил на стол и любовался их изобилием. Он любил покупать, ему нравилась вся эта игра в выбор, в торговлю, в добычу. Его жена Зойка сердилась, когда он привозил из каждой своей поездки целую кучу совершенно ненужных вещей, загромождавших и дом и дачу. Сама она была экономистом, работала в горторге и считала, что покупать надо с толком, с пониманием, а не всякую глупость...

Он откупорил бутылку таврического портвейна и пожалел, что мало взял. Впрочем, добра этого было навалом, можно было купить и попозже, в поселковом магазинчике.

Все разобравши, со стаканом вина и чебуреком в руке, он сел на порог дома и увидел, как с холма спускается художница с дочкой.

«Черт, картошку забыл, — вспомнил он. — Да ее и не было. Увидел бы — вспомнил».

Но укропа он купил много и потому, как человек обязательный, крикнул Артему, чтобы тот спустился с крыши и отнес бы курортнице укроп, — себя обитатели Медеиного дома курортниками никогда не считали, да и местные относились к ним как к своим.

Артем нести укроп наотрез отказался. Слишком важной была минута появления машины, и он боялся ее пропустить. И действительно, они еще не кончили препираться из-за укропа, как мелькнула в специально предназначенном для этого просвете желтая «Волга».

— Едут! — заорал сорвавшимся от счастья голосом Артем, кубарем скатился с крыши и понесся к калитке.

А еще через несколько минут машина подкатила к дому, остановилась, одновременно раскрылись все четыре дверцы, и выпрыгнуло сразу шесть человек, причем двое совсем маленькие. Пока таксист доставал из багажника чемоданы и картонки, началась родственная свалка с поцелуями и объятиями. Машина еще не успела отъехать, как незаметно подошла Медея с брюхатой сумкой, улыбаясь плотно закрытым ртом и сузив глаза.

— Тетя! Солнышко мое! Как я соскучилась! Какая ты красавица! И пахнешь шалфеем! — целовала ее высокая рыжая Ника, а она слегка отбивалась и ворчала:

— Глупости! Я пропахла масляной краской, у нас в больничке третий месяц ремонт, никак не могут закончить.

Тринадцатилетняя Катя, старшая Никина дочь, стояла рядом с Медеей и ждала очереди на целование. Там, где была Ника, она по какому-то неоспоримому праву всегда была первой, и мало кто мог с этим спорить. Ожидала своей очереди и Маша, стриженная под мальчика, подросткового сложения, как будто не взрослая женщина, а тощий недоросток на вихлявых ножках. Но лицом красива — красотой не проявленной, как переводная картинка. Георгий подхватил ее, поцеловал в макушку.

— Да ну тебя, с тобой и разговаривать не хочу, — отбивалась Маша. — Был в Москве, даже не позвонил.

Машин сын, пятилетний Алик, и Никина младшая дочь Лиза тоже обнимались, разыгрывая бурную встречу, хотя они не расставались со вчерашнего вечера, поскольку все ночевали у Ники, на Зубовской. Дети были почти ровесники, любили друг друга, можно сказать, с рождения и, забавляя всех, постоянно воспроизводили взрослые взаимоотношения: женское кокетство, и ревность, и петушиное удальство.

— Cousinage dangereux voisinage, — в который раз говорила Медея, глядя на этих двоюродных.

— Я тебя поцелую, как будто мы уже приехали, — тянул к себе Алик Лизочку, а она упиралась и все никак не могла придумать условие, при котором она на это согласится, и потому тянула:

— Нет, ты сначала... сначала ты... собачку мне покажи!

Двое из присутствующих обменялись сухими кивками — Артем и Катя. Когда-то они, как теперь Лиза с Аликом, тоже страстно любили друг друга, но пару лет назад все разладилось. Катя сильно выросла, обросла кое-где волосами, которые тут же и начала сбривать, и обзавелась хоть и маленькой, но вполне настоящей грудью, и между ними пролегла пропасть полового созревания.

Артем, в душе глубоко обиженный прошлогодней отставкой, совершенно им не заслуженной, хотя и ждал Катю до изнеможения, из самозащиты отвернулся и задумчиво ковырял носком бледно-коричневую землю.

Отчисленная в прошлом году из балетного училища Большого театра за полную неперспективность, Катя сохранила все повадки профессиональной балерины, над которыми, втайне гордясь ее чудесной осанкой, постоянно посмеивалась Ника: «Подбородок вверх, плечи вниз, грудь вперед, живот назад, а носочки в разные стороны».

В этой самой позиции и застыла Катя, давая всем желающим насладиться красотой балетного искусства, которое она все еще продолжала представлять.

— Медея, ты посмотри на наших молодых! — тронула Маша Медею за плечо.

Алик достал из конуры Медеиной суки Нюкты, длиннющей и коротконогой, такого же длинного щенка, Лиза уже держала его на руках, и Алик, отодвигая щенка, добирался до Лизиной обещанной щеки.

Все засмеялись. Георгий подхватил два чемодана, Артем, отворачиваясь от Кати, взял картонную коробку с продуктами, а Катя, слегка подпрыгивая на бегу, как премьера на поклон, сбежала вниз и встала на освещенный пятачок между домом и кухней, и стояла там, прекрасная и недостижимая, как принцесса, и Артем принимал это с не испытанной прежде сердечной болью. Он был первым, кого уязвила эта ранняя весна.

А Норе опять досталась роль соглядатая. Танечка уже спала после обеда. Ни картошки, ни укропа не принес ей этот красивый человек, похожий — теперь она наконец додумалась — вовсе не на римского легионера, а на Одиссея. Но, моя посуду на хозяйственном дворе тети Ады, она видела, как подъехало такси и высокая, рыжая, в грубомалиновом платье женщина обнимает старуху, а множество детей прыгают вокруг, и у нее перехватило дух от неожиданной зависти к людям, которые так радуются друг другу и так празднуют свою встречу.

Еще одна машина пришла в поселок двумя часами позже, но на этот раз такси остановилось возле дома Кравчуков. Нора, отодвинув уголок вышитой занавески, видела, как на голос, спрашивающий хозяев, выскочила из летней кухни сначала Ада, а за ней и ее муж, утирая черной шоферской рукой блестевший рот.

В распахе калитки стоял рослый мужчина с длинными волосами, по-женски схваченными резинкой, в белых, в облипочку, джинсах и розовой майке. У Ады аж дыханье сперло от нахальства его вида. А приезжий улыбнулся, махнул белым конвертом и прямо от калитки спросил:

— Кравчуки? От сына вам письмо и привет свежий. Вчера с ним виделись.

Ада цапнула конверт, и, слова не говоря, Кравчуки скрылись в кухне читать письмо от единственного сына Витька, который третий уже год, окончив военное училище, жил в Подмосковье и делал, как казалось из Поселка, большую карьеру. Приезжий, вовсе не заботясь о таксисте, который все стоял за воротами, присел на скамейку. Кравчуки тем временем успели прочитать, что сын посылает им очень нужного человека, чтоб денег с него ни за что не брали, всячески ублажали бы и что к нему, к этому самому Валерию Бутонову, сам начальник округа в очередь на массаж стоит...

Не дочитавши письмо, Кравчуки кинулись к приезжему:

— Да вы заходите, где же вещи ваши?

И приезжий внес чемодан — кожаный, со слоеной толстой ручкой, в заграничных наклейках. Нора устала держать на весу чугунный утюг, которым гладила Танину юбку, поставила его на подставку.

Хозяева кругами бегали около приезжего — чемодан и на них произвел впечатление.

«Наверное, артист. Или джазист, или что-нибудь такое», — подумала Нора. Утюг остыл, но ей не хотелось выходить из своего домика, чтобы согреть его на кухне. Она отложила недоглаженную юбку.

4.

Медея выросла в доме, где обед варили в котлах, мариновали баклажаны в бочках, а на крышах пудами сушили фрукты, отдававшие свои сладкие запахи соленому морскому ветерку. Между делами рождались новые братья и сестры и наполняли дом. К середине сезона теперешнее Медеино жилье, такое одинокое и молчаливое зимами, обилием детей и общим многолюдством напоминало дом ее детства. В огромных баках, поставленных на железные треноги, постоянно кипятилось белье, на кухне всегда кто-то пил кофе или вино, приезжали гости из Коктебеля или из Судака. Иногда вольная молодежь —

небритые студенты и непричесанные девочки ставили неподалеку палатку, шумели новой музыкой и удивляли новыми песнями. И Медея, замкнутая и бездетная, хоть и привыкла к этой летней толчее, все-таки недоумевала, почему ее прожаренный солнцем и продутый морскими ветрами дом притягивает все это разноплеменное множество — из Литвы, из Грузии, из Сибири и Средней Азии.

Сезон начинался. Вчерашний вечер она провела вдвоем с Георгием, сегодня за ранним ужином сидели ввосьмером.

Младших детей, уставших с дороги, уложили пораньше. Ушел и Артем, чтобы избежать унизительного приказа: «Спать отправляйся!» И добровольность его ухода каким-то образом уравнивала его с Катей, которую спать давно уже не гнали.

Первый ужин незаметно перешел во второй. Пили вино, закупленное Георгием. Георгий прожил в Москве пять лет, пока учился на геофаке, Москву не полюбил, но новостями столичными всегда интересовался и теперь пытался их выудить из родственниц. Но Никин рассказ все сбивался либо на нее самое, либо на семейные сплетни, а Машин — на политику. Впрочем, время было такое: с чего бы ни начинался разговор, кончался с понижением голоса и повышением накала страстей политикой.

Речь шла, собственно, о Гвидасе-громиле, вильнюсском племяннике Медеи, о сыне покойного брата Димитрия. Он построил дом, развел большое строительство.

— А что же власти, разрешают? — заинтересовался Георгий, встрепенувшись всей душой на этом месте.

— Во-первых, там все-таки повольней. К тому же он архитектор. И не забывай, тесть у него большая партийная сволочь.

— А Гвидас что, играет в эти игры? — удивился Георгий.

— Ну как тебе сказать... В общем-то, у них советская власть несколько маскарадная, что ли. Для литовцев все же колбаска копченая, угорь, пивко всегда поважнее партсобрания, это уж точно. Особенного людоедства нет, — объясняла Ника.

Маша вспыхнула:

— Чушь говоришь, Ника. После войны пол-Литвы посадили, чуть не полмиллиона молодых мужиков. Да они в войну меньше потеряли. Хорош маскарад!

Медея встала. Ей давно хотелось спать. Она понимала, что пропустила свое обычное время, когда засыпает легко и плавно, и теперь будет до утра ворочаться на своем матрасе, набитом морской травой камкой.

— Спокойной ночи. — И вышла.

— Ну вот, видите, — огорченно сказала Маша, — уж на что наша Медея великий человек, кремень, а все равно запуганная. Слова не сказала и ушла.

Георгий рассердился:

— Ну и дура ты, Маша! У вас все мировое зло — советская власть. А у нее одного брата убили красные, другого — белые, в войну одного — фашисты, другого — коммунисты. Для нее все власти равны. Дед мой Степанян, аристократ и монархист, денег послал осиротевшей девчонке, послал все, что в доме тогда было. А отец женился на матери... пламенный, извините, революционер... женился по одному Медеиному слову — Леночку надо спасать... Что для нее власть? Она верующий человек, другая над ней власть. И не говори никогда, что она чего-то боится...

— Ах, господи! — закричала Маша. — Да я же совсем не об этом! Я только про то, что она ушла, как только разговор о политике зашел.

— Да чего ей с тобой, с дурой, разговаривать? — хмыкнул Георгий.

— Перестань, — ленивым голосом перебила Ника. — Заначка есть?

— А как же! — обрадовался Георгий, пошарил у себя за спиной и вытащил дневную початую бутылку.

Маша уже дрожала губами, чтобы рвануться в бой, но Ника, ненавидевшая распри, подвинула к Маше стакан и запела:

— «Течет речка да по песочку, бережок моет, молодой парень, удалой жульман, начальничка молит...»

Голос ее был поначалу тихим и влажным. Георгий и Маша размякли, родственно прислонились друг к другу, все прения прекратились сами собой. Голос, как свет, выливался в щель приоткрытой двери, в маленькие неправильные окна, и немудреная полублатная песня освещала всю Медеину усадьбу...

Валерий Бутонов, вышедший среди ночи в уборную, справил свою нужду, не доходя до дощатого домика, в обескураженную неожиданной теплой поливкой помидорную рассаду, загляделся в южное глубокозвездное небо, все в блудливых лучах прожекторов, щупающих прибрежную полосу в поисках кинематографических шпионов в черных водолазных костюмах. Но в это время года отсутствовали даже сверкающие под луной ягодицы пляжных любовников.

Земля же была сплошь темная, единственное окно светило в распадке холмов чистым желтым светом, и даже как будто оттуда шло женское пение. Валерий прислушался Редко побрехивали собаки.

* * *

Ночь действительно была бессонной. Но Медея с молодости привыкла мало спать, а теперь, в старости, одна бессонная ночь не выбивала ее из колеи. Она лежала на своей узкой девичьей кровати, в ночной рубашке со стершейся вышивкой на груди, а вдоль ее тела отдыхала слабо заплетенная ночная коса, обнищавшая с годами, но кончающаяся у бедра.

Вскоре дом наполнился маленькими узнаваемыми звуками: прошлепала босыми ногами Ника, Маша звякнула крышкой ночного горшка, прошелестела спящему ребенку «пис-пис», явственно и музыкально пролилась детская струя. Щелкнул выключатель, раздался приглушенный смех.

Ни слух, ни зрение еще не изменяли Медее. Благодаря также и природной наблюдательности она многое замечала в жизни своих молодых родственников такого, о чем они и не подозревали.

Молодые женщины с малолетними детьми приезжали обычно в начале сезона, их работающие мужья проводили здесь недолгое время, недели две, редко месяц. Приезжали какие-то друзья, снимали койки в Нижнем Поселке, а по ночам приходили тайно в дом, стонали и вскрикивали за Медеиной стеной. Потом женщины расходились с одними мужьями, выходили за других. Новые мужья воспитывали старых детей, рожали новых, сводные дети ходили друг к другу в гости, а потом бывшие мужья приезжали сюда с новыми женами и новыми детьми, чтобы вместе со старшими провести отпуск.

Ника, выйдя замуж за Катиного отца, молодого многообещающего режиссера, который так и не произвел ничего, достойного собственной репутации, годами возила с собой топорного и нескладного мальчика Мишу, режиссерского сына от первого брака. Катя его всячески притесняла, а Ника ласкала и заботилась, а когда бросила режиссера, променяв его на физика, долго еще продолжала таскать мальчика за собой. На глазах Медеи произошел взаимообмен двух супружеских пар, горячий роман между своячениками с возрастной разницей в тридцать лет и несколько юношеских связей, вполне оправдавших все ту же французскую пословицу.

Жизнь послевоенного поколения, особенно тех, кому было теперь по двадцать, казалась ей несколько игрушечной. Ни в браках, ни в материнстве не чувствовала она той ответственности, которая с раннего возраста определила ее жизнь. Она никогда не выносила суждений, но чрезвычайно ценила тех, кто, как ее мать, бабка, подруга Елена, совершали и незначительные, и самые важные поступки тем единственным способом, который был возможен для Медеи, — серьезно и окончательно.

Медея прожила свою жизнь женой одного мужа и продолжала жить вдовой. Вдовство ее было прекрасно, ничем не хуже самого замужества. За долгие годы — почти тридцать лет, — прошедшие с его смерти, само прошлое видоизменилось, и единственная горькая обида, выпавшая ей от мужа — как ни удивительно, уже после его смерти, — растворилась, а облик его в конце концов приобрел значительность и монументальность, которой при жизни и в помине не было.

Вдовство длилось уже значительно дольше брака, а отношения с покойным мужем были по-прежнему прекрасными и даже с годами улучшались.

Ощущая это глухое время бессонницей, Медея тем не менее находилась в тонкой дреме, не прерывавшей ее привычных размышлений: полумолитв, полубесед, полувоспоминаний, иногда словно невзначай выходящих за пределы того, что она лично знала и видела.

Помня почти дословно все рассказы мужа о его детстве, она вспоминала его теперь мальчиком, хотя познакомилась с ним, когда ему было уже под сорок.

Был Самуил сыном вдовы, которая свои обиды и несчастья берегла превыше всякого имущества. С неизъяснимой гордостью она указывала своим сестрам на тщедушного сына:

— Вы посмотрите, он такой худой, он совершенно как цыпленок, на всей нашей улице нет такого худого ребенка! А какие болячки! Он же весь сплошь в золотухе! А цыпки на руках!

Самоня рос себе и рос, вместе с цыпками, прыщами и нарывами, был действительно и худ, и бледен, но мало чем отличался от своих сверстников. На тринадцатом году он стал испытывать некоторое специальное беспокойство, связанное с тем, что штаны его топорщились, приподнимаемые изнутри быстро отрастающим побегом, доставляя ему болезненное неудобство.

Новое состояние мальчик рассматривал как одну из многочисленных своих болезней, о которых с такой гордостью говорила его мать, и он приспособил шнурок от материнской нижней юбки, которым и прищемливал строптивый орган, чтоб не мешался. Тем временем еще две заметнейшие части тела — уши и нос — двинулись в неукротимый рост. Из миловидного ребенка вылуплялось нечто несуразное, с круглыми, слегка нависающими бровями и длинным подвижным носом. Его худоба приобрела к этому времени новое качество: куда бы он ни садился, ему казалось, что он сел на два острых камня. Серые полосатые брюки покойного отца висели на нем как на огородном пугале, — тогда-то он и получил обидную кличку «Самоня — пустые штаны».

На четырнадцатом году, вскоре после празднования Бар-Мицва, которое для Самони было отмечено лишь тем, что в чтении положенных текстов он сделал ошибок в пять раз больше, чем остальные пять мальчиков из бедных семей, также проходивших синагогальную науку на общественные деньги, после томительно-уклончивой переписки матери со старшим братом покойного отца был отправлен наконец в Одессу, где и начал трудовую деятельность в качестве конторского мальчика с кругом нескончаемых и неопределенных обязанностей.

Должность конторского мальчика почти не оставляла ему свободного времени, но он все же успел отведать устаревшего уже тогда еврейского просвещения из рук старшего из отцовских братьев, Эфраима. Тот был еврейским самодеятельным интеллигентом и, вопреки очевидности, надеялся, что хорошо поставленное образование может разрешить все больные вопросы мира, включая и такое недоразумение, как антисемитизм.

Самоня недолго простоял под благородными, но сильно выцветшими знаменами еврейского просвещения и переметнулся, к большому горю дяди, в смежный лагерь сионизма, который поставил крест на еврее, подтянувшем свое образование на уровень других цивилизованных народов, и, напротив, делал ставку на еврея натурального, принявшего простое и обоюдоострое решение снова сажать свой сад в Ханаане.

Двоюродный брат Самони уже успел уехать в Палестину, жил в никому не ведомом Эйн-Геди, работал сельскохозяйственным рабочим и манил Самуила редкими восторженными письмами.

К недовольству конторского дядюшки, Самоня поступил на еврейские сельскохозяйственные курсы для переселенцев. Эти занятия отнимали массу рабочего времени, дядя был недоволен, уменьшил Самоне вдвое ни разу не выданную зарплату, но жена дяди, тетя Геничка, была настоящая еврейская женщина и положила отдать за него свою немолодую племянницу с небольшим врожденным вывихом тазобедренного сустава.

Два месяца Самоня усердно посещал курсы, вникал в прививку и окулировку, но переменчивая его душа не выдержала, пока насиженные яйца намерений проклюнутся совершенными деяниями, и по мере вовлечения прочих слушателей в мир садоводства и виноградарства, он пересел на другую парту — это был тайный марксистский кружок, организованный для рабочих механических мастерских и портовых служб.

Волнующие идеи маленького еврейского социализма в провинциальной Палестине не могли конкурировать с великой всемирностью пролетариата.

Конторский дядя, интересующийся исключительно ценами на пшеницу, довольно равнодушно реагировал на все предшествующие увлечения племянника, но марксизма не стерпел и велел ему снять койку в другом месте. Справедливости ради надо сказать, что он как будто понял со слов Самони, что такое прибавочная стоимость, но проявил неожиданную враждебность к экономическому гению и раскричался:

— Ты думаешь, он лучше меня знает, что делать с прибавочной стоимостью? Пусть он сперва ее получит!

У Самони возникло подозрение, что дядя путает прибавочную стоимость с чистой прибылью, но Самоня не успел ему этого объяснить. Дядя пообещал ему, что в самое ближайшее время его посадят в тюрьму. Дядя оказался пророком, хотя прошло почти два года, прежде чем исполнились его слова. За это время Самоня выучился на слесаря, приобрел множество познаний с помощью разного рода книг и уже сам вел кружок для прояснения затемненного сознания народа.

В конце двенадцатого года его подвергли административной ссылке в Вологодскую губернию, где он провел два года, после чего ездил из города в город, развозя в докторском саквояже сырую самодельную литературу, встречаясь на явочных квартирах с неизвестными, но очень значительными лицами и занимаясь агитацией, агитацией... Всю жизнь он называл себя профессиональным революционером и революцию встретил в Москве, начальничал там на среднем уровне, поскольку был силен в работе с пролетарской массой, а потом был обряжен в чоновскую кожу и откомандирован в Тамбовскую губернию. На этом месте славная биография таинственным образом обрывается, зияет пробел, и далее он становится совершенно обыкновенным человеком, лишенным всякого высшего интереса к жизни, зубным протезистом, оживляющимся лишь при виде полнотелых дам.

Встреча Медеи, подсыхающей, незаметно потратившей золотое девичье время на повседневные заботы о младших братьях, Константине и Димитрии, и о сестре

Александре, которую с первенцем Сергеем отправила не так давно в Москву к мужу, с вечно веселым дантистом, обнажающим в улыбке короткие крупные зубы вместе с полоской нежно-малиновой десны, произошла в санатории. Целебная крымская грязь, как предполагалось, побуждала к деторождению, чему и способствовала медсестра Медея Георгиевна, прикладывавшая грязевые компрессы к неплодным чреслам.

Прежде дантиста в санатории не было, но главный врач выбил эту ставку через Наркомздрав, и дантист появился и развел в этом тихом и слегка таинственном месте несусветный базар. Он шумел, шутил, махал никелированными инструментами, ухаживал за всеми пациентками сразу, предлагал нештатные услуги по части деторождения, а Медея Георгиевна, лучшая медсестра в санатории, была прикреплена к нему как помощница в этих стоматологических гастролях. Она размешивала шпателем на предметном стекле состав для пломбирования, подавала ему инструменты и тихо удивлялась невиданному нахальству дантиста, а еще более — умонепостигаемому распутству большинства страдающих бесплодием женщин, назначавших дантисту свидания, не сходя с зубоврачебного кресла.

С возрастающим день ото дня интересом наблюдала она этого худого еврея в мешковатых штанах, оборчато прихваченных на тонкой талии кавказским ремешком, в старой синей рубашке. Надевая белый халат, он несколько облагораживался.

«Все-таки доктор, — объясняла Медея его явный успех у женщин. — И остроумный по-своему».

Пока Медея заполняла карточку, еще до того, как очередная пациентка доверчиво раскрывала рот, он успевал острым взглядом произвести доброжелательный и профессионально-мужской осмотр от макушки до лодыжки. Ничто не ускользало от взгляда знатока, и первый комплимент, как вывела Медея, касался исключительно верхнего

этажа — волос, цвета лица, глаз. При благо-
приятной реакции — в этом смысле дантист
проявлял большую чуткость — он отдавал-
ся целенаправленному красноречию.

Медея исподтишка наблюдала за доктором и дивилась, как оживлялся он при
виде каждой входящей женщины и как скуч-
нел лицом, оставаясь наедине с самим собой, то есть со строгой Медеей. Своему кри-
тическому разбору он подверг ее еще в первый день знакомства — похвалил ее чудесные медные волосы, но, не получив никакого поощрения, больше не возвращался
к ее достоинствам.

Через некоторое время Медея с удивлением поняла, что у него действительно
острый взгляд, что в единое мгновение он
замечает самые неуловимые достоинства
женщин и, пожалуй, искренне радуется от-
крытиям этих достоинств тем более, чем
менее они очевидны.

Одной невероятно толстой особе, несомненно страдающей ожирением, он ска-

зал с восхищением, пока она втискивала мягкий зад в седалище зубоврачебного кресла:

— Если бы мы жили в Стамбуле, вы бы считались самой красивой женщиной в городе!

Водянистая толстуха покраснела, глаза ее наполнились слезами, и она пропищала обиженно:

— Что вы хотите этим сказать?

— Боже мой! — заволновался Самуил. — Конечно, только самое лучшее. Каждому хочется, чтобы хорошего было побольше!

Медее даже показалось, что он устает к концу приема не столько от самой работы, сколько от непосильного старания сказать каждой женщине что-нибудь приятное, исходя из реальных, иногда и сомнительных достоинств.

С редкими представителями мужского пола, случайно к нему попадавшими (основным профилем санатория было лечение бесплодия, хотя было еще и небольшое отделение опорно-двигательное), был скован и даже, пожалуй, робок.

Медея улыбнулась своему наблюдению: ей пришло в голову, что веселый дантист боится мужчин. Впоследствии Медея узнала, как дорого стоило это мимолетное наблюдение.

Медее шло тогда к тридцати. Димитрий собирался поступать в военное училище в Таганроге, Константину шел шестнадцатый, он целил в геологи.

Сестра Анеля, забравшая в Тбилиси младшую Анастасию, давно звала Медею в гости. Анеля наметила среди родни мужа одного не старого милейшего вдовца и строила планы их знакомства. Медея, о планах не подозревая, тоже собиралась навестить сестер, но не по весне, а осенью, сделав хозяйственные запасы. И если бы Анелины планы осуществились, не сохранилось бы в Крыму этого греческого, может быть, последнего, дома и следующее поколение Синопли выродилось бы в сухопутных греков, ташкентских, тбилисских, виленских. Но все произошло иначе.

В середине марта двадцать девятого года всех сотрудников санатория срочно вызвали на собрание. Решительно всех, включая слабоумного Раиса с асимметричной улыбкой на пол-лица. А когда велели приходить Раису, это означало, что собрание — государственной важности.

Городской партийный начальник, огромный Вялов, буйствовал за столом, покрытым красной лощеной материей. Он уже зачитал постановление и теперь говорил от себя о прекрасном завтра и величии идеи колхозов. Женский по преимуществу коллектив санатория внимал податливо. Это были в основном жительницы пригорода, имеющие полдомика, несколько соток огорода, пару корней деревьев, пяток кур и государственную службу. Были они не горласты. Фиркович, главный врач, коренной крымчак, из ученой караимской семьи, из мятых и битых, был мобилизован в восемнадцатом в Красную Армию, работал в госпиталях, но остался беспартийным, все тревожился за своих домашних и потому всегда был готов смолчать и предоставить место и время для выступления другому желающему.

— Кто хочет сказать? — спросил Вялов, и тут же выскочил бодрый Филозов, секретарь партячейки.

Самуил Яковлевич сидел в последнем ряду и подергивался, даже слегка подпрыгивал на стуле, оглядывался по сторонам. Медея сидела рядом и наблюдала сбоку за его необъяснимым волнением. Поймав ее взгляд, он схватил ее за руку и зашептал в ухо:

— Мне надо выступить... мне обязательно надо выступить...

— Да что вы так волнуетесь, Самуил Яковлевич? Хотите — и выступите. — Она потихоньку высвобождала свою руку из его цепких пальцев.

— Я, понимаете, член партии с двенадцатого года... Я обязан...

Бледность его была не благородно-бледного, а тускло-серого, пугливого оттенка.

Новая врач, кудрявая женщина с плоским локоном слева от пробора и с немецкой фамилией, длинно говорила о коллективизации, все приговаривая: «С точки зрения текущего момента...»

Вцепившись в Медеину руку, он затих. Так и досидел до конца собрания, подергиваясь лицом, шевеля что-то губами. Когда собрание отгрохотало, народ стал расходиться, он все держал ее за руку.

— Ужасный день, поверьте мне, это ужасный день. Не оставляйте меня одного, — попросил он, и глаза его были светло-карие, просительные и совершенно женские.

— Хорошо, — неожиданно легко согласилась Медея, и они вышли вдвоем из беленых ворот санатория, миновали автовокзал и свернули в тихую улицу, заселенную железнодорожниками с тех самых пор, как к городу подвели железную дорогу.

Самуил Яковлевич нанимал комнату с отдельным входом и палисадником, в котором росли две старые лозы да стоял стол, такой корявый и замшелый, как будто он вырос здесь вместе с деревьями. Лоза уже успела оплести натянутую над столом проволоку. С одной стороны этот крохотный дворик отгораживал редкий забор, а с другой — глинобитная стена соседнего дома.

Сидя за столом, Медея наблюдала, как Самуил Яковлевич бегает возле керосинки в прихожей, достает из-за притолоки завернутый в грубое полотенце козий сыр, подливает на сковороду постное масло и делает все хоть и суетливо, но быстро и с толком. Медея посмотрела на часы — братья не вернутся сегодня, оба они сейчас в Коктебеле, на планерной станции, а заночуют, скорей всего, у старой Медеиной приятельницы, хозяйки известной в тех местах дачи.

«Я никуда не спешу, — с удивлением отметила Медея. — Я в гостях».

Самуил Яковлевич трещал беспрерывно и вел себя так бойко и свободно, как будто это не он, а совсем другой человек только что цеплялся за Медеины пальцы.

«Какой странный и переменчивый человек», — подумала Медея и предложила помочь ему по хозяйству.

Но он просил ее сидеть и любоваться чудесным небом в мелких виноградных листочках.

— Скажу вам по секрету, Медея Георгиевна, что я много чего успел, я даже окончил курсы по сельскому хозяйству для еврейских колонистов. И вот теперь я смотрю на виноградник, — он величественным жестом указал на два корявых куста, — и думаю, какая же это прекрасная работа. Гораздо лучше, чем ставить зубы. А? Как вы думаете?

Потом он принес на стол ужин, и они ели пахнувшую керосином картошку и козий сыр, а она все собиралась встать и уйти, но почему-то медлила.

Потом он провожал Медею через весь город, рассказывал о себе, о своих мелких и крупных неудачах, о невезениях и провалах. Но как будто не жаловался, а посмеивался и удивлялся... Потом он почтительно попрощался с ней и оставил ее в глубоком раздумье: что же в нем такое трогательное? Похоже, он не относился к себе очень серьезно...

На следующее утро они встретились, как обычно, в стоматологическом кабинете. Дантиста как будто подменили: он был молчалив, строг с пациентками и вовсе не шутил. К обеденному перерыву у Медеи сложилось впечатление, что он хочет ей что-то сообщить. И действительно, когда последняя предобеденная посетительница ушла, он, разложив свои тяжеловесные бутерброды рядом с Медеиными тонкими лепешками, переложенными первой зеленью, покачал головой, пощелкал языком и спросил:

— А что, Медея Георгиевна, если бы я пригласил вас в ресторан «Кавказ»?

Медея улыбнулась: он не однажды приглашал в ресторан «Кавказ» избранных пациенток. К тому же ей показалась забавной эта грамматическая форма — «А что, если бы...»

— Я бы подумала, — сухо ответила Медея.

— А что вам особенно думать? — взгорячился он. — Кончаем работу — и пойдем себе...

Медея поняла, что ему очень хочется пойти с ней в этот самый «Кавказ».

— Ну, в любом случае мне сначала надо пойти домой переодеться, — слабо отговаривалась Медея.

— Ерунда какая! Вы думаете, там дамы в соболях? — напирал дантист.

Медея была в тот день в сером саржевом платье с круглым белым воротничком и нарукавниками, как у горничной или пансионерки, в одном из тех ста, наверное, платьев одного и того же фасона, которые она носила всю жизнь с гимназических лет и могла бы сшить с закрытыми глазами...

Одно из тех вдовьих платьев, которые она носила и по сию пору...

Вечер в ресторане «Кавказ» был прекрасен. Самуил Яковлевич немного хорохорился. Официант был знакомый, и дантисту это знакомство льстило. Согнувшись в пояснице и подняв улыбкой тонкие усики, официант метнул на стол закуски в прозрачных тарелочках непринужденным, но симметричным крестом. Медея Георгиевна в плюшево-пальмовой обстановке ресторана казалась дантисту более привлекательной, чем вчера, когда она сидела в его садике со своим древнегреческим профилем на фоне беленой стены.

Отломив кусок лаваша, она макала его в чахохбили и ела так аккуратно, что никакой оранжевой обводки вокруг рта у нее не образовывалось; наблюдая, как она ест с небрежным и рассеянно-доброжелательным видом, почти не глядя в тарелку, он догадался, что у нее прекрасные манеры, и ему пришло в голову, что его самого никогда не учили поведению за столом, и он лишился на несколько минут аппетита. Чахохбили показался ему кислым.

Он отодвинул металлический судок вместе с тарелкой. Долил себе в рюмку тяжелой, мрачной хванчкары из круглого графинчика, глотнул, поставил рюмку и решительно сказал:

— Вы кушайте, Медея Георгиевна, и не обращайте внимания на то, что я скажу.

Она посмотрела на него выжидательно. В уголке, где они сидели, было уютно, но темновато.

— Я должен разъяснить вам свое вчерашнее поведение. Я имею в виду собрание. Имейте в виду, я профессиональный революционер, меня знала вся Одесса, и у меня было три года политической ссылки. Я организовал побег из тюрьмы такому человеку, что имя его теперь просто неприлично называть. И я не трус, поверьте мне.

Он разволновался, придвинул к себе тарелку с чахохбили, подцепил большой кусок мяса и, пришлепывая по-гурмански губами, прожевал. Аппетит к нему как будто вернулся.

— Понимаете, у меня просто нервное за... заболевание. — Он снова отодвинул тарелку. — Мне тридцать девять лет, я уже не молод. Но еще и не стар. С родней я не сообщаюсь. Можно считать, что я сирота, — пошутил он.

Он наклонил голову, часть густых, зачесанных назад волос сползла на лоб. Волосы у него были красивые.

«Сейчас сделает предложение», — догадалась Медея.

— Я никогда не был женат. И, между нами говоря, не собирался. Но, понимаете, у меня вчера случился небольшой приступ, это когда мы сидели на собрании. Так вот, он прошел от вашего присутствия, совершенно без последствий. Потом вы пришли ко мне, и мы сидели весь вечер, и я совершенно ничего не испытывал...

«До чего же глуп, даже забавно», — улыбнулась про себя Медея.

— Видите ли, — пустился дантист в дальнейшие объяснения, — вы ведь совершенно не в моем вкусе...

Такая откровенность даже Медее, начисто лишенной кокетства, показалась чрезмерной, но теперь она сбилась с толку и не понимала, куда он клонит. И тут дантист сделал резкий поворот, как будто «козьей ножкой» ковырнул:

— Вообще я люблю женщин небольших, плотных, на таких, знаете, основательных ножках и в русском духе. Нет, вы не думайте, что я так уж прост. Я понимаю, что вы в некотором роде королева. Но у меня с юности нет привычки смотреть в сторону королев. Прачки, работницы, извините, санитарки...

«Даже забавно... но дома гора неглаженого белья...»

Самуил Яковлевич зацепил вилкой кусок остывшего мяса, поспешно сжевал его, сглотнул, и Медея увидела, что он очень нервничает.

— Когда вы взяли меня за руку, Медея Георгиевна... нет, простите, это я вас взял за руку, я почувствовал, что рядом с вами нет страха. И весь вечер я ничего к вам не испытывал, только чувствовал, что рядом с вами нет страха. Я проводил вас, вернулся домой, лег и сразу решил, что я должен на вас жениться.

Медея пребывала в полнейшем равнодушии. Ей было двадцать девять стародевичьих лет, многие годы она с презрением отвергала разного рода редкие мужские предложения.

— И тут мне приснилась мать! — патетически воскликнул он. — Если бы вы знали, какой у нее был ужасный характер, — но это к делу не относится. Она вообще мне ни разу не снилась. А тут приснилась, подошла очень близко, и даже запахло ее волосами, знаете, седыми старыми волосами, и строго мне говорит: «Да, Самоня, да». И все. Я сам должен думать, что «да».

Медея сидела прямо, она всегда была очень прямой. С левой стороны воротничок немного загнулся, но она этого не заметила. Она думала о том, как бы отказать этому чудаку мягко, чтобы его не обидеть. Кажется, он и не предполагал отказа.

— Да, Медея Георгиевна, есть еще одна вещь, о которой я вам должен рассказать как будущий муж. Дело в том, что я состою на психиатрическом учете. То есть я совершенно здоров. Это старая история, но я все же должен вам ее рассказать... В тысяча девятьсот двадцатом году я был определен в подразделение ЧОН и выехал для изъятия хлеба. Дело было первостепенной важности, это я всегда понимал. И хлеб этот в деревне Василищево, в Тамбовской губернии, конечно же, нашли. Я уверен, что прятали его во всех дворах, но мы нашли в двух, по виду не самых богатых. Приказ был заранее дан: укрывальщиков расстрелять для острастки. Красноармейцы взяли трех мужиков, повели за околицу. Их ведут, за ними народ тянется. Их двое братьев с неделенным хозяйством и еще один мужик пожилой. Бабы ихние бегут, дети. Старуха парализованная, мать пожилого мужика, следом ползет. Хлеба у них четыре пуда изъяли, а у братьев и всего-то полтора. А я, Медея Георгиевна, — начальник продотряда. Поставили троих, красноармейцы напротив с ружьями. И тут бабы с детишками такой подняли крик, что мне в голову что-то ударило, и я упал. Получился у меня припадок вроде эпилептического. Я, конечно, уже ничего не помнил. Положили меня в телегу, прямо на зерно, и повезли в город. Был я, как говорили, весь черный, и руки-ноги как деревянные, не гнулись. Три месяца я пролежал в больнице, потом отправили меня в санаторий, а потом устроили комиссию и установили, что я нервно слабый. После комиссии хотели меня отправить на партийно-хозяйственный участок. А я подумал и попросился в дантисты. Они приняли во внимание мою нервную слабость и отпустили. Вы, может быть, заметили, что я дантист хороший. И лечебную работу знаю, и протезирование. И своих партийных взглядов я не переменил. Только организм у меня все равно слабый. Как надо партийную позицию проявить, я бы всей душой, а организм мой впадает в слабость и в страх, как бы мне не упасть в припадок, в нервную горячку... как вчера на собрании. Но это я рассказываю вам как свою большую тайну, хотя про это даже в медицинской карте зафиксировано. Была у меня возможность подчистить. Нет, думаю, не буду: а ну как они меня опять привлекут по партийной линии к оперативной работе? А я этого не могу. Хоть убей, не могу. Но других недостатков у меня нет, Медея Георгиевна.

«Боже, боже, брат Филипп был расстрелян красными, брат Никифор повешен белыми, но оба они прежде того стали убийцами. А этот не смог — и печалится, что слаб... Поистине дух дышит где хочет...»

Самуил проводил ее до дома. Дорога слабо светилась под ногами. Та часть пригорода была тогда глухим местом, не застроенным и сорным. До Медеиного дома идти было километра четыре. Самуил, говоривший безостановочно, на полдороге вдруг замолчал. Собственно, он рассказал о себе все. В годы их брака он только добавлял второстепенные детали к сказанному в тот вечер.

Молчала и Медея. Тонкой и сильной рукой он держал ее под руку, но при этом у нее было такое чувство, что это она его ведет.

Когда они подошли к старой усадьбе Харлампия, на небо выкатилась луна, засеребрились деревья сада; ворота были давно наглухо заложены, жители дома пользовались двумя калитками, боковой и задней. Возле боковой они остановились. Он откашлялся и спросил деловито:

— Так когда мы пойдем записываться?

— Нет, не пойдем, — покачала она головой. — Мне надо подумать.

— А что думать? — удивился он. — Сегодня у нас коллективизация, завтра еще что-нибудь будет. Жизнь, конечно, делается все лучше, но я думаю, что вдвоем нам эту хорошую жизнь будет легче переносить. Вы меня понимаете?

Дома было тихо. Она сняла серое платье, надела другое, такое же, домашнее, и села писать письмо Елене. Это было длинное и грустное письмо. Она ни слова не писала о смешном дантисте с его нелепым сватовством, рассказывала Елене только о мальчиках, которые выросли и от нее уходят. О том, что сейчас ночь, что она дома одна, что молодость прошла и она чувствует себя усталой.

Под утро поднялся ветер, и у Медеи сильно разболелась голова. Она обвязала голову старым платком и легла в холодную постель. На следующий день у нее поднялась температура, ломота в суставах. Болезнь, которая тогда называлась инфлюэнцей, была тяжелой и долгой. Самуил Яковлевич ухаживал за ней с большим усердием. К концу болезни он был влюблен в нее без памяти, а она чувствовала себя безмерно и незаслуженно счастливой: она не помнила, чтобы кто-нибудь приносил ей в постель чай, варил для нее бульон и подтыкал с боков одеяло. После болезни они поженились, и брак их оказался счастливым от первого до последнего дня.

Медея знала о его главной слабости: после нескольких рюмок он начинал бешено хвастать своим революционным прошлым и победоносно поглядывать на женщин. Тогда она тихонько вставала из-за стола, говорила: «Само-ня, домой!» — и он виновато торопился ей вслед. Но эту мелочь она ему прощала...

...За стеной заплакал ребенок — Алик или Лизочка, Медея не могла разобрать. Начинался новый день, и Медея так и не поняла, спала она в эту ночь или нет. Такие неопределенные ночи в последнее время выпадали все чаще.

Ребенок — теперь уже было ясно, что Лизочка, — требовал немедленно идти на море.

Ника сердилась:

— Не понимаю, почему такой крик! Вставай, умывайся, завтракай, а потом решим, куда мы пойдем...

5.

К морю вели две доро-
ги. Одна, шоссейная, была проложена перед войной. Она вилась большим полуколь-
цом, проходила мимо распадка, откуда бро-
салась вниз трудной тропой. Основная дорога поднималась в гору и скрывалась за
шлагбаумом, где жили своей подземной
жизнью военные объекты. Ответвление
этой дороги вело в Феодосию, и здесь можно было прихватить попутку.

Вторая дорога, старая, была много ко-
роче, но круче и трудней. Дороги дважды
сходились: на распадке и на круглой поляне между Верхним и Нижним Поселком.
Отсюда открывался вид, почти неперено-

симый для глаза. Не так уж высока была эта горка, на которой когда-то устроилась татарская деревушка, но, как будто подчиняясь какой-то китайской головоломке, в этом месте ландшафт отказывался от обязательного следования оптическим законам и раскидывался выпукло, обширно, держась на последней грани перехода плоского в объем и соединяя чудесным образом прямую и обратную перспективу. Плавным круговым движением сюда было вписано все: террасированные горки, засаженные когда-то сплошь виноградниками, а теперь сохранившие их лишь на самых макушках, столовые горы за ними, блеклые, в мелких лишайниках пасущихся отар, а выше и дальше — древнейший горный массив, с кудрявыми лесами у подножия, с проплешинами старых обвалов и голыми причудливыми скальными фигурами и прихотливыми природными сооружениями, жилищами умерших камней на самых вершинах, и невозможно было понять, то ли каменная корка гор плавает в синей чаше моря, охватывающего полгоризонта, то ли огромное кольцо гор, не вместимое глазом, хранит в себе продолговатую каплю Черного моря.

Медея и Самуил попали сюда осенью тридцать первого года. Сидя здесь, на поросшей каперсами и серой полынью поляне, оба они ощутили, что находятся в центре Земли, что плавное движение гор, ритмические вздохи моря, протекание облаков, быстрых, полупрозрачных и более плотных, замедленных, и обширное внятное течение теплого воздуха от гор, направленное вкруговую, — все рождает совершенный покой.

— Пуп земли, — только и сказал тогда пораженный Самуил.

Но Медея знала в здешних краях несколько таких «пупов».

В тот день они решили перебраться сюда, обменяв Медеино феодосийское жилье, оставленные за ней две комнаты Хар-

лампиева дома, на старую татарскую усадьбу на самом краю Поселка, на отшибе...

С этого самого места обычно старто-
вали семейные морские экспедиции, к которым часто присоединялись живущие
в Поселке приятельницы с детьми и местные ребятишки. В эти походы к бухтам собирались заранее, с едой, палками для тен-
тов — словом, со всем туристическим сна-
ряжением. Проводили на берегу редко день,
чаще два-три, снимались перед закатом,
чтобы засветло пройти по трудной карнизной тропе. Домой приходили поздно, младших детей, уже сонных, несли на плечах.
Иногда на распадке удавалось взять попутку, но это была удача.

Медея, как и большинство местных
людей, редко ходила к морю. Но, в отличие
от теперешних пришлых жителей, послево-
енных переселенцев с Украины, с Северно-
го Кавказа, даже из Сибири, которые и пла-
вать-то не умели, Медея родилась на мор-
ском берегу и знала здешнее море, как де-

ревенский житель знает свой лес: все повадки воды, ее переменчивость и постоянство, цвет, меняющийся с утра до вечера, с осени до весны, все ветры и течения вместе с их календарными сроками. Но если Медея и собиралась на свидание к морю, она предпочитала ходить одна. На этот раз Георгий уговорил ее пойти вместе со всеми.

Стояли праздничные дни, больничка была закрыта, и отговориться было невозможно. Она повязала досветла вылинявшим когда-то черным платком голову и перекинула через плечо старую татарскую сумку, в которой лежал ее дорожный припас и купальник.

Дом заперли. Ключ положили в условленном много лет тому назад месте — неожиданных гостей ожидали всегда. Нора с Танечкой уже сидели на Пупке, обе в белом с ног до головы, а у Норы из-под очков торчал лист тополя, узкий, маленький, как раз по размеру ее носа. Георгий проверил их обувь.

— Ну, с богом!

Караван тронулся. Артем шел впереди, за ним сияющий Алик с Лизой, дальше пестрой кучей девочки, а замыкал шествие Георгий с Медеей.

Дорога на этом участке шла плавно под горку и после первого крутого спуска выводила к Лисьему каньону. Когда-то здесь бежала речка, но речка давно ушла, как и большинство здешних рек, даже название ее забылось, и только несколько дней в году, во время таяния снегов, она оживала тонким ручейком мутных талых вод. Шли в полумраке по каменистому дну неглубокого каньона. В его стенах, снизу глинистых, поверху каменистых, было множество лисьих нор, целый древний город. Норы эти то пустовали, то снова заселялись мелкими, довольно невзрачными лисичками-корсаками, с бледной шкурой и унылыми мордочками. Георгий все поглядывал по верхам — еще не было случая, чтобы он своим охотничьим взглядом не заприметил здесь какой-нибудь живности.

По Лисьему каньону вышли к бывшему водопаду и свернули на тропу, которая в конце концов, пересекая шоссе, выводила их к распадку. Здесь кончалась более длинная и более легкая часть пути, и перед опасным спуском по карнизной тропе прибрежных скал, на небольшой плоской лужайке, поросшей мелким можжевельником, делали привал. В этом замкнутом пространстве, ограниченном со всех сторон скалами, а с одной стороны — склоном довольно крутой горки, всегда стоял крепкий и особенный запах — смесь можжевелового духа с запахом водорослей, морской соли и рыбы.

Привал всегда делали коротким, чтобы не размориться, не разлениться, а только собрать силы перед последним броском. Георгий, вовсе не ставя перед собой никаких педагогических задач, из года в год давал всем детям своей родни ни с чем не сравнимые уроки жизни на земле. От него перенимали мальчики и девочки язычески точное и тонкое обращение с водой, с огнем, с деревом. Вот и сейчас Артем, не лучший из его учеников, присел, не снимая рюкзака, а Катя поила младших взятой из дому кипяченой водой. Каждому по маленькому стаканчику.

Медея сидела, вытянув сухие ноги. Она поковыряла землю между корнями можжевелового куста и позвала Нику. На ладони у нее лежало потемневшее кольцо с небольшим розовым кораллом.

— Находка? — восхитилась Ника.

Все знали о необыкновенном Медеином даровании. Медея покачала головой:

— Как сказать?.. Скорее потеря. Твоя мать потеряла это кольцо. Думала, что смыло море. Оказалось, здесь...

Она вложила в руку Ники простенькое колечко и подумала:

«Неужели болит? Кажется, все еще болит...»

137

— Когда? — коротко спросила Ника. Она догадалась, что касается края запретной темы, давней ссоры сестер.

— Летом сорок шестого, — быстро ответила Медея.

Ника держала на ладони кольцо, коралл еще светился розовым цветом, не умер. Все окружили, заглядывая в ладонь, как будто там лежало действительно живое существо. Георгий заглянул поверх женских голов:

— Татарское. У матери почти такое же есть.

Катя нацелилась алчным взглядом:

— Мам, дай примерить.

И Маша протягивала руку, чтобы рассмотреть поближе. Чудо было невелико, но все же чудо! И вдруг маленькая Таня закричала:

— Смотрите! Смотрите кто!

По крутому склону горки к ним несся человек. Он летел со скоростью лыжника, то перепрыгивая через редкие кусты, то катясь на ногах по осыпям, приседая, разворачиваясь, тормозя то одной ногой, то другой. Впереди него летел поток мелких камешков, а сзади стоял хвост пыли. Лица не было видно под козырьком бейсбольной кепки, но Нора сразу узнала его по белым джинсам — это был ее новый сосед.

Георгий смотрел неодобрительно. Парень был ловкий, но пижон. Бутонов, опередив легкий камнепад, вылетел на середину лужайки, подпрыгнул на месте и замер как изваяние. Потом отряхнулся и сказал, обращаясь к Норе:

— Я из Поселка вас увидел, когда вы подходили к дороге, и вот догнал.

Все, включая Медею, смотрели на него с интересом. Но ему это было не в новинку. Он снял кепку, вытер ладонями лицо и стряхнул руки, как будто на них была вода.

— На Караташ слева зашел? — деловито спросил Георгий.

— Куда? — переспросил Бутонов.

— На эту горку, — кивком указал Георгий.

— Слева, — подтвердил Бутонов.

Георгий знал эту малоприметную тропку, но не водил по ней детей, считая спуск с осыпями опасным.

— Кто это? Кто это? — теребила Маша Нику.

Ника пожала плечами:

— Курортник. У тети Ады живет. Он же заходил вчера с Норой.

— А-а, я же слышала, кто-то пришел. Укладывала детей и заснула.

— Видишь, какого красавца проспала. Хорош зверюга, — шепнула Ника Маше в ухо.

— Ну, все встали, встали! — скомандовал Георгий.

Лиза заныла, обнимая ноги матери:

— Мам, понеси меня, я устала...

— Иди, иди сама, большая девочка, — рассеянно отодвинула она дочь.

— Маш, понеси меня немножко, а Маш, — уцепилась она за Машу.

— А кто он? — спросила Маша.

— Не то спортсмен, не то массажист, — хмыкнула Ника. — Не напрягайся, не твой герой. Он полный придурок. — И тут же окликнула стоявшего поодаль Бутонова: — Вы что же, Валера, в последнюю минуту передумали, решили нас догнать?

— Да, я сверху увидел, какая компания симпатичная... Думаю, что же я, как полный придурок, один во всем Поселке остался...

Маша с Никой захохотали: мысли читает!

— А что, хозяева ушли? — поинтересовалась Ника.

— Выпивают вторые сутки, гости к ним приехали. А это не самое любимое мое развлечение, — неожиданно сухо ответил Бутонов, почувствовав, вероятно, в женском смехе что-то для себя оскорбительное.

Георгий обратился к Бутонову:

— Я первым пойду, а ты замыкай.

Валерий кивнул. Георгий спрыгнул вниз, вслед за тропинкой. Бутонов пропустил всех перед собой. Маша с Лизой на плечах шла перед ним. Он нагнал ее, коснулся ее предплечья:

— Давайте я понесу вашу дочку.

Маша покачала головой:

— Нет, она не захочет. Возьмите Алика, если хотите.

Но Алик отказался.

Маша потрогала то место, которого только что коснулся этот спортсмен или кто он там... Кожа горела. Она машинально тронула себя за другое предплечье — нет, горел только след его прикосновения. Она остановилась, сняла с плеч Лизу и сказала ей тихо:

— Лизик, иди сама, мне как-то нехорошо стало...

Лиза посмотрела на нее умными глазами:

— Хочешь, я сумку твою возьму?

— Ах ты лапка моя хорошая! — обрадовалась Маша такой неожиданной доброте в избалованной девочке. — Я, когда устану, тебя попрошу, хорошо?

Начиналась карнизная тропа. Когда-то, сто лет тому назад, тут была дорога, по которой здешние контрабандисты переправляли через эти бухты свои драгоценные товары, но тогда здесь могла проехать и арба. Год от года тропа крошилась. Контрабандисты, которые когда-то ухаживали за дорогой — ставили подпоры, укрепляли откосы, — давно уже вымерли, кто от старости, кто лихой смертью, а потомки их либо были выселены, либо сделались чиновниками, сначала в управе, а потом в райсовете, то есть стали заниматься другими видами бандитизма. И помнили о романтически-преступном прошлом этих мест одна Медея да, может, несколько стариков крымчан, давно уже перебравшихся в лучшем случае во Внутренний Крым.

— Лет через сто совсем осыплется, — заметил Георгий.

Медея кивнула довольно равнодушно. Катя и Артем как будто и не услышали этого замечания: для старых и малых по разным причинам сто лет — слишком большой срок, чтобы говорить о нем всерьез.

Нора, избегая глядеть вправо, в обрыв, влажными от страха руками вела Танечку, отказавшуюся ехать верхом на плечах Георгия. Нора ругала себя, зачем потащила ребенка в такой трудный поход. Глупость, глупость, но не возвращаться же одной с полдороги... Танечка, на удивление, не жаловалась, но, следуя какой-то собственной фантазии, время от времени спрашивала:

— Мамочка, а замок будет?

И все не хотела поверить, что замка не будет. Море будет, а замка нет.

Но с последнего участка карнизной тропы замок все-таки открылся. Это был известняковый выветренный массив, вздымавший вверх разновысотные готические шпили. Материковый гранит отрога Карадага, вулканические туфы и третичные отложения образовали, как говорил Георгий, совершенно уникальное соединение геологических пластов, какого нет нигде на

Земле. Многометровые сосульки, казалось, росли вверх, местами вертикально, местами, где открывалось господство какого-то постоянно дующего ветра, они дружно отклонялись в одну сторону, как высунувшиеся на поверхность щупальца гигантского подземного животного.

— Мама, смотри, вот же замок! — закричала Таня, и все засмеялись.

Вид этот был столь странен для человеческого глаза, что долго выдержать его было невозможно, тянуло прочь — слишком уж это было неземное.

Медея каждый раз, оказываясь на этом месте, вспоминала покойного художника Богаевского, знакомого ей с гимназических времен, одного из многочисленных феодосийских художников, самого, может быть, известного после Айвазовского. Его странные картины отталкивались от этих скальных причуд, черно-зеленых обрывов и розовых разломов Карадага. Картины ей не нравились фальшью и неправдоподобием, но, попадая сюда, она говорила себе: и это все невозможно, неправдоподобно, но живет себе в мире, меняя форму, роняет крупные светлые песчинки, и там, внизу, из них уже насыпан маленький песчаный пляж, каких нет в округе...

Еще метров через тридцать тропа опасливо отрывалась от скалы и разбегалась на несколько извилистых, бегущих к морю. Здесь маленьких спускали с плеч, отпускали руки тех, кто постарше, и через расщелины, трещины, мимо неровных каменных глыб спускались вниз и получали свою награду: море в этом труднодоступном месте было чистейшим, драгоценным, как будто каждый раз заново завоеванным.

Бухточки были сдвоенные, с тонкой каменистой перемычкой. Они довольно глубоко врезались в берег, и несколько крупных скал торчало в море прямо против них. И бухточки, и морские камни пережили множество имен, но в последние десятилетия их все чаще называли Медеиными. Сначала их так окрестила Медеина молодая родня, от них переняли это новое имя послевоенные переселенцы, а следом и другие незнакомые люди, если и слышавшие о существовании Медеи, то о другой, мифической.

Сход к воде был неудобным, в неровных каменных глыбах, засыпанных крупной галькой. Глыбы были брошены беспорядочно, как будто здесь была когда-то игровая площадка детенышей троллей. Красивых камешков — халцедонов, сердоликов, разноцветной крымской яшмы, — как в Коктебельской бухте, здесь не родилось, зато было множество светлых, с темным утончившимся пояском голышей, камней-восьмерок да в изобилии всякая морская труха, след прошедших штормов. А по самой кромке, у воды, сверкал белый, без тени желтизны, песок.

Все спустились к морю, бросили вещи и разом замолчали. Это была всегдашняя минута почтительного молчания перед лицом относительной вечности, которая мягко плескалась у самых ног.

Катя первой сняла тапочки и пошла к воде своей жеманной балетной походкой. Теперь, когда она отвернулась и шла к Артему спиной, он мог наконец смотреть на нее, не боясь перехватить насмешливый и неприязненный взгляд. Но даже со спины было видно, что она ни в ком не нуждается и ничьей дружбы ей не надо.

Артем страдал, глядя в ее жесткую спину, маленькую голову с прилизанным пучочком на макушке, как у Мэри Поппинс. Она изгибалась, шагая по камешкам, выворачивала ступни носком наружу, и ее плотные икры, выпуклые с внутренней стороны, немного подрагивали при каждом шаге. Она шла вдоль воды и тоже страдала и наслаждалась. Она чувствовала, что хорошо идет, но смотрел на нее только Артем, промокашка, а дядя Георгий если и смотрел, то неодобрительно, а этот новый сосед и вовсе ее не замечал... Она шла, представляя собой балет, но самое ужасное уже произошло: ее отчислили из училища, потому что не было у нее прыжка. Выворотность была, и растяжка была, а проклятого прыжка не было. То есть походка была летучая, невесомая, но на сцене она не летала, и учителя знали, что не полетит никогда... Она вошла в прибрежную воду, чуть колышащую издалека принесенные розовые водоросли, провела по ним своей балетной стопой, и прикосновение это было холодным, но бархатно-приятным...

— Очень холодная? — крикнула Ника дочери.

— Одиннадцать градусов, — без улыбки ответила Катя.

— Ужас! — воскликнула Ника.

— В тринадцать уже можно плавать, — заметила Маша и пошла к воде.

За ней потянулись малыши, все трое. Алик вел за руку Лизу, а второй рукой пытался придерживать Таню.

— Дамский угодник растет, — хмыкнула Ника.

— Ну что ты! Он просто очень доброжелательный, — возразил Георгий.

Ника уже хотела что-то ответить, но неожиданно раздался Медеин голос:

— Мне нравится это последнее поколение детей. И эти двое, и Ревазик Томочкин, и Бригита, и Васенька.

— Да разве не все одинаковые? — изумилась Ника. — Разве эти чем-нибудь отличаются от Кати с Артюшей или от нас маленьких?

— Когда-то поколения считали по тридцатилетиям, теперь, я думаю, каждые десять лет они меняются. Вот эти — Катя, Артем, Шушины близнецы и Софико — очень целеустремленные. Деловые люди будут. А эта мелочь — нежная, любвеобильная, у них все отношения, эмоции...

И не успела Медея договорить, как с кромки воды донесся отчаянный Лизочкин вопль:

— А ты отпусти, отпусти ему руку! Пусть отпустит его!

Лиза вырывала Алика из рук Тани, а Таня, опустив голову, тянула его руку на себя. Все засмеялись.

— Ну, бабы...

Нора понеслась к Тане, схватила ее на руки, стала что-то шептать... Всего несколько дней прошло с тех пор, как она познакомилась со всеми этими людьми, все они ей нравились, были притягательны, но непонятны, и к детям относились как-то иначе, чем она к своей дочери.

«Они слишком суровы с детьми», — думала она утром.

«Они дают им слишком много свободы», — делала она вывод днем.

«Они ужасно им потакают», — казалось ей вечером.

Одновременно восхищаясь, завидуя и порицая, она еще не догадалась, что все дело в том, что детям у них отводилась определенная часть жизни, но не вся жизнь.

— Дров собери, Артем, — тихо приказал Георгий сыну.

Мальчик покраснел: отец заметил, как он пялился на Катю. Он нагнулся, поднял кусок расщепленной доски, занесенной штормом.

— Бери повыше, там много сушняка, — посоветовал Георгий, и Артем с облегчением полез вверх.

Сам Георгий взял два бидона для воды.

— Я с вами за водой, — предложил Бутонов.

Георгий предпочел бы идти один к этому древнему месту, указанному в детстве Медеей, но из вежливости не отказал.

День подымался теплый, даже жаркий. В этом потаенном месте — Медея давно это знала — природа жила какой-то усиленной жизнью: зимой здесь было холодней, в теплое время — жарче; ветры в этом, казалось бы, укрытом месте крутились с бешеной силой, а море выкидывало на берег небывалые редкости: рыб, которых уже сто лет как не встречали на побережье, моллюсков, сердцевидок и венерок, обитающих в глубоководье, и маленьких, с детскую ладонь, морских звезд.

Медея надела купальник. Это была смелая новинка парижской моды двадцать четвертого года, привезенная Медее одной литературной знаменитостью тех лет. Сооружение было совсем уже потерявшегося цвета, с короткими рукавчиками и вроде как с юбочкой: все это было умело отреставрировано Никой с помощью лоскутов темно-синего и темно-красного трикотажа, но на Медее не казалось смешным. Хотя во время августовского праздника, который всегда устраивали в доме в знак Медеиного дня рождения и конца детского сезона, у Медеи отбоя не было от просителей, этот костюм на всех, кроме нее самой, выглядел клоунским одеянием.

— Будешь купаться? — удивилась Ника.

— Посмотрим, — неопределенно ответила Медея.

Нора с горечью вспомнила о своей матери, рано постаревшей, с отекшими белыми ногами в голубых венах, истерически и суетливо сражавшейся со злым возрастом, о ее постоянных плаксивых требованиях, ультиматумах, настоятельных советах и рекомендациях.

«Господи, какие же нормальные человеческие отношения, никто ничего друг от друга не требует, даже дети», — вздохнула она.

В этот самый момент рыдающая Лиза кинулась к матери, требуя, чтобы Таня немедленно отдала ей только что найденную рыбу-иглу, потому что она увидела ее первой, а Таня схватила...

Ника сидела по-турецки. Она и бровью не повела, только пошарила рукой позади себя, не глядя вытащила из-за спины плоский камень, тут же цепко выхватила из россыпи какой-то маленький красноватый и стала чиркать красным по серому.

Она не успокаивала дочку, совершенно не пыталась решить тяжбу по справедливости, и потому Нора, уже собравшаяся уговаривать дочку проявить великодушие и отдать рыбку, тоже осталась сидеть.

— Сейчас я такое нарисую — в жизни не догадаетесь, — сказала Ника в пространство, и Лиза, все еще продолжавшая лить слезы, уже следила за мельканием Никиной руки.

Но мать загородила рисунок рукой, и Лиза обошла ее сбоку, чтобы заглянуть. Ника отвернулась.

— Мам, покажи, — попросила Лиза.

А Нора восхищалась Никиным педагогическим талантом.

В этот же день, немного позднее, она еще раз восхитилась ее талантом, на этот раз кулинарным. На костре, в кривом от старости котелке, Ника сварила суп из холостяцких пакетиков, в который чего только не бросила: крошки и кусочки хлеба, сметенные после завтрака со стола и завернутые в полотняную тряпочку, рубленые вычистки вчерашнего щавеля и даже твердые листики богородичной травы, сорванные по дороге к бухте.

Это была Медеина, а вернее, Матильдина школа кулинарии, рассчитанной на большую семью и малый достаток. Медея и по сей день ничего не выбрасывала, даже из картофельных очисток делала хрустящее печенье с солью и травами — лучшую, как уверял Георгий, закуску к пиву.

Ничего этого Нора не знала. Она черпала деревянной ложкой из общего котла, подложив под ложку, как это делала Медея, кусок хлеба, ела густой пахучий суп с давно забытым детским чувством голода и поглядывала в сторону, где за отдельным каменным столом сидели малыши. Это была еще одна семейная традиция — кормить детей за отдельным столом.

— Нора, налейте, пожалуйста, — протянул Георгий пустую Медеину миску Норе.

Она растерянно склонилась над котелком.

— Кружкой, кружкой зачерпните, здесь нет черпака, — сказал он.

«А они пара, — подумала Ника. — Очень даже пара. Хорошо бы он с ней роман завел. Он такой погасший в последние годы».

Ника, как охотник, чуяла любовную дичь, даже и чужую. Себе она со вчерашнего вечера определила Бутонова. Собственно, выбора никакого не было, а он был хорош собой, замечательно сложен и свободен в поведении. Правда, в нем не было внутренней яркости, которую Ника так ценила, но, откровенно говоря, никаких пригласительных сигналов от него не исходило.

«Ладно, там видно будет», — решила Ника.

Бутонов молча хлебал суп, ни на кого не глядя. С ним рядом сидела Маша, грустная и какая-то сгорбленная. Рука у нее все еще горела, как после пощечины, и хотелось испытать это прикосновение еще раз. Она умышленно села рядом с ним и, передавая ложку и хлеб, коснулась его дважды, но ожога больше не получилось, только какое-то нытье внутри. Он сидел рядом, с буддийски неподвижным корпусом, и от него исходила каменная сила. Маша ерзала, все не могла устроиться удобно и наконец с отвращением к себе поняла, что вся эта возня — неосознанное приближение к нему. Тогда она отложила ложку, встала и пошла к морю, скинув по дороге белую мужскую рубашку, которой укрывалась от солнца. С размаху она бросилась в воду и сразу же поплыла, не дыша и взбивая руками и ногами тучу брызг.

«Беснуется девочка», — подумала Медея. Бутонов смотрел в ее сторону:

— А вода довольно холодная.

— Катька говорит, одиннадцать градусов, а она у нас как термометр, — обернулась к нему Ника.

«А, просишься», — отметил про себя Бутонов, глядя на нее прямым и трезвым взглядом, и не торопясь пошел к воде. Маша уже выходила, тряся головой и отдуваясь.

— Как в проруби, — простучала она зубами.

— Да, сильное ощущение, — хмыкнул Бутонов.

Маша легла на горячие камни, укрылась белой рубашкой. Холод и жар одновременно заполняли ее тело.

Бутонов сел рядом с Медеей:

— А вы, Медея Георгиевна, говорят, всю зиму купаетесь?

— Нет, голубчик, уж лет двадцать, как не купаюсь.

Суп доели, и Ника велела Кате почистить котелок.

— Почему всегда я? — возмутилась Катя.

— Потому, — улыбнулась Ника, и Нора в который раз восхитилась: никаких увещеваний, объяснений, доводов.

Катя с недовольным лицом взяла котелок и пошла к воде.

— Кать! Забыла! — вслед ей крикнула Ника.

— Чего? — обернулась Катя.

— Улыбнуться! — ответила ей Ника, скроив уморительную улыбку.

Катя присела в глубоком сценическом поклоне, прижимая к груди котелок.

— Отлично! — оценила Ника.

Как она бесстрашно мнет свое красивое лицо, растягивает его пальцами и корчит, изображая детям то обезьянку, которой дали слабительное, то ежика, который хочет поцеловать маму, но колючки мешают, — и совсем не боится показаться некрасивой! И было это Норе удивительно и непонятно.

Медея ничего этого не видела. Она повернулась спиной к морю и, чуть подняв голову, смотрела на горы, ближние и дальние, и две мысли одновременно присутствовали в ней: что в юности она больше всего на свете любила море, а теперь смотреть на горы ей гораздо важней. И еще: за ее спиной, среди этой родственной молодежи, происходит любовное томление, и весь воздух полон их взаимной тягой, тонким движением душ и тел...

6.

Кольцо, найденное Медеей в бухтах, действительно принадлежало когда-то Александре. В памяти Медеи лето сорок шестого года осталось временем их самой полной сестринской близости. Они встретились тогда впервые после войны. Медея во всю войну никуда не двинулась не только из Крыма, но и из Поселка; Сандра тоже безвыездно провела всю войну в Москве, отказавшись наотрез от эвакуации в Куйбышев, куда отправляли в начале войны семьи военных. Тогда, в сорок шестом, они как будто сравнялись в возрасте, и от Медеи ушло наконец всегдашнее беспокойство за младшую сестру: что еще она выкинет?

Александра была военной вдовой с тремя детьми, утомленная тяжелыми годами и уже миновавшая лучшую пору. Ничто не предвещало, что именно теперь она и выкинет очередное коленце...

Потеря кольца была незначительной во всех смыслах. Сандра легко теряла, вещи к ней не приставали, и она к ним не привязывалась. Но у Медеи находка этого потерянного тридцать лет тому назад кольца не выходила из головы. Может быть, потому, что она знала: кроме обычных причинно-следственных связей, между событиями существуют иные, которые связывают их иногда явно, иногда тайно, иногда и вовсе непостижимо.

«Ладно, надо будет мне знать, так объяснят», — с полным доверием к тому, кому ведомо все, подумала Медея и успокоилась.

Колец у Сандры была целая коллекция, чуть ли не с детства она навешивала на себя всякую дребедень, а юность ее пришлась как раз на те времена, когда эта милая женская слабость жестоко порицалась общественным мнением.

В двадцатые годы, когда надежным Медеиным щитом оказалось ее многодетное сиротство, неулыбчивая строгость и ни на минуту не отпускающая забота о младших, Сандрочка, от природы легкомысленная, но вовсе не дурочка, раздувала эту простительную слабость как воздушный шар, и казалось, вот-вот улетит куда угодно и невесть зачем.

Со временем этот невинный недостаток так развился, что посягательства всяких идеологических миссионеров от РЛКСМ, ВЛКСМ и прочих на ее душу закончились сами собой: ее гражданская неполноценность была установлена, и ее неискоренимое легкомыслие стало диагнозом, освобождавшим ее от участия в великом деле построения... чего именно, Сандрочка не удосуживалась вникать.

Медея, единственная в семье окончившая гимназию, настоящего образования по обстоятельствам военно-революционного времени не получила и мечтала вывести в люди своих младшеньких. Но с Сандрой явно не получалось. Училась она скверно, хотя была не без способностей. В городской школе, куда она ходила, оставались еще гимназические преподаватели, и школа была неплохая. Медея приходила иногда за сестрой, и старый географ, великий знаток Крыма Николай Леопольдович Вельде, усаживал Медею в учительской, бегло ругал теперешних учеников за невнимание к учебе и с тоскливой страстью предавался воспоминаниям о тех временах, когда водил барышень на экскурсии в самые дикие и потаенные уголки и щели Карадага. В этих общих воспоминаниях звучала скрытая надежда, что все еще может повернуться к нормальной жизни, то есть к довоенной, к дореволюционной.

Но хотя нормальной жизнь не становилась, все постепенно обминалось, делалось выносимее. Мальчики вышли из младенчества. Как и всех мужчин Синопли, их тянуло море. Рыбная ловля, всегдашняя мальчишеская забава, с детства была для них трудом ради пропитания, и старый женовез дядя Гриша Порчелли, смолоду работавший у Харлампия, брал их с собой на ночной лов кефали, а это была забава не из легких.

В двадцать четвертом году Сандрочка окончила семилетку. Медея ломала голову, куда бы устроить сестру, — хотя голод отступил, но безработица была свирепая.

Двое суток даже во сне не покидала Медею мысль об устройстве Сандрочки, а на третий, когда она рано утром шла на работу — работала она тогда в акушерском отделении феодосийской городской больницы, — ей встретился Николай Леопольдович Вельде, совершавший утреннюю прогулку в сторону Карантина. Едва она открыла рот, чтобы поделиться своей заботой, он, как будто все уже сам обдумавший и решивший за нее, велел зайти к нему после работы.

Когда Медея пришла к нему, дело оказалось почти решенным. Он уже заготовил ей письмо на имя заведующего Карадагской научной станцией, старого своего друга.

— Не знаю, есть ли у него штаты, но станция теперь в ведении Главнауки, может, там что-то и прибавилось. Тем более теперь, к лету, они принимают приезжающих ученых и работы прибавляется. — И он протянул ей конверт.

Медея, взяв в руки серый, гадкой бумаги конверт, сразу почувствовала, что дело сладится. Всякий раз, когда возникали старые нити, старые, из прошлого, люди, все устраивалось.

Она прекрасно знала и эту станцию, и ее теперешнего заведующего, и даже помнила Терентия Ивановича Вяземского, основателя станции. В то первое лето, когда она гостила на судакской даче Степанянов, он приезжал к ним именно по делам станции, — запущенный старик в порыжелом сюртуке, с женским шарфом, завязанным на манер старомодного галстука, а с ним был второй, не менее примечательный персонаж, но совсем в другом роде, с круглым лицом, животом, черно-седыми густыми бровями, с одинаково сильным еврейским акцентом как в русском, так и во французском, член Государственной думы, местная достопримечательность Соломон Соломонович Крым.

Степанян, большой благотворитель и меценат, по каким-то причинам отказал тогда просителям в поддержке, а вечером, после ужина, рассказывал, сколь оригинальный и необычный человек этот доктор Вяземский, физиолог, борец с алкоголизмом и носитель самых странных идей. С самой необычной из своих идей он долго носился: он полагал, что, заключая в тюрьмы интеллигентные силы, государство теряет ту замечательную умственную энергию, которую могло бы использовать в интересах самого государства, и создание научно-тюремных лабораторий могло бы сохранить ее для блага общества. Терентий Иванович убедительно развил эту мысль перед тогдашним министром народного просвещения графом Деляновым. Графу мысль показалась дикой и даже опасной, хотя и удачно привилась в государстве несколькими десятилетиями спустя.

— C'est un grand original, — пробормотала Армик Тиграновна и отправила детей наверх, в спальни.

Но в те времена все благополучно забыли о сумасбродной идее великодушного безумца. Несколькими годами позже он все свое состояние положил на более удачную идею — создание в Карадаге, в своем имении, научной станции, доступной всякому серьезному работнику науки, пусть даже и не имеющему образовательного ценза, пусть — и даже лучше! — не обладающему хорошим здоровьем, ибо здоровье можно поправить тут же, по ходу продуктивной научной работы, пусть материально стесненному, поскольку здесь же доктор Вяземский откроет санаторию, и за счет доходов от этой санатории он обеспечил бы проведение исследовательских работ...

На следующий же день Медея с сестрой поехала на станцию. Заведующий станцией расцеловался с Медеей. Старшая дочь его, Ксения Лудская, была соученица Медеи по гимназии, вместе с ней работала в госпитале и в девятнадцатом году умерла от тифа.

Старый Лудский пошел распорядиться, чтобы дворовый рабочий, по-старому дворник, освободил для Сандрочки маленькую угловую комнату в жилом корпусе станции. Потом долго пили чай, вспоминали общих знакомых, которых было немало, и расстались с самым теплым чувством.

Через три дня Сандрочка окончательно перебралась на станцию и стала учиться всему, что было нужно для проведения практики студентов, которые должны были в этом году приехать из Москвы, Ленинграда, Казани и Нижнего Новгорода.

Первый же ее сезон оказался веселым и удачным. Сначала у нее завелся роман с научным сотрудником второго разряда из Харькова, а когда он уехал, собрав необходимое количество червей, появился симпатичнейший геолог, составлявший одноверстовую геологическую карту Карадага, и ее направили в помощь, поскольку эта съемочная работа требовала партнера. Они оказались прекрасными партнерами, оба высокие, с ржавчиной в волосах, кареглазые, оба легкие и веселые, и геолог, имя которого было Александр, что их обоих тоже забавляло, ставил тонкий крестик на новой карте в тех местах, где удобно было расположиться, и с июля до самого конца октября Сандра, собственного хребта не жалея, служила науке, начиная от Берегового хребта, по всем его пяти массивам, от Лобового до Кок-Кая. Дальше погоды испортились, геолог уехал, отложив завершение своих трудов на будущий год.

Зима прошла не скучно. Сандра много трудилась в библиотеке и в музее станции, оказалась и толковой, и грамотной в тех пределах, которые были необходимы. В конце марта стали приезжать всякие ученые, жизнь оживилась, к тому же и планерная станция, переживавшая в прошлые годы упадок, возрождалась, и неподалеку, в тихом Коктебеле, на Клементьевской горке, завелись широкоплечие спортсмены и романтические изобретатели. По этой причине к приезду прошлогоднего геолога Сандрочка была уже влюблена в планериста, которого через месяц сменил его брат-близнец, столь на него похожий, что Сандрочка почти и не заметила момента, когда первого заменил второй.

Медея, не вникавшая в личную жизнь сестры, радовалась, что она в хорошем месте, где ее не обижают, а, напротив, балуют, и была сильно озабочена младшими.

Димитрий проявлял прекрасные способности к математике, мечтал об артиллерийском училище, Медея старалась деликатно сдвинуть его подальше от военной профессии, но он, глубоко чувствуя ее маневр, замыкался, отдалялся и всем видом показывал, хотя слов не произносил, что Медея мещанка и старорежимный балласт. Константин, хотя и был всего двумя годами старше, в ту сторону не смотрел, а по-прежнему ходил за рыбой с дядей Гришей Порчелли и, как казалось, ни о чем, кроме как о ставных сетях, волокушах и мерешах, не мечтал.

Легкое отчуждение, возникшее между Медеей и младшими братьями, глубоко огорчало ее, тем более что и Сандру она видела теперь довольно редко. Та приезжала в Феодосию раза два в месяц, бегала по друзьям и мельком, за ужином рассказывала Медее о своей жизни на станции, главным образом об экскурсиях и находках, оставляя в закрытых наглухо скобках свою бурную личную жизнь. Но Медея догадывалась, что ее младшая сестренка не пренебрегает никакими радостями, ловит свои жемчужины в любой воде и собирает медок со всех цветов. Это наводило Медею на печальную мысль, что собственная ее жизнь не устроена и, пожалуй, никогда и не устроится.

Успехом она не пользовалась, ее иконописное лицо, маленькая голова, уже тогда повязанная шалью, плоская, на вкус феодосийских мужчин, худоба не привлекали к ней поклонников.

«Видно, мой жених на фронте погиб», — решила Медея и быстро смирилась с этим. Но Сандру надо бы поскорей замуж выдать...

Шел третий год работы Сандры на станции, правильнее было бы сказать — третий сезон, и Сандрочкин будущий муж уже собирал в Москве, на улице Полянке, свои вещи, чтобы ехать в научную командировку на Карадаг.

Алексей Кириллович Миллер принадлежал к довольно известной петербургской семье, имевшей некогда полуопасный ореол «прогрессивности» и давние гуманитарные традиции. Главный предок был из петровских немцев, оба деда, и по материнской линии тоже, профессорствовали. Отец многое обещал в естественных науках, получил образование в Англии, но погиб молодым, не достигнув и тридцатилетия, в северной экспедиции. Алексей Кириллович, воспитанный богатой теткой, образованной дамой, много участвующей в издательских делах своего мужа, тоже успел поучиться в Англии, но, не защитив диссертации, из-за начавшейся германской войны вернулся в Россию.

Врожденная близорукость, впрочем весьма умеренная, освободила его от военной службы, и, защитив диссертацию в Московском университете, он остался там в должности ассистента, а впоследствии и доцента. Он был энтомологом и изучал насекомых, обладающих сложным социальным поведением. По сути дела, он был одним из первых специалистов в зоосоциологии. Его любимыми объектами были земляные осы и муравьи, и эти бессловесные твари умели рассказывать наблюдательному исследователю об интересных и в высшей степени загадочных событиях, происходящих в их многотысячных городах-государствах со сложной административной, хозяйственной и военной структурой.

Много лет спустя, находясь в Южной Германии в неопределенном статусе перемещенного лица и в должности научного сотрудника в закрытом научном учреждении, собравшем интеллектуальный потенциал завоеванной Европы и устроенном по тому самому принципу, который некогда провозгласил покойный Терентий Иванович Вяземский, он даже написал небольшую, исполненную глубокого пессимистического изящества работу, в которой пытался вычленить общие структуры поведения в условиях лагерей для военнопленных, где прожил почти год в качестве переводчика, до перевода в лабораторию, и в колониях общественных насекомых.

Работа эта, в которой было дано печальное обоснование расизма как биологического явления, погибла в начале сорок пятого года при бомбежке. К несчастью, вместе с автором.

Но в то лето двадцать пятого года в Крыму ему впервые удалось пронаблюдать от начала до конца драму завоевания одной расы муравьев другою, начиная от первого вторжения пришельцев, сравнительно более мелких, но с более массивными челюстями.

Часами просиживая над муравьиной кучей и вглядываясь в обманчиво-осмысленную жизнь существ, не способных существовать поодиночке, он ощущал себя почти Господом Богом, прекрасно понимая, но не умея высказать на привычном ему научном языке, что в невинном копошении муравьев есть и тайна, и рок, и добрым молодцам урок.

Не только биология — здесь много чего другого: у него было предчувствие открытия, прекрасное настроение и прилив сил.

Алексею Кирилловичу не было сорока. Он принадлежал к породе от рождения солидных людей, с раз и навсегда установленным возрастом. Возможно, что в последние годы он чувствовал себя так хорошо именно потому, что этот его личный, от течения лет не зависящий возраст совпал с календарным.

Он рано облысел, но еще до того, как его волосы естественным путем покинули круглую, в блестящих симметричных шишках голову, он стал бриться наголо и отпустил небольшую бородку и усы. К этому в комплекте полагались очки в золотой оправе и старорежимная полотняная или чесучовая пара размера еще более обширного, чем требовала его ранняя, но вполне тугая полнота. Двигался он легко, был превосходным пловцом и, что трудно было в нем заподозрить, отличным игроком во все игры, так или иначе связанные с мячом, от тенниса до футбола. Сказывалась английская школа.

В тот год на Карадагской станции был в моде волейбол. В предзакатный час, после купания, разношерстно-демократическая группа из научных сотрудников, местных и приезжих, и практикантов-студентов, выбравшись по скользким камням на берег после вечернего купания, играла в домашний круговой волейбол. Корректный и благовоспитанный Алексей Кириллович принимал на чуткие фаланги легкий мяч, точно пасовал и брал самые трудные подачи, подкатываясь под мяч, как волна морская.

Сандрочка скакала, мелькала локтями и длинными голенями с высоко прикрепленными к сухожилию икроножными мышцами, теряла мяч, вскрикивала и хохотала, открывая рот так широко, что видна была розовая глотка.

«Какая очаровательная девушка», — созерцательно и отвлеченно отметил про себя Алексей Кириллович. Он был давно женат, жена его была доцентом, гидробиологом, имела не менее солидную репутацию. Когда-то, много лет тому назад, она оставила своего первого мужа ради Алексея Кирилловича, тогда еще студента, и брак их был гражданским.

Было время, когда она, рожденная и воспитанная в лютеранстве, даже собиралась принять православие, чтобы официально оформить брак, но в послереволюционные годы идея эта была забыта и даже стала смехотворной: глубокие разногласия между конфессиями без остатка развеялись в воздухе нового мира, который ни о каких шмалькальденских пунктах и знать не желал.

Супруги проживали в гражданском браке и мирном согласии, за ужином обменивались профессиональными сообщениями и совершенно не склонны были к адюльтеру.

Тончайший пламень, занявшийся в груди под густой меховой порослью, возможно, так и остался бы не замеченным самим Алексеем Кирилловичем, если бы Сандрочка не почувствовала притяжения к этому профессору, забавному и старомодному, и не раздула этот неопределенный, чуть тлеющий интерес.

Сначала она дала ему сроку три дня. Но он не подошел к ней, хотя в волейбольном круге становился против нее и мяч пасовал ей — только ей. Потом она ему дала еще два дня — каждый вечер в шумной компании они вместе купались, играли в мяч, а он все к ней не подходил, только поглядывал короткими пугливыми взглядами и все более занимал ее. В рабочее время они не виделись, он уходил на свои участки к муравьям, она помогала в гербарной работе ботаникам.

Для людей убежденно-нравственных и физиологически порядочных, каким, несомненно, был Алексей Кириллович, жизнь расставляет ловушки самые простые, зато и самые надежные. Камешек этот подвернулся тогда, когда он уже почти что вышел победителем из не начавшейся игры. Собственно, подвернулась Сандрочкина нога — в волейбольном порыве. Ступить на ногу было невозможно.

От берега до дома научные сотрудники мужского пола несли Сандру на руках по очереди. Сначала два аспиранта на сцепленных креслом руках, потом ихтиолог Ботажинский на закорках и, наконец, последнюю треть пути — Алексей Кириллович. В тот же вечер он и получил ее вместе с локотками, коленками, вывихнутой лодыжкой и всем прочим.

Он прекрасно помнил, как отнес ее в угловую комнату, а потом зашел на дачу Юнге, где взял в аптечке бинт, немецкий, дореволюционный, не иначе как из запа-

181

сов покойного Вяземского, и вернулся к Сандре перевязать распухшую и покрасневшую стопу. Полчаса, прошедшие между перевязкой и тем моментом, когда он, не закрывши дверей, вломился в мускулистое лоно начинающей волейболистки, начисто выпали из его памяти.

Сандра понесла едва ли не в тот самый вечер и через два месяца, отбыв до конца срок своей командировки, Алексей Кириллович уехал, оставив ее определенно беременной, вполне уверенный в том, что вернется за ней в самое ближайшее время.

Однако переустройство прежней жизни, которое повлекла за собой эта романтическая история, потребовало больше времени, чем он предполагал.

Жена лютерански спокойно и, пожалуй, даже несколько холодно приняла сообщение Алексея Кирилловича о новых обстоятельствах. Единственное условие, которое она поставила ему, оказалось непредвиденным и трудно разрешимым: она просила его, чтобы он ушел из университета, где они вместе работали. До сентября он не мог предпринимать никаких шагов, связанных с поиском педагогической работы, поскольку в высших учебных заведениях было время отпусков. В сентябре открылась вакансия в Тимирязевке. Возникли сложности с жильем. Квартира на Полянке отходила к жене. Тимирязевская академия имела служебные помещения, но требовалось время для написания нужных бумаг, получения необходимых подписей и решений.

Время шло, Сандра малозаметно носила свою беременность, пуговиц до седьмого месяца не расставляла, получала еженедельные письма от Алексея Кирилловича и благодаря своему счастливому легкомыслию вовсе не задумывалась о том, что же ей предстоит, если Алексей Кириллович исчезнет так же неожиданно, как появился. А может быть, безмятежность ее основывалась на уверенности, что Медея возьмет на себя и этого ребенка, как взяла когда-то саму Сандру с братьями.

А пока обе сестры молчали. Впрочем, Медея перебрала старое белье и отложила кое-что на пеленки. Только увидев в Медеиных руках старомодный чепчик, по краю которого она тонкой иглой вела синий «козлик», Сандра рассказала об Алексее Кирилловиче, тряся волосами и крепко нажимая на букву «ч» в слове «очень»:

— Он очень мне нравится... он очень интересный человек... он тебе очень хорошо известен...

Медея действительно помнила его еще с детских лет, когда Алексей Кириллович, будучи студентом, еще до отъезда в Англию, нанимал комнату в их доме, — Крым привлекал тогда многих естествоиспытателей.

Теперь приезда Алексея Кирилловича ждали обе сестры Синопли.

Тем временем Алексей Кириллович получил жилье — зимнюю дачу рядом с Тимирязевским парком, возле Соломенной

Сторожки. Дача была такой запущенной, что пришлось делать спешный ремонт, к тому же Алексей Кириллович готовил новый большой курс обшей энтомологии и специальный курс — «Вредители сада».

Сандрочкин сын так и не дотерпел до Москвы, родился под присмотром тети Медеи в той самой городской феодосийской больнице, где рожала своих детей Матильда. Только доктора Лесничевского уже не было в живых.

Через две недели без всякого письменного предуведомления приехал Алексей Кириллович прямо в дом к Медее — из писем Сандры он знал, что она незадолго до родов перебралась к сестре. Он нашел сидящую у окна на венском стуле молодую женщину с короткими, под скобку остриженными рыжеватыми волосами, наполовину завешивающими лицо, и круглоголового младенца, присосавшегося к голубовато-белой груди. Это была его семья. Дух его перехватило.

Через два дня Алексей Кириллович с новой семьей отбыл в Москву. Медея могла бы и не ехать, но за эти дни так прикипела сердцем к племяннику, которого уже и крестила, сделавшись его крестной матерью, что взяла отпуск и поехала с ними, чтобы помочь Сандре устроиться на новом месте.

В этот месяц, первый месяц жизни Сережи, она со всей полнотой пережила свое несостоявшееся материнство.

Иногда ей казалось, что грудь ее наливается молоком. В Феодосию она вернулась с чувством глубокой внутренней пустоты и потери. «Молодость прошла», — догадалась Медея.

7

Родиной Валерия Бутонова было Расторгуево. Он жил со своей матерью Валентиной Федоровной в приземистом частном доме, давно грозившем развалиться. Отца не помнил. Мальчиком он был уверен, что отец его погиб на фронте. Мать не особенно на этом настаивала, но легенды не разрушала. Недолгий муж Валентины Федоровны еще до войны нанялся по контракту куда-то на Север, прислал оттуда одно незначительное письмо и навсегда растворился в заполярных далях.

Все свое длинное детство Валера, как и большинство его сверстников, провел, вися на хлипких заборах или вбивая в стоптанную пригородную землю трофейный перочинный нож, главную драгоценность жизни. В занятии этом ему не было равных, все, царства и города, разыгрываемые на вытертой площадке позади автобусной станции, он брал своим ножом легко и весело, как Александр Македонский.

Соседские ребята, убедившиеся в его полном превосходстве, перестали играть с ним, и он проводил многие часы во дворе своего дома, засаживая ножичек в бледное бельмо спиленной нижней ветки огромной груши и отступая при этом все дальше от цели. За эти долгие часы он постиг механику броска, знал ее наизусть и кистью, и глазом, но главное наслаждение испытывал от огненного мгновения соотнесения руки с ножом и желанной точки, завершавшегося дрожанием черенка в сердцевине цели.

Иногда он брал другой нож, кухонный, и выбирал другую цель, и нож с хрустом, или со стоном, или с тонким свистом входил в нее. Старый материнский дом, и без того ветхий, был весь в шрамах от его мальчишеских упражнений. Но совершенство оказалось скучным, и он забросил это занятие.

Новые возможности открылись, когда он перешел из начальной школы в новую десятилетку, где было много диковинного: писуары, фарфоровые раковины, чучело совы, картина с голым, без кожи, человеком, стеклянные чудесные посудинки, железные приборы с лампочками. Но любимым и самым притягательным местом был хорошо по тем временам оборудованный спортивный зал. Перекладина, брусья и кожаный «конь» стали его любимыми предметами с пятого класса.

В Бутонове открылась античная телесная одаренность, столь же редкая, как музыкальная, поэтическая или шахматная. Но тогда он не знал, что его талант ценится ниже, чем дарования интеллектуальные, и наслаждался успехами, все более заметными с каждым месяцем.

Преподавательница физкультуры направила его в секцию ЦСК, и к Новому году он уже участвовал в первых в своей жизни соревнованиях. Тренеры изумлялись его феноменальной хватке, врожденной экономности движений и собранности — он сразу приходил к результатам, которые обыкновенно вытаптываются годами.

Ему не было и двенадцати лет, когда его впервые взяли на сборы. В тот раз маленьких спортсменов не вывозили за город из Москвы — просто поселили в военной гостинице на площади Коммуны, в четырехместных номерах с красным ковром, графином и телефоном на столе драгоценного дерева, в тяжелом великолепии сталинского, с военным уклоном, стиля.

Шел учебный год, и потому по утрам спортсмены разъезжались по своим школам, а после возвращения обедали в местной военной столовой по тридцатирублевым талонам. В правом крыле невысокого, приземистого корпуса, сердцем которого был Краснознаменный зал, размещался спортивный комплекс. Там и проводил лучшие часы счастливого детства будущий цвет советского спорта.

Вход был строго по пропускам, и все это, вместе взятое — талоны на обеды, крутая калорийная еда с шоколадом, сгущенкой и пирожными, пропуск книжечкой, с фотографией, и особенно выданный бесплатно синий шерстяной тренировочный костюм с белой полосой у ворота, — внушало юному Бутонову уважение к собственному телу, заслуживающему всех этих неземных благ.

Учился он слабенько, постоянно имел за душой какую-нибудь неисправленную двойку, которую прикрывал обычно к концу четверти из страха, что не допустят к тренировкам. Поскольку он был спортивной гордостью школы, то преподаватели, скривившись, ставили ему сильно натянутые тройки без особых пререканий.

К четырнадцати годам он был замечательно сложенный юноша, с правильными чертами лица, коротко, по спортивной моде, остриженный, дисциплинированный и честолюбивый. Он состоял в юношеской сборной, тренировался по программе мастеров и нацеливался на предстоящих всесоюзных соревнованиях занять первое место.

Тренер Николай Васильевич, умный и прожженный спортивный волк, возлагал на него немалые надежды и предчувствовал большую спортивную биографию. Он много возился с Валерой, и незамысловатое его обращение «сынок» было для мальчишки значительным и содержательным. Валера искал черты сходства со своим кумиром, радовался, что волосы у них одного цвета, глаза серо-голубые, похожие, он щурил глаза, как Николай Васильевич, подражал его пружинящей, с раскачкой походке, купил себе белые носовые платки, как у Николая Васильевича.

Но первого места на всесоюзных соревнованиях он не получил, хотя был в себе уверен. Выступал он отлично, был как летящий нож и знал, что попал в цель. Но он не знал других важных вещей, прекрасно известных его тренеру: тайных механизмов успеха, высоких покровительств, судейских зажимов, бесстыдства и продажности спорта.

Две десятые балла, отодвинувшие Бутонова на второе место, показались ему жестокой несправедливостью, так что он в раздевалке, скинув с себя бесплатное цээсковское барахлишко, поехал в Расторгуево в школьных брюках на голом теле.

Возможно, Николаю Васильевичу удалось бы вернуть его, замазав поражение незначащими словами, скользкими и полуправдивыми объяснениями происшедшего, но, к несчастью, один из старших сотоварищей — Бутонов был в сборной самым юным — раскрыл ему тайную сторону этого несправедливого поражения. Это был сговор, и сам тренер был припутан. Того, кто получил первенство, тренировал зять главы федерации, и судейская коллегия была предвзятая — не то чтобы купленная, но связанная по рукам и ногам.

Теперь Валерий и сам прозрел: с чего бы это накануне выступления Николай Васильевич, всегда настраивающий его на победу, сказал ему как бы невзначай:

— Ладно, Валера, не бзди, для тебя, по твоему возрасту, и второе место будет неплохо. Очень неплохо...

Несколько раз тренер приезжал в Расторгуево. Первый раз Валерий влез на чердак и спрятался там, как маленький. Во второй раз вышел, говорил сквозь зубы, смотрел мимо глаз. В третий раз Николай Васильевич разговаривал с Валентиной Федоровной, но она только руками разводила и блеяла:

— Да по мне-то хорошо, плохого что ж, да как Валерка сам...

Ей тоже нравились бесплатные олимпийские костюмы, да и второе место плохим ей не казалось.

Но Валера был непреклонен. Николай Васильевич переживал, что мальчишка переметнется в «Трудовые резервы» или в «Спартак» и вся его трехлетняя работа пойдет в чужие руки. Но этого не случилось. Чудовищное тайное самолюбие Бутонова, выросшее в тени расторгуевской груши, толкало его теперь на какой-то другой путь, более верный, где не было бы оскорбительных возможностей провала, блатного гнусного розыгрыша и предательства.

Начались летние каникулы, ни на какие сборы он не поехал, целыми днями лежал под грушей, все обдумывая, как так произошло то, что произошло, и получил через неделю откровение: нельзя ставить себя в положение зависимости от других людей или обстоятельств. Окажись он под смоковницей, может быть, откровение имело бы более возвышенный характер, но от русской груши большего ждать не приходилось.

Через две недели он был зачислен в цирковое училище.

Какое же это было чудо! Каждый день Бутонов приходил на занятия и испытывал восторг пятилетнего мальчика, впервые приведенного в цирк. Учебный манеж был вполне настоящим: так же пахло опилками, животными, тальком. Шары, разноцветные кегли и стройные девушки летали в свободном воздухе. Это был особый, единственный в своем роде мир — вот что чувствовал Бутонов каждой клеткой своего тела.

О соревновании не могло быть и речи, каждый стоил столько, сколько стоила его профессия: воздушный гимнаст не мог плохо работать, он рисковал жизнью. Никакой телефонный звонок не мог остановить медведя, когда он, со своей неподвижной, совершенно лишенной мимики мордой, встав на дыбы, шел ломать дрессировщика. Никакое родство с начальством, никакая поддержка сверху не помогала крутить обратное сальто.

«Это не спорт, — размышлял опытный Бутонов, — в спорте продажность, здесь не так».

Он не смог бы сам до конца это сформулировать, но глубоко понимал, что на вершине мастерства, в пространстве абсолютного владения профессией располагается крошечная зона независимости. Там, на вершине Олимпа, находились звезды цирка, свободно пересекающие границы стран, одетые в невообразимо прекрасную одежду, богатые, независимые.

В чем-то существенном мальчик был прав, хотя во многих отношениях цирк был совершенно таким же, как прочие советские учреждения — склад, баня или академия. Существовали партком, местком, официальное подчинение вышестоящим организациям и неофициальное — любому звонку с мистического верха. Зависть, интрига и страх были могущественными рычагами цирковой жизни, но об этом ему еще только предстояло узнать. А пока что он жил той полумонашеской жизнью, которой научил его спорт. Хотя никаких формальных обетов не было произнесено, соблюдалась аскеза, только молитвенное правило заменяли утренние зарядки и вечерние занятия, пост претворялся в диету, а послушание — в полное дисциплинарное подчинение учителю. Мастеру, как говорили здесь. Что же касается целомудрия, которое вовсе не ценилось само по себе, то устройство жизни истинного спортсмена было таково, что бешеные физические нагрузки и жестокий режим страшно ограничивали то вольное, праздное и праздничное настроение, при котором юноши и девушки объединяют свои усилия для получения совместных удовольствий.

Цирковое училище и по сей день вспоминает Бутонова. Всю цирковую науку он осваивал играючи — акробатику, жонглировку, эквилибр, и каждая из этих наук на него претендовала. В гимнастике Бутонову не было равных.

С первых же месяцев учебы его звали в готовые номера. Он отказывался, потому что точно знал, кем он хочет быть: воздушным гимнастом. Работать воздух... Учителем Бутонова вместо падшего Николая Васильевича стал немолодой циркач смутной крови из цирковой династии, с внешностью коробейника, но с итальянским именем Антонио Муцетони. По-простому его звали Антоном Ивановичем.

Родился Муцетони-старший в трехосном фургоне, на линялой сине-красной попоне шапито, по дороге из Галиции в Одессу, от наездницы и акробата. Многие глубокие морщины вдоль и поперек покрывали его лицо и были столь же затейливы, как и многочисленные истории, которые он о себе рассказывал.

Правда перемешалась в них с вымыслом так давно, что он уже и сам забыл, где привирает. Видя незаурядные дарования нового ученика, он уже подумывал о том, как бы определить его со временем в труппу воздушных гимнастов, в которой с трапеции на трапецию летали его сын, племянник и двенадцатилетняя внучка Нина.

К концу второго года обучения Бутонов сильно возрос в знаниях, умениях и красоте. Он все более приближался к собирательному облику строителя коммунизма, известному по красно-белым плакатам, нарисованным прямыми, без затей линиями, горизонтальными и вертикальными, с глубокой поперечной меткой на подбородке. Некоторая недоработка намечалась в малоприметной утиной вытянутости носа к кончику, но зато разворот плеча, неславянская высота ног и невесть откуда взявшееся благородство рук... и при всем этом неслыханный иммунитет к женскому полу.

А цирковые девочки, как прежде школьные, липли к нему. Все здесь было так обнажено, так близко — бритые подмышки и паховые складки, мускулистые ягодицы, маленькие, плотные груди... Его сверстники, юные циркачи, наслаждались плодами сексуальной революции и артистической свободы, процветающей на задних дворах социализма, в оазисе Пятой улицы Ямского Поля, а он смотрел на девочек брезгливо и насмешливо, как будто дома, в Расторгуеве, поджидала его на продавленном диване сама Брижит Бардо.

Валентина Федоровна на сына не могла нарадоваться: он не пил, не курил, баб не водил, получал хорошую стипендию и относился к ней хорошо. Гордилась перед соседками: «Твой Славка шпана шпаной, а я от моего Валерки во всю жизнь дурного слова не слыхала...»

В конце второго курса Бутонову было оформлено ученичество, он попал в число привилегированных студентов, не подчинялся теперь общему распорядку, прикрепился к мастеру и работал в номере. Антон Иванович вводил его в программу своего сына. Джованни — Ваня, — хотя и не обладал талантом отца, но был отцовской выучки, с малолетства летал под куполом цирка, крутил свои сальто, но истинной страстью его были автомобили. Он был одним из первых цирковых, кто ввез в Россию иномарку, красный «Фольксваген», устаревший для Германии, но опережавший медленно текущий отечественный прогресс на три десятилетия.

Заботливо подложив под свою драгоценную спину старое одеяло, он часами пролеживал под машиной, а его злая, блядовитая жена Лялька язвила:

— Если бы я под ним столько лежала, сколько он под машиной, цены бы ему не было...

С отцом у младшего Муцетони отношения были не простые. Хотя сыну было уже за тридцать и в глазах Бутонова он был уже не молод, да и по цирковым понятиям это был возраст почти пенсионный для «воздуха», отца он боялся как мальчишка. Много лет они проработали вместе — Антон Иванович побил все рекорды циркового долгожительства под куполом. Смолоду Антон Иванович был первым, кто осваивал самые рискованные трюки, в двадцатые годы он был единственным, кто выполнял тройное сальто с пируэтом, и только лет через восемь появился еще один гимнаст, НН, который повторил номер. Про своего сына Антон Иванович говорил с глубоко упрятанным раздражением:

— Что Ваня умеет делать в совершенстве, так это падать...

Эта часть профессии была действительно чрезвычайно важна: работали они под куполом, и хотя страховка была двойная — лонжи, пристегнутые к поясам, и сетка, — разбиться можно было и со страховкой. Младший Муцетони считался виртуозом падения, старший по своей природе был первопроходцем и устал безнадежно ожидать от сына того, чего в нем не было.

Но в тот год все артисты готовились к большому цирковому фестивалю в Праге, и Антон Иванович приступил к сыну как с ножом к горлу: восстановить тот номер, с которым когда-то до войны прославился старый Муцетони по всей стране.

С неохотой подчинился Джованни отцу — заставил-таки его старик работать с полной отдачей. У Валерия, постоянно присутствовавшего на репетициях, просто мышцы дрожали — так хотелось попробовать себя в этом длинном и сложном полете, но Антон Иванович и говорить об этом не хотел. Держал его в паре с племянником Анатолием, делали они встречные полеты синхронно, четко, но этим никого нельзя было удивить, все воздушные гимнасты с этого номера начинали.

Репетиции длились полгода, но наконец настал день, когда поехали в Измайлово, в Центральную дирекцию, сдавать программу художественному совету. Решалась поездка в Прагу — для Бутонова первый выезд за рубеж.

В дирекции стояла большая суматоха, съезд цирковых звезд и циркового начальства. Все нервничали. Время уже близилось к показу, Антон Иванович полез наверх проверять крепеж, который частично был за куполом, и дотошно проверял каждую гайку, каждый болт, прощупывал тросы. Инспектором манежа был его старый конкурент Дутов, и хотя должность его была такова, что он своей свободой отвечал за технику безопасности, Антон Иванович был в напряжении.

Ване была отведена отдельная уборная. Толе с Валерием — другая, в третьей разместились женщины, их было трое: две молодые гимнастки и двенадцатилетняя Нина, дочь Вани, несомненная будущая прима.

Артисты уже надевали малиновые с золотыми звездами трико, когда Валерий услышал из коридора ругань: какой-то въезд был перекрыт Ваниной машиной, фура не могла проехать. Ваня что-то отвечал, голос что-то требовал. Анатолий подошел к двери, послушал.

— Чего они к нему привязываются? Нормально он поставил...

Валерий, не вмешивающийся в чужие дела, даже не выглянул. Все стихло. Через несколько минут в их уборную постучали, всунулась Нина:

— Валер, тебя Тома зовет.

Тома, молодая гимнастка, давно подкатывалась. Бутонову это одновременно и льстило, и раздражало. Валерий заглянул к ней.

— Ну, как тебе мой грим, Валер? — подставила она свое круглое личико под бутоновский взгляд как под солнышко.

Грим был обыкновенный, как всегда: основа желтовато-розовая, а на ней два нежно-малиновых крылышка искусственного румянца да густо обведенные синим, подтянутые к вискам глаза.

— Нормально, Тома. Модель «очковая змея»...

— Да ну тебя, Валер, — кокетливо передернула залитой лаком, как у пупса, головой Тома, — всегда только гадости говоришь...

Валерий развернулся, вышел в коридор. Из двери Ваниной уборной вышел седой человек в комбинезоне и клетчатой шотландской рубашке. Именно на рубашку и обратил внимание Бутонов, потому и вспомнил потом об этой встрече в коридоре. Через десять минут был выход.

Все шло точно, разыграно по секундам: вырубка света, прыжок, свет, толчок, трапеция, дробь, пауза, музыка, вырубка... Партитура была вытверждена даже до вдоха-выдоха, и все шло отлично.

Джованни в этом номере берегся, стоял враспор, под куполом, на верхотуре, как Бог, держал на себе свет, пока молодежь порхала. Работали четко, грамотно, но ничего выдающегося не было. «Коронка», тройное сальто с пируэтом, была за Джованни. Не все члены художественного совета видели этот номер, он очень редко исполнялся.

В режиссуре старый Муцетони очень понимал, все обставил эффектно: свет гибкий, плавает, музыка поддерживает, потом разом — полный обрыв, весь свет на Джованни, под купол, арена в темноте, вырубка музыки на самом максимуме звучания.

Джованни весь блестит, голова в золоте, на ногах — поножи, хороший художник ему придумал такую обувку, чтобы скрыть кривоногость. Тихая дробь. Джованни вскидывает золотую голову — демон, чистый демон... мгновенное движение к поясу — проверка карабина...

Бутонов ничего не заметил, а у Антона Ивановича чуть сердце не остановилось — слишком долго проверяет, неполадок какой-то... Но пока все во времени, без опоздания. Дробь смолкла. Раз, два, три... лишняя секунда... трапеция уходит назад... толчок... прыжок... Джованни еще в полете, и никто ничего не понял, но Антон Иванович уже видит, что группировка не завершена, что недокрутит он последнего поворота... точно!

Толя вовремя посылает ему трапецию, но Ваня мажет сантиметров на двадцать, не успевает, тянется в полете за трапецией, пытается догнать — чего никогда не бывает — и вылетает из отработанной геометрии, летит вниз, к самому краю сетки, куда приземляться опасно, где натяжение всего сильнее: тряхнет, сбросит... Об край, точно...

Сетка спружинила, подбросила Ваню — не наружу, внутрь. Умеет все-таки падать... Провал, конечно, провал... но не разбился парень.

Но — разбился. Опустили сетку. Первым подскочил Антон Иванович, схватился за карабин — собачка была ослаблена. Он тихо выругался. Ваня был жив, но без сознания. Травма тяжелая — череп, позвоночник? Положили на доску. «Скорая» пришла через семь минут. Повезли в лучшее место, в Институт Бурденко. Антон Иванович поехал с сыном.

Бутонов увидел своего мастера только через две недели. Известно было, что Ваня жив, но неподвижен. Врачи колдовали над ним, но не обещали, что поднимут на ноги.

Антон Иванович исхудал так, что стал похож на итальянскую борзую. Черная мысль не покидала его: он не мог объяснить себе, как случилось, что Ваня заметил ослабший карабин только перед самым прыжком. Про себя он знал, что его такой случай не сбил бы, смог бы нервы удержать. Да и было у него когда-то такое же, сходное: снял он с себя пояс, отстегнулся и пошел... А Ваня психанул, потерялся и «рассыпался»... Странность была еще и в том, что перед самым выходом вызвали его машину переставлять, хотя стояла она порядочно, Антон Иванович потом сам проверял — проходила фура...

Когда Антон Иванович свое неясное подозрение высказал Бутонову, тот выдавил из себя:

— А к Ване не только рабочий с хоздвора приходил...

Антон Иванович схватил его за рукав:

— Говори...

— Когда он ушел машину переставлять, к нему в уборную Дутов заходил. То есть, я из коридора видел, он выходил, в рубашке клетчатой...

К этому времени Валерий уже знал, что Дутов и был инспектором манежа.

— Е-мое... хорош же я, старый дурак! — схватился за свое обвислое лицо Антон Иванович. — Вот оно какое дело... Самое оно...

Бутонов навестил Ваню в госпитале. Тот был в гипсе, как в саркофаге, — от подбородка до крестца. Волосы поредели, две глубокие залысины поднялись вверх ото лба. Моргнул: «Привет». Почти не разговаривал. Валерий, проклиная себя, что пошел, просидел минут десять на белой гостевой табуретке, пытался что-то рассказывать. «Бэ-мэ», — замолчал. Он не знал до этого, как хрупок человек, и ужасался.

Стояла глухая мокрая осень. Расторгуевская груша облетела, стояла черная, как будто обгорелая, и не мог Бутонов полежать под ней, послушать, не явится ли ему новое откровение.

До окончания училища оставалось полгода. Прага, на которую огромные надежды возлагал Бутонов, пролетела. Пролетало и училище. Тусклые Ванины глаза не выходили из головы Бутонова. Вот только что был Ваня — Джованни Муцетони, знаменитый артист, каким хотел быть Бутонов, — независимый, богатый, выездной, и машина под ним ходила самая лучшая из всех, что Бутонов видел, — давно уже не красный горбатый «Фольксваген», а новенький белый «Фиат». И так все рухнуло в один миг. Не было, оказывается, никакой независимости — одна видимость. И неподвижное инвалидство до самой смерти...

Зимнюю сессию, последнюю, Бутонов сдавать не пошел. Были в училище, помимо специальных, обыкновенные школьные предметы, и диплом без сдачи этих презренных наук не давали. Бутонов вообще больше не пошел в училище. Полгода пролежал на диване, ожидая повестки в армию. В феврале ему исполнилось восемнадцать, и в начале весны его забрили. Предложили сначала идти в ЦСКА, сработал его первый разряд по гимнастике, но он, к большому изумлению военкома, отказался. Все Бутонову было безразлично, но в спорт возвращаться он не хотел. Пошел в солдаты, как все...

Но, как у всех, у него все равно не получилось: от своего таланта деться было некуда, он его выталкивал на какую-то особую дорожку, да и случай всегда особенный подворачивался. Стрелял Бутонов лучше всех — из автомата, карабина, из пистолета, когда тот попал ему в руки. Даже сибирские ребята, охотники с малолетства, уступали ему в меткости глаза и руки.

На учебном смотре Бутонов был отмечен полковником, большим любителем стрелкового спорта. И года не прошло, как он был уже в команде все того же ЦСКА, но теперь по спортивной стрельбе. Опять пошли тренировки, сборы, опять разряды. Служба прошла самым приятным образом — во всяком случае, во второй половине срока.

Вернулся он в Расторгуево, прибавив семь килограммов весу и три сантиметра росту, и дембель его был аккуратен, без затяжек, почти день в день. И что самое существенное — он опять точно знал, что ему надо делать. Наскоро и без труда он получил в экстернате диплом об окончании школы и в то же лето был зачислен в Институт физкультуры. Всех перехитрил — на лечфак.

Со школьных лет запомнившаяся Бутонову картинка — экарше, человек со снятой кожей и обнаженными мышцами — стояла теперь в центре его внимания. Он изучал анатомию, чуму всех первокурсников, с увлечением и глубоким почтением. Не обладавший достаточно острой памятью, прочитанные книги забывавший бесследно и навсегда, в этом скучнейшем для всех занятии он все схватывал и запоминал.

Была у Бутонова еще одна особенность, которая вместе с врожденной телесной одаренностью делала его тем, чем он был, —

способность к ученичеству. И предавший его тренер Николай Васильевич, и бедный Муцетони ценили в нем эту способность подчиняться с радостью, вникать в прием и усваивать его как бы изнутри.

Третий, и последний, учитель встретился Бутонову в институте, на третьем курсе. Это был мелкий, неказистый человек из КВЖДистов, с маскировочной фамилией Иванов, с темным и извилистым прошлым. Родился он, как сам говорил, в Шанхае, знал в совершенстве китайский, годами жил в Индии, посещал Тибет и представлял в нашей полу-Европе таинственную Азию. Он знал толк в восточных единоборствах, которые тогда входили в моду, и преподавал китайский массаж.

Псевдо-Иванов восхитился необыкновенным бутоновским чутьем к телесности: в пальцах его было много независимости и ума, он мгновенно схватывал, где смещение дисков, где гребешок отложения солей, где просто мышечная контрактура, и руки его осваивали мудреную точечную науку сами собой, не привлекая для этого голову.

Если бы Бутонову хватило слов и определенной гуманитарной культуры, он мог бы рассказать о бодром настроении спины, о радости ног, об уме пальцев, так же как и о лени в плечах, нерасположенности к усилиям бедер или сонливости рук, и все эти особенности жизни тела в данный момент он умел распознать в лежащем перед ним на массажном столе человеке.

Псевдо-Иванов пригласил его в гости в полупустую однокомнатную квартиру, увешанную тибетскими иконами. Тонкий знаток Востока, он пытался заинтересовать незаурядного ученика благородной йогой, мудрой Бхагават-Гитой, изящным китайским учением ба-гоа. Но к области духа Бутонов оказался совершенно глух.

— Это все слишком умственное, — говорил он и делал легкое движение отводящими мышцами правой кисти.

Учитель был разочарован. Зато практическую йогу и точечный массаж Бутонов освоил очень быстро и со всеми нюансами.

Сам Иванов пользовался в те годы большим успехом не только как великий массажист, услугами которого пользовались разные редкие знаменитости — чемпион мира по поднятию тяжестей, гениальная балерина, скандальный писатель. Он участвовал в разных семинарах на дому, изысканных развлечениях тех лет, вел специальные занятия по йоге.

Он и Бутонова привлек к своей деятельности, по крайней мере к той части ее, которая видна была с поверхности. К другой, осведомительской стороне его деятельности Бутонов был непричастен и только многие годы спустя вообще смекнул, какие погоны невидимо лежали на учительских плечах.

Учитель произвел Бутонова в помощники. Он вел любителей йоги, своих слушателей, высоким путем освобождения прямо в «мокшу», а Бутонов корячился на коврике, обучая их позе лотоса, льва, змеи и прочим нечеловеческим конфигурациям.

Одна из групп собиралась в большой квартире большого академика, у академической дочки. Участники собрания все как один были сделаны из тестообразной плоти, и Бутонов должен был обучить их тому самочувствию тела, в котором сам так преуспел. Все они были учеными — физикохимико-математиками, и Бутонов испытывал к ним ко всем им совершенно необъяснимое чувство легкого презрения. Среди них была высокая полная девушка Оля, математик, с тяжелыми ногами и грубоватым лицом, которое из нежного природно розового во время упражнений становилось угрожающе красным.

Через два месяца после знакомства, к неодобрительному изумлению друзей с обеих сторон, они поженились. Хозяйка квартиры, узнав о намечающемся брачном союзе, щелкнула языком:

— И что с этим роскошным зверем будет делать бедная Олечка!

Но Оля ничего особенного с ним не делала. Она была человеком холодным и головным, что находилось, возможно, в связи с ее профессией: к этому времени она уже защитила диссертацию по топологии, заповедной области математики, и ювелирная умственная работа, которая шла в ее крупной голове под прикрытием больших, плохо промытых волос, была главным содержанием ее жизни.

Бутонов не испытывал особого почтения к извилистым крючкам, которые, как птичьи следы на снегу, покрывали бумаги на женином столе, он только хмыкал, глядя на мелкие значки и редкие человеческие слова с левой стороны листа — «отсюда следует, как видно из вышеприведенного... рассмотрим определение...».

Характер у Ольги был покладистый, немного вялый. Валерий удивлялся ее малоподвижности и бытовой лени — она ленилась делать даже несколько йоговских упражнений, которые избавляли ее от запоров.

Валентина Федоровна невестку невзлюбила, во-первых, за то, что она была четырьмя годами старше Валерия, а уж во-вторых — за бесхозяйственность. Но Оля только равнодушно улыбалась и даже, к досаде Валентины Федоровны, этого нерасположения просто не замечала.

Супружеские радости были весьма умеренными. Бутонов, с детства устремленный к мускульным удовольствиям, упустил из виду ту небольшую группу мышц, которая ведала сугубыми наслаждениями. Естественно, за достижения в этой области не присуждали разрядов, не включали в сборные, и его инстинкты отступали перед юношеским тщеславием.

Была еще одна причина, способствующая его удивительной сдержанности к женщинам: они влюблялись в него с той самой минуты, как на него надели первые штанишки, облако их изнурительной влюбленности преследовало его, а в более старшем возрасте он стал ощущать этот постоянный к нему интерес как посягательство на его тело и отчаянно оберегал свое лучшее достояние, а ценность его собственного тела еще более подчеркивалась удивительной доступностью женских жадных тел и множеством предложений.

Первые сексуальные опыты были малоудачны и незначительны: тридцатилетняя соседка, подавальщица из цээсковской столовой, пловчиха-однокурсница со смытым лицом — и все они с большим рвением, алчные, озабоченные продолжением отношений...

Для самого Бутонова ценность этих встреч была немногим выше, чем приятный эротический сон с удачным завершением, происходящим на границе сна, когда образ феи еще не окончательно развеялся от хлопков дверей в коридоре и звука спускаемой воды в уборной, расположенной за стеной.

Все было спокойно и складно в бутоновской жизни. Поженились они спустя три месяца после Ольгиной защиты диссертации, еще через три месяца она забеременела, а за три месяца до своего тридцатилетия она родила дочку.

Покуда она носила, рожала и кормила большой и маломощной с продовольственной точки зрения грудью очень маленькую девочку, родившуюся от двух таких крупных родителей. Бутонов окончил институт и продался теннисистам.

Он следил за здоровьем самых здоровых людей планеты, лечил их травмы, разминал мышцы. В свободное время он делал то же самое, но уже частным образом. Зарабатывал хорошие деньги, был независим. Круг пациентов он получил от учителя, и все двери для него были открыты: от ресторана ВТО до цековской билетной кассы.

Через год большой теннис вывез-таки его за границу, сначала в Прагу — добрался до нее Бутонов! — а потом и в Лондон. Это было все, о чем можно было мечтать.

К чести Бутонова надо сказать, что свои высокие гонорары брал он за дело. Он поддерживал тела своих подопечных теннисистов, балерин и артистов в безупречной форме, но, кроме того, занимался тяжелой посттравматической реабилитацией. Тщеславие его наконец нашло достойное обоснование. Про него говорили, что он совершает чудеса. Легенда о его руках росла, но сам он, хорошо зная ей цену, работал, как когда-то в спорте, на границе возможностей, и граница эта мало-помалу отодвигалась.

Лучшим своим достижением он считал Ваню Муцетони, с которым занимался с тех самых пор, как Иванов показал ему первые приемы и подходы к позвоночнику. Бутонов не раз привозил Иванова к Муцетони. Иванов прислал как-то раз великого китайца, прижигавшего Ванину спину пахучими травными свечами.

Но главная работа была бутоновская — шесть лет подряд, два раза в неделю, почти без пропусков, он шаманил над неподвижной спиной, и Ваня встал, мог пройти по квартире, опираясь на специальный ходильный снаряд, и медленно, очень медленно восстанавливался.

Антон Иванович, еще более сморщившийся лицом, Бутонова боготворил. Внучка Нина, с двенадцати лет в него влюбленная, на мужчин смотрела только с одной точки зрения: насколько тот или иной поклонник похож на Бутонова. Злая Лялька Муцетони, десять лет собиравшаяся с Ваней развестись, после случившегося несчастья поменялась и как будто стала другим человеком — благородно-сдержанным и бодрым. Она вязала на заказчиков свитера, кормила семью, никогда не жаловалась. Бутонову на день рождения обыкновенно дарила какой-нибудь шерстяной шедевр.

В середине октября Бутонов приехал к Ване хмурый, не в настроении, полтора часа отработал и собрался уходить без чаю-кофею, как было заведено. Ляля его задержала, принесла чай, разговорила.

Бутонов пожаловался, что назавтра ему надо ехать в дурацкую поездку, в никому не нужный город Кишинев на показательные выступления с группой спортсменов.

Лялька вдруг засуетилась, обрадовалась:

— Поезжай, поезжай, там сейчас чудо как хорошо, а чтоб ты не соскучился, так я поручение тебе дам — отвезешь моей подружке подарок.

Она порылась в шкафу и вытащила белый мохеровый свитер.

— Они в пригороде живут, знаменитая конная группа Човдара Сысоева. Не слыхал? Старый страшенный цыган, а Розка — наездница. — Ляля сунула свитер в пакет и написала адрес.

Бутонов без большой охоты взял посылочку.

...Первые полдня в Кишиневе были у Бутонова свободными, и он, переночевав в гостинице, рано утром вышел на улицу и пошел по незнакомому городу в указанном направлении, к городскому базару. Город был невзрачный, лишенный даже намека на архитектуру, по крайней мере в той части, которая открывалась Валерию в утреннем, тающем на глазах тумане. Но воздух был хороший, южный, с запахом сладких, гниющих на земле плодов. Запах приносился откуда-то издалека, потому что на улицах новой застройки не было никаких деревьев. Только красные и багровые астры, целиком ушедшие в цвет и не имеющие никакого аромата, росли из прямоугольных газонов, обложенных бетонными плитами. Было тепло и курортно.

Валерий дошел до базара. Возы и арбы, лошади и волы запрудили небольшую площадь, невысокие мужики в теплых меховых шапках и в вислых усах таскали корзины и ящики, а бабы устраивали на прилавках горки из помидоров, винограда и груш.

«Надо бы домой взять», — бегло подумал Валерий и увидел прямо перед собой помятый зад автобуса с нужным ему номером. Автобус был пустой. Валерий сел в него, через несколько минут в кабину влез водитель и, ни слова не говоря, тронул.

Дорога шла долго по пригороду, который все хорошел, мимо мазаных домиков, маленьких виноградников. Остановки были частыми, в одном участке пути набились дети, потом все разом вышли возле школы. Наконец, почти через час, добрались до конечной остановки, в странном, промежуточном месте, не городском и не деревенском.

Валерий еще не знал, какой важный в его жизни день начался сегодня утром, но почему-то прекрасно запомнил все подробности. Два маленьких заводика стояли с обеих сторон дороги и дымили друг другу в лицо — совершенно пренебрегая законами физики, согласно которым ветер должен был бы относить их сивые дымки в одном направлении.

Наблюдательный Бутонов пожал плечами. Вдоль дороги рядами выстроились теплицы, и это тоже было странно: на черта здесь теплицы, когда в конце октября двадцать градусов и все без стекол отлично поспевает...

Дальше вдоль дороги стояли хозяйственные постройки и конюшни. Туда и направился Бутонов. Издали он увидел, как открылись ворота конюшни, проем заполнился бархатной чернотой и из него, скаля белые зубы, вышел высокий черный жеребец, который от неожиданности показался Бутонову огромным, как конь под Медным Всадником. Но никакого Медного Всадника не было и в помине, жеребца вел в поводу маленький кудрявый мальчишка, который при ближайшем рассмотрении оказался молодой женщиной в красной рубахе и грязных белых джинсах.

Сначала Бутонов обратил внимание на ее сапоги, легкие, с толстым носком и грубым запятником, очень правильные сапоги для верховой езды, а потом он встретился с ней глазами. Глаза ее были зеркально-черными, грубо удлиненными черной краской, взгляд внимательный и недоброжелательный. Все остановились. Жеребец коротко заржал, она похлопала его по холке ярко-белой рукой с короткими красными ногтями.

— Тебе Човдара? — довольно грубо спросила она. — Он там. — И указала в сторону ближайшего сарая, после чего поставила ногу в высоко подобранное стремя и вспорхнула в седло, обдав Валерия каким-то сладким, тревожным и совершенно не парфюмерным запахом.

— Нет, мне Роза нужна. — Бутонов уже понимал, что она и есть Роза. — У меня посылка от Ляли Муцетони. — И он вытащил из сумки пакет и поднял его.

Не слезая с коня, она взяла пакет, размахнувшись, кинула его в распахнутую дверь конюшни и, сверкнув зубами, не улыбнувшись, а, скорее, оскалившись, быстро спросила:

— Ты где остановился?

— В «Октябрьской».

— Ага, ладно. Я занята сейчас. — Помахала рукой и, гикнув, с места ударилась в галоп.

Он смотрел ей вслед, испытывая раздражение, восхищение и что-то, в чем ему предстояло долго разбираться. Так или иначе, это был последний день в его жизни, когда он еще совершенно не интересовался женщинами.

Вечером Валерий долго лежал в гостиничной, пахнущей стиральным порошком койке, вспоминал наглую цыганку, ее великолепного жеребца и небольших редкопородных желтых лошадок, которых наблюдал в загоне за конюшней, ожидая на остановке автобуса.

«Неприятная все-таки девчонка», — решил Валерий, соскальзывая в сон, отливающий лошадьми, запахами конюшни и медлительной радостью пустого теплого дня, когда легкий, длинный и дробный стук в дверь вывел его из этого состояния. Он приподнялся с подушки.

Дверь, как оказалось, он забыл запереть, она медленно открылась, и в номер вошла женщина. Валерий молчал, вглядываясь. Подумал сначала, что горничная.

— А, ждал, — хрипловато сказала женщина, и тут он ее узнал: это была утренняя всадница.

— А я решила: если спросишь, кто там, повернусь и уеду, — без улыбки сказала она и села на кровать.

Она снимала те самые сапоги, которые он про себя утром одобрил. Сначала наступила на задник левого и сбросила его, потом стащила руками правый и с некоторым усилием отбросила его в угол.

— Ну, что глазами хлопаешь?

Она встала возле постели, и он увидел, как она мала ростом. И еще успел подумать, что ему совершенно не нравятся такие маленькие и острые женщины.

Она стянула с себя белый свитер, тот самый, подарочный, расстегнула кнопку на грязных белых джинсах и, не снимая их, нырнула под одеяло, обняла его и сказала голосом трезвым и усталым:

— Весь день меня жгло — так тебя хотелось...

Бутонов выдохнул воздух и навсегда забыл, какие же это женщины ему обыкновенно нравились...

Все, что он о ней узнал, он узнал позже. Была она вовсе не цыганка, а еврейка из питерской профессорской семьи, ушла к Сысоеву семь лет тому назад, дочку ее от первого брака воспитывают родители и ей не доверяют. Но самое главное и поразительное было то, что к утру он обнаружил, что в свои неполные двадцать девять лет он пропустил целый материк, и непостижимо было, как удалось этой тщедушной девчонке, такой горячей снаружи и изнутри, погрузить его в себя до такой степени, что он казался самому себе тающим в густой сладкой жидкости розовым леденцом, а вся кожа его стонала и плавилась от нежности и счастья, и всякое касание, скольжение проникало насквозь, в самую душу, и вся поверхность оказывалась как будто в самом нутре, в самой глубине. Он ощущал себя вывернутым наизнанку и понимал, что, не заткни она тонкими пальчиками его уши, душа его непременно вылетела бы вон...

В шесть часов утра диковинные часики, не снятые с ее руки, слабо чирикнули. Она сидела на подоконнике, обняв ногами его поясницу. Он стоял перед ней и видел, как оттопыривается ниже ее пупка бугорок, обозначающий его присутствие.

— Все, — сказала она и погладила выступающий бугорок через тонкую пленку своего живота.

— Не уходи, — попросил он.

— Уже ушла, — засмеялась она, и он заметил, как по-вурдалачьи выпирают вперед верхние клычки. Он погладил пальцами ее зубы.

— Нет, я не вурдалак, — засмеялась она. — Я блядь обыкновенная. Тебе нравится?

— Очень, — честно ответил он, и она соскочила, оставив его стрелу невыпущенной.

Она пошла в душ. Ноги у нее были кривоваты и не очень ловко вставлены. Но желание только накалялось. Он вынул из переворошенной постели порванные золотые цепочки, соскользнувшие ночью с ее шеи.

Вода ревела в душе, он перебирал пальцами цепочки и смотрел в окно. Был тот же блестящий туман, что и вчера, и солнце угадывалось за его тающим блеском.

Покрытая крупными каплями воды, она вошла в комнату. Он протянул ей цепочки. Она взяла их, распустила во всю длину и кинула на стол:

— Починишь, тогда и отдашь. Сегодня среда?

Она стряхнула с маленькой груди остатки воды, с трудом натянула на узкое мокрое тело джинсы. В пружинистых черных волосах, в прическе, которая еще не называлась «афра» и была ее собственной, и ничьей больше, тоже лежали большие капли воды. Несколько маленьких, жестких даже на вид шрамов, уже волнующих и любимых, отмечали ее тело под грудью, с левой стороны живота и на правом предплечье. Кажется, она была совершенно не женственной. Но все женщины, которых он знал прежде, в сравнении с ней казались не то манной кашей, не то тушеной капустой...

— Знаешь что, Валера? Мы встретимся с тобой ровно через неделю на Центральном почтамте в Питере. Между одиннадцатью и двенадцатью...

— А сегодня? — спросил Бутонов.

— Нет, нельзя. Сысоев тебя убьет. А может, меня... — Она засмеялась. — Не знаю точно кого, но кого-нибудь убьет...

У них было еще три встречи в течение года. А потом она исчезла. Не от Валерия исчезла, а вообще. Ни родители, ни Сысоев не знали, с кем и куда она девалась...

С тех пор Бутонов женщинам не отказывал. Знал, что чудес не бывает, но если пребывать на грани возможного, на пределе концентрации, то и здесь, в самом телесном низу, пробивает молния, и все озаряется, и вспыхивает то самое чувство — нож, направленный в цель, вздрогнув, замирает в самой ее сердцевине...

8.

Вернувшись в десятом часу вечера из бухт и уложив спящих малышей, взрослые расселись на Медеиной кухне пить чай. Хотя все устали, расставаться не хотелось — в воздухе висело какое-то неопределенное «продолжение следует». Даже Нора, прилежная мать, согласилась уложить дочку в чужом месте, чтобы посидеть за чаем.

Не было на кухне только Маши. Еще с полдороги, возвращаясь, она почувствовала противную чесотку в крови и поняла, что на нее надвигается один из редких и необъяснимых приступов. Муж ее Алик, врач, размышляющий над каждой болезнью как над самостоятельной задачей, считал, что у Маши какая-то редкая форма сосудистой аллергии. Однажды такой приступ начался на его глазах, в деревне, куда они приехали справлять Новый год. Маша прикоснулась к холодному соску рукомойника, и он оставил на руке след, подобный ожогу. Через два часа у нее поднялась температура, а к вечеру она вся покрылась аллергической сыпью...

На этот раз с ней происходило нечто подобное, но не от прикосновения равнодушного металла, а от мимолетного прикосновения Бутонова. Впрочем, может, просто перегрев, весеннее солнце... Но правое предплечье было багровым и слегка отекло.

Едва добравшись до дома, Маша сразу же легла, укрывшись всеми попавшимися под руку одеялами.

Покуда ее тряс озноб и мучила жажда, ей снился один и тот же все повторяющийся сон: как будто она встает с постели, идет на кухню и пытается зачерпнуть из ведра, в котором воды на самом дне, и кружка только шкрябает по жести, а вода не набирается... Одновременно с этим сами собой складывались какие-то неструганые строчки, в которых был берег, горячее солнце и неопределенное ожидание, смешанное с реальной жаждой...

Георгий вышел покурить, сидел на лавочке возле дома и из темноты, как из зрительного зала на театральную сцену, смотрел в яркий прямоугольник распахнутой двери кухни. Свет был двойной и зыбкий: желтый от керосиновой лампы и низко-малиновый от очага. Прихваченные за день опасным весенним солнцем, лица казались густо нагримированными. Рядом с темной Медеей сидела светлая Нора с заколотыми высоко волосами и подобранной челкой. Ника велела ей намазать лицо кефиром, и оно теперь матово блестело. Лоб ее, когда она подобрала волосы, оказался слишком высок и крут, как бывает у малых детей и у немецких средневековых мадонн, и этот недостаток делал ее лицо еще милей.

Еще была видна Георгию могучая спина Бутонова в розовой майке да крылатая Никина тень — гриф гитары и руки колыхались на стене. В центре стола, как драгоценный шар, стоял самовар, но чаю не варил. Хотя Георгий и провел наконец на кухню воздушку, но в этот день электричества в Поселок почему-то не подавали.

Кроме света, наружу выливалась еще и мелодия, выпеваемая простым и сильным Никиным голосом и поддерживаемая незатейливыми аккордами не ученой музыке руки.

Тогда все пели Окуджаву, а Георгий, единственный из всех, не любил этих песен. Они раздражали его манжетами и бархатом камзолов, синевой и позолотой, запахами молока и меда, всей романтической прелестью, а главное, может быть, тем, что они были пленительны, против воли вползали в душу, долго еще звучали и оставляли в памяти какой-то след.

Работа его многие годы была связана с палеозоологией, мертвейшей из наук, и это придавало странную особенность его восприятию: все в мире делилось на твердое и мягкое. Мягкое ласкало чувства, пахло, было сладким или отталкивающим, — словом, было связано с эмоциональными реакциями. А твердое определяло сущность явления, было его скелетом.

Георгию достаточно было взять в руки одну створку устрицы, вмурованную в склон холма где-нибудь в Фергане или здесь, под Алчаком, чтобы определить, в каком из десяти ярусов палеогена жило это мясистое, давно исчезнувшее животное, его крепкая мышца и примитивные нервные узлы, то есть все то, что составляло незначительную мякоть. Так и песни эти казались мякотью, сплошной мякотью, в отличие, скажем, от песен Шуберта, в которых он чувствовал музыкальный крепкий костяк, благо что и немецкого языка он не знал и он ему не мешал...

Георгий придавил окурок плоским камешком и вошел в кухню, сел в самый темный угол, откуда хорошо видна была Нора с милым и сонным лицом.

«Такая северная девочка, не очень счастливая с виду, — размышлял он, — петербурженка. Есть такой тип анемичных блондинок, с прозрачными пальцами, с голубыми венками, с тонкими лодыжками и запястьями... И сосок у нее, наверное, бледнорозовый...» И его обдало вдруг жаром.

А она, как будто почувствовав его мысли, прикрыла лицо тонкими ладонями.

Юность Георгия, с геологическими партиями, с поварихами из местных, податливыми лаборантками, всегда готовыми подставить под комариные укусы мускулистые бедра, подругами-геологинями, была давно позади.

Из армянской смеси упрямства и лени, а также из-за приверженности семейной мифологии, внушенной матерью, наперекор общепринятой легкости, всем привычкам его крута, насмешливости друзей он хранил угрюмую верность толстой Зойке, но никогда не мог вспомнить, как ни старался, чем же она ему понравилась пятнадцать лет тому назад. Ничего, кроме трогательного жеста, каким она складывала беленькие носочки ровненько, один на другой...

И снова он вышел из кухни, чтобы отдохнуть от волнующего воздуха внутри, который вскипал пузырьками, раздражал, возбуждал.

«Ушел», — с огорчением подумала Нора.

А Ника занималась любимым делом обольщения, тонким, как кружево, невидимым, но осязаемым, как запах пирога от горячей плиты, мгновенно заполняющий любое пространство. Это была потребность ее души, пища, близкая к духовной, и не было у Ники выше минуты, чем та, когда она разворачивала к себе мужчину, пробивалась через обыкновенную, свойственную мужчинам озабоченность собственной, в глубине протекающей жизнью, пробуждала к себе интерес, расставляла маленькие приманки, силки, протягивала яркие ниточки к себе, к себе, и вот он, все еще продолжающий разговаривать с кемто в другом конце комнаты, начинает прислушиваться к ее голосу, ловит интонации ее радостной доброжелательности и того неопределенного, ради чего самец бабочки преодолевает десятки километров навстречу ленивой самочке, — и вот, помимо собственного желания, намеченный Никой мужчина уже тянется в тот угол, где сидит она, с гитарой или без гитары, крупная веселая рыжеватая Ника с призывом в глазах...

Это, может быть, и было моментом высшего торжества, не сравнимым ни с какими другими физиологическими радостями, когда дичь начинала петлять по комнатам с пустым стаканом в руках и с растерянным видом, приближаясь к смутному источнику, и Ника сияла, предвкушая победу.

Бутонов, сидя неподвижно на середине лавки напротив Ники, был уже у нее в руках. При всем своем броском великолепии он был простенькой дичью: отказывал женщинам редко. Но в руки не давался, предпочитая разовые выступления долгосрочным отношениям.

Сейчас ему хотелось спать, и он прикидывал, не отложить ли эту рыжуху на завтра. Ника, со своей стороны, совершенно не собиралась откладывать на завтра то, что можно сделать сегодня.

Она легко встала, положила гитару в кресло Медеи, которая уже ушла к себе.

— А дальше — тишина, — улыбнулась Бутонову улыбкой, обещающей продолжение вечера.

Цитаты Бутонов не уловил.

«Завелась старуха», — снисходительно подумал Георгий.

— Сейчас послушаем детей, — обратилась она как будто к Норе.

Бутонов смекнул, что это ему велено подождать. Женщины вошли в темный дом, заглянули в детскую. Смотреть было не на что: все спали после утомительного похода, только Лиза, по обыкновению, дышала со сладкими вздохами. Маленькая Таня спала поперек широченной тахты, с краю стройненько вытянулась Катя, не переставая и во сне следить за осанкой. Посреди комнаты стоял большой коммунальный горшок.

— Хочешь, ложись здесь, — указала Ника на тахту, — а хочешь — в маленькой, там постелено.

Нора легла рядом с дочкой. Шел уже четвертый час, и спать оставалось недолго.

Ника вернулась на кухню и легким мимоходным движением положила руки на шею Бутонову:

— Ты обгорел...

— Есть немножко, — отозвался Бутонов, и Нике вдруг показалось, что никакой победы не произошло.

— Ладно, пошли, что ли, — не обернувшись, голосом без всякого выражения предложил Бутонов.

Было в этом что-то неправильное, нарушались Никины правила игры, но она не стала кокетничать и добиваться нужной интонации, прижалась слегка грудью к его твердой спине, обтянутой розовым трикотажем.

Все последующее, происходившее на Адочкиной территории, не заслуживает подробного описания. Оба участника остались вполне довольны. Бутонов после ухода Ники облегчился в дощатой уборной в конце участка, чего ему не удавалось сделать в течение длинного и многолюдного дня, и уснул здоровым сном.

Ника вернулась домой уже по свету, спать ей совершенно не хотелось, напротив, она была полна бодрости, и тело ее, как будто благодарное за доставленное удовольствие, готово было к труду и веселью.

Напевая что-то вчерашнее, она тщательно помыла посуду и, мешая длинной ложкой в большой кастрюле, варила утренний геркулес, когда вошла Медея за своей чашкой кофе.

— Мы тебе вчера не очень мешали? — поцеловала Ника сухую Медеину щеку.

— Нет, детка, как обычно. — И Медея коснулась Никиной головы.

Она любила Никину голову: волосы ее были такими же пружинистыми и чуть трескучими, как у Самуила.

— Мне показалось, ты вчера очень устала, — полуспросила Ника.

— Знаешь, Ника, я раньше за собой такого не замечала. Весь последний год я как будто все время усталая. Может, старость? — простодушно ответила Медея.

Ника убавила огонь в примусе.

— А тебе больничка твоя не надоела? Может, бросишь?

— Не знаю, не знаю... Привыкла работать... Холопский недуг, как говорила Армик

Тиграновна... — И Медея встала, закончив разговор.

Вошла Маша, в куртке поверх ночной рубашки, с воспаленно-розовым лицом в мелкой точечной сыпи.

— Машка! Что с тобой? — ахнула Ника.

Маша жадно пила из кружки и, допив, странно сказала:

— А ведро-то полное... Аллергия у меня.

— Не краснуха ли? — встревожилась Медея.

— Откуда ей? Сегодня к вечеру пройдет, — улыбнулась Маша. — Ночь была ужасная. Жар, озноб. А теперь уже все.

В кармане лежала мятая бумажка, на которой было написано ночное стихотворение. Маше оно пока что очень нравилось, и она повторяла его про себя: «В корзине выплыло дитя, без имени, в песке прибрежном лежит, и, белые одежды надевши, фараона дочь спешит судьбе его помочь. Попалась рыба на уду, по берегу хвостом забила, я все забыла, все забыла, я имя вспомнить не могу, и я на этом берегу песок сквозь пальцы просыпаю, под жарким солнцем засыпаю и, просыпаясь, снова жду. Чего я жду, сама не знаю...»

Но на самом деле она уже все знала. После вчерашнего смутного дня и ужасной ночи наступила ясность: она влюбилась.

И еще была слабость, обыкновенная слабость после подъема температуры.

9.

Александра, менявшая всю жизнь не только надоедающих ей быстро мужчин, но и профессии, познакомилась со своим третьим мужем в Малом театре, где работала с середины пятидесятых годов одевальщицей у старой знаменитости, а он, сидя на приличной казенной зарплате, реставрировал купленные за гроши музейные драгоценности театральной элиты, заслуженных и народных, понимавших толк в хорошей мебели.

Александра, всегда легкая на любовь, была равнодушна к богатству, но обожала блеск. Брак ее с Алексеем Кирилловичем блестящим не был. Это были самые скучные три года в ее жизни, и закончились они скандально: застал-таки ее в неурочный час Алексей Кириллович с глухонемым красавцем истопником, обслуживающим тимирязевские дачи.

Алексей Кириллович глубоко изумился и навсегда вышел вон, оставив жену в объятиях исполинского Герасима. Сандрочка плакала до самого вечера.

Алексея Кирилловича видела она с тех пор только один раз, на суде, когда разводились, но до самого сорок первого года она получала от него по почте деньги. Сына Алексей Кириллович видеть не пожелал.

Истопник, разумеется, был незначительным эпизодом. Были у нее разные блестящие связи: бравый летчик-испытатель и знаменитый академик-еврей, остроумный и неразборчивый бабник, и молодой актер, данник ранней славы и еще более раннего алкоголизма.

Замуж второй раз она вышла за военного, ладного и голосистого охотника до украинских песен, Евгения Китаева, родила от него дочь Лидию, а потом и этот брак замялся. Хотя они не разводились, но жили порознь, и вторая дочь, Вера, родившаяся перед войной, была от другого отца, человека с таким громким именем, что Китаев скромно молчал о своей семейной жизни до самой своей гибели. Последняя дочь Александры, родившаяся в сорок седьмом, через три года после его гибели, тоже пошла под его веселую фамилию.

Но когда Александре перевалило за пятьдесят и на огонь ее потускневших волос уже не летели тучи поклонников, она вздохнула и сказала себе: «Ну что ж, пора...» Обвела зорким женским глазом окрестности и остановилась неожиданно на театральном краснодеревщике Иване Исаевиче Пряничкове.

Он был не стар, около пятидесяти, на год-другой моложе ее, роста был невысокого, но широкоплеч, волосы носил длиннее, чем принято у рабочего класса, как бы по-актерски, выбрит всегда чисто, рубашки из-под синего халата смотрели свежие. Идя как-то за ним по коридору, она изучила исходящий от него сложный и терпкий запах, связанный с его ремеслом: скипидар, лак, канифоль и еще что-то неизвестное, и запах показался ей даже привлекательным.

Было в краснодеревщике и какое-то особое достоинство, он не вписывался в обычную театральную иерархию. Ему бы занимать скромное место между машинистом сцены и гримером, а он шел по театральным коридорам, кивком отвечая на приветствия, как заслуженный, и закрывая плотно дверь в свою мастерскую, как народный. Однажды, в конце дня, когда рабочие мастерских еще не разошлись, а артисты и все те, кто нужен для ведения спектакля, уже собрались, Александра Георгиевна постучала в его дверь. Поздоровались. Оказалось, что он не знал ее по имени, хотя она к этому времени уже три года как работала в театре. Она рассказала ему об ореховой горке, оставшейся после покойной свекрови, бросила беглый взгляд на стены мастерской, где на полках стояли бутыли с темными и рыжими жидкостями и симметрично были развешаны и разложены разные инструменты.

Иван Исаевич держал бурую, с темной обводкой вокруг ногтей руку на светлой столешнице разъятого столика, гладил грубым пальцем выщербленный цветок и, когда Александра Георгиевна кончила свой рассказ о горке, сказал, не глядя в глаза:

— Вот маркетрию Ивану Ивановичу закончу, тогда можно и посмотреть...

Он пришел к ней в Успенский переулок, где она жила в двух с половиной комнатах с двумя дочерьми, Верой и Никой, через неделю. Предложенная ему чашка бульона с куском вчерашней кулебяки и гречневая каша, сваренная как будто в русской печи, произвели глубокое впечатление на Ивана Исаевича, жившего достойно, чисто, но все же по-бобыльски, без хорошей домашней еды.

Ему понравилось то бережное движение, которым Александра Георгиевна вынула хлеб из деревянного хлебного ящика и раскрыла салфетку, в которую он был завернут. Еще более глубокое впечатление произвел на него короткий, брошенный ею на торец буфета взгляд — там висела небольшая иконка Корсунской Божьей Матери, которую он не сразу заметил именно потому, что висела она не в углу, как положено, а потаенно, — да тихий ее вздох «О господи», перенятый от Медеи еще в детстве.

Он был из староверов, но еще в юности ушел из дому, отказался от веры, однако, отплыв от родного берега, к другому так и не прибился и всю жизнь прожил сам с собой в ссоре, то ужасаясь совершенному бегству из родительского мира, то страдая от невозможности слиться с тысячами энергичных и оголтелых сограждан.

Его тронул этот молитвенный вздох, но лишь много времени спустя, будучи ее мужем, он понял, что все дело было в удивительной простоте, с которой она разрешила проблему, мучившую его всю жизнь. У него понятия о правильном Боге и неправильной жизни никак не соединялись воедино, а у Сандрочки все в прекрасной простоте соединялось: и губы она красила, и наряжалась, и веселилась от души, но в свой час вздыхала, и молилась, и плакала, и щедро вдруг кому-то помогала...

Горка оказалась предметом незначительным, фанерованным орехом, с утерянным ключом и попорченной личинкой. Иван Исаевич разложил инструменты, отвинтил переднюю створку, а Александра Георгиевна тем временем собралась и побежала на вечерний спектакль обряжать свою дряхлую примадонну в купеческую тальму из толстого шелка. Старуха играла почти сплошь Островского.

Иван Исаевич, оставшись с дочками, тихо подготавливался к работе, очищал поверхность, снял подпорченную в одном месте фанеровку и размышлял о вдове: хорошая женщина, живет чисто, дети воспитанные, сама, как видно, образованная, хотя зачем служит одевальщицей при старой барыне, известной своим скверным характером...

Возвращения хозяйки он не дождался, поскольку она задержалась после спектакля более обычного. Старая примадонна вызвала к себе после спектакля ведущего режиссера, велела поменять молодую партнершу, «которая все хамит и хамит, даром что слова из себя не выдавит».

Пока страсти улеглись, пока Александра успокоила великую старуху и переодела ее, было уже половина первого, и Александре пришлось идти домой пешком, потому что в тот вечер актриса то ли забыла завезти ее домой на заказном такси, как обычно, то ли не захотела.

Иван Исаевич ходил на свидания к ореховой горке, заглядывая предварительно в репертуарный план, выбирая те дни, когда не давали Островского и Александра Георгиевна оставалась дома. В первый вечер она сидела за столиком, писала письма, во второй — шила дочери юбку, потом перебирала крупу и мягко мурлыкала какую-то привязчивую опереточную мелодию. Предлагала Ивану Исаевичу то чай, то ужин.

«Этот мебельщик», как она его про себя окрестила, все больше нравился ей серьезной сдержанностью, лаконизмом слов и движений и всем своим поведением, которое хотя и было «малость деревянным», как она охарактеризовала его своей задушевной подруге Кире, зато «вполне мужским».

Во всяком случае, она явно предпочла бы его своему основному претенденту, заслуженному артисту, недавнему вдовцу с зычным голосом, болтливому, тщеславному и обидчивому, как гимназистка. Актер зазвал ее недавно в гости в большую красивую квартиру сталинского покроя рядом с Моссоветом, а на следующий день она долго по всем пунктам высмеивала его перед Кирой: как он заставил весь стол банкетной старинной посудой, но в огромной хрустальной сырнице лежал один сухой лепесток сыра, а в полуметровой вазе «ассорти» — такой же засушенный кусочек колбаски, как он громовым голосом, заполнявшим всю огромную, с четырехметровыми потолками комнату, сначала говорил о своей любви к покойной жене, а потом так же зычно начал зазывать ее в спальню, где обещал показать ей, на что он способен, и, наконец, когда Александра уже собралась домой, он достал шкатулку с жениными драгоценностями и, не раскрывая, объявил, что все достанется той женщине, которую он теперь выберет в жены.

— Ну так что же, Сандрочка, ты отговорилась или все же зашла в спальню-то? — любопытствовала подруга, которой важно было знать всю Сандрочкину жизнь до самой последней точки.

— Да ну тебя, Кира, — хохотала Александра Георгиевна. — Видно же, что он давным-давно штаны только в уборной расстегивает! Я губки надула и говорю ему: «Ах, какая жалость, что не могу я пойти в вашу спальню, потому что у меня сегодня менстру-а-ция...» Он чуть на пол не сел. Нет-нет, ему кухарка нужна, а мне мужчина в дом. Не подойдет...

Иван Исаевич работал не торопясь. Да он, собственно, и никогда не торопился. Но на пятый вечер его неторопливой работы горка все же кончилась, и он специально ушел чуть раньше, чтобы последний слой шеллака нанести завтра. Ему было жалко оставить этот дом, чтобы уж никогда в него не войти, и он с надеждой поглядывал на трельяж дурнопородного модерна с заметными изъянами.

Ему нравилась Александра Георгиевна и весь ее дом, и казалось, что он как бы из засады, созданной ореховой горкой, наблюдает ее жизнь: хмурую Веру-студентку, которая все по-мышиному шуршала бумагой, и густорозовую Нику, и старшего сына, почти каждый день забегавшего к матери выпить чайку. Он видел здесь не страх и почтение к родителям, привычные ему с детства, а веселую любовь детей к матери и теплую дружбу между всеми. И удивлялся и восхищался.

На трельяж Александра Георгиевна согласилась, так что Иван Исаевич ходил к ней теперь дважды в неделю, по ее пустым дням. Она даже отчасти тяготилась его присутствием: ни гостей позвать, ни самой уйти...

Положение вещей представлялось ей так, что краснодеревщик у нее в кармане, но сама она колебалась: он, конечно, похож на мужика и положительный, но все же вахлак... Тем временем он притащил откуда-то детскую кровать ладейкой:

— Для господских детей работали, Нике в самый раз будет, — и подарил.

Александра вздохнула: устала от безмужья. К тому же год назад патронесса облагодетельствовала ее дачным участком в поселке Малого театра, но в одиночку дом было не поднять. Все шло к одному: в пользу медлительного Ивана Исаевича, в котором тоже подспудно происходили неосознанные шевеления, приводящие одинокого мужчину к семейной жизни.

Пока длилась мебельная прелюдия к их браку, он все более убеждался в исключительных достоинствах Александры Георгиевны.

«Порядочный человек, не вертихвостка какая-нибудь», — думал он с неодобрением в адрес той Валентины, с которой прожил несколько хороших лет, а потом она обманула его с подвернувшимся земляком-капитаном.

Верно было то, что толстопятой его Валентине действительно до Сандрочки было далеко.

Зима к тому времени шла на исход, на исходе был и давний Сандрочкин роман с министерским чиновником, который и устроил ее когда-то на работу в Малый театр. Взяточник и казенный вор, к женщинам он был широк и всегда помогал Александре. Но теперь завелась у него новая крепкая связь, Александру он видел редко, и так все складывалось, что с деньгами у Александры стало туговато.

В конце марта она попросила Ивана Исаевича поехать с ней на дачный участок, где в прошлом сезоне начали ставить ей дом, да не закончили. С тех пор он стал сопровождать ее в этих ежевоскресных поездках.

Они встречались у касс, на вокзале, в восьмом часу утра, он брал из ее рук сумку с заготовленной едой, они садились в пустую электричку и, едва обмениваясь редкими словами, доезжали до нужной станции, а потом молча шли два километра по шоссе. Сандра думала о своем, мало обращая внимания на спутника, а он радовался ее сосредоточенному молчанию, потому что сам был не говорлив, да и говорить было почти не о чем: театральных сплетен оба не любили, а общей жизнью еще не обзавелись.

Постепенно возникала между ними и настоящая тема для общения: хозяйственно-строительные заботы: Советы Ивана Исаевича были умными, дельными; мастеровые, которые с конца апреля снова появились, чтобы закончить начатое строительство, относились к нему как к хозяину и работы под его присмотром делали совсем уже не так, как прежде.

Брачное же дело по-прежнему стояло на месте. Сандра привыкла без его совета и пальцем не шевелить и от его присутствия испытывала чувство небывалой защищенности. Многолетнее напряжение одинокой женщины, целиком отвечающей за семью, утомило ее, да и материальная поддержка мужчин, которой она умела пользоваться легко, не устраивая на этом месте лишних моральных проблем, как-то сама собой иссякла.

В Иване Исаевиче она открывала все новые и новые достоинства, но скисала каждый раз от его «пинжаков» и «тубареток». Хотя образование у самой Александры Георгиевны было незначительное, неполная школа да курсы лаборантов, Медеино воспитание дало ей безукоризненность речи, а через понтийских мореходов она получила, вероятно, каплю царской крови, почетное родство с теми царицами, всегда обращенными к зрителю в профиль, которые пряли шерсть, ткали хитоны и выделывали сыр для своих мужей, царей Итаки и Микен.

Александра понимала, что взаимное присматривание затягивается, но в эту пору у нее не прошло еще ложное чувство, что она стоит во всех отношениях настолько его выше, что он за счастье должен считать ее выбор, и она медлила, все не давая того бессловесного знака согласия, которого так ждал Иван Исаевич. Большое и неизгладимое несчастье, происшедшее в то лето, сблизило их и соединило...

Таня, жена Сергея, была генеральской дочерью, но это было не избитой характеристикой, а всего лишь биографической деталью. От отца она унаследовала честолюбие, а от матери — красивый нос. В приданое получила, генеральскими хлопотами, новую однокомнатную квартиру в Черемушках и старую «Победу». Сергей, человек щепетильный и независимый, к машине не прикасался, даже прав не имел. Водила Татьяна.

Это последнее предшкольное лето их дочка Маша жила на даче у генеральши-бабушки, Веры Ивановны, характер у которой был вздорный, истеричный, что всем было прекрасно известно. Время от времени внучка ссорилась с бабушкой и звонила в Москву родителям, чтобы ее забрали. На этот раз Маша позвонила поздно вечером из дедова кабинета, не плакала, а горько жаловалась:

— Мне скучно, она меня никуда не пускает и ко мне девочек не пускает, говорит, что они украдут. А они ничего не украдут, честное слово...

Таня, которая и сама еще не совсем забыла материнское воспитание, обещала забрать ее через несколько дней. Это сильно нарушало семейные планы. Они собирались все вместе ехать через две недели в Крым, к Медее, и отпуск был в графике, и с Медеей договорено, словом, на более раннее время поездку передвинуть было невозможно.

— Может, Сандрочка у себя Машку подержит хоть недельку? — осторожно закинула удочку Таня.

Но Сергей не очень хотел забирать дочь от «генералов», как называл женину родню, жалел мать, у которой дом только-только отстроился, не говоря уж о том, что генеральская дача была огромная, с прислугой, а у Сандры — две комнаты с верандой.

— Машку жалко, — вздохнула Таня, и Сергей сдался.

Они взяли в середине недели отгул и рано утром выехали. До генеральской дачи они не доехали: пьяный водитель грузовика, выскочив на встречную полосу, врезался в их машину, и оба они мгновенно погибли от лобового столкновения.

Под вечер того дня, когда Ника уже истомилась ждать свою любимую подружку-племянницу, и кукол уже выстроила для нее в ряд, и взбила сама малиновый мусс, приехала генеральская «Волга», низенький генерал вылез из нее и неуверенной походкой пошел к дому.

Увидев его через прозрачную занавеску, Александра вышла на крыльцо и остановилась на верхней ступени, ожидая известия, которое уже донеслось до нее бессловесной ужасной тяжестью по густеющему вечернему воздуху.

— Господи, Господи, подожди, не могу, я не готова...

И генерал замедлил свое движение по дорожке, замедлилось время и вовсе остановилось. Только качели с сидящей на них Никой не остановились окончательно, а медленно-медленно совершали свое скользящее движение вниз от самой верхней точки.

И Александра увидела в этом остановившемся времени большой кусок своей и Сережиной жизни, и даже своего первого мужа, Алексея Кирилловича, в то лето, на Карадагской станции, и новорожденного Сережу в Медеиных руках, и их общий отъезд в Москву в дорогом старинном вагоне, и Сережины первые шаги на тимирязевской даче... и его в курточке, остриженного наголо, когда он пошел в школу, и множество, множество как будто забытых фотографий увидела Александра, пока генерал стоял на дорожке с поднятой в шаге ногой.

Она досмотрела все до конца, до позавчерашнего Сережиного прихода в Успенский переулок, когда он попросил ее подержать Машу на даче несколько дней, до отъезда их в Крым, и его неловкую улыбку, и как поцеловал он ее в подобранные валиком волосы:

— Спасибо, мамочка, сколько ты для нас делаешь...

А она махнула рукой:

— Глупости какие, Сережа. Какое здесь одолжение, мы твою Машку все обожаем...

Генерал Петр Степанович дошел наконец до нее, остановился и сказал медленным, разбухшим голосом:

— Дети наши... того... разбились насмерть...

— С Машей? — только и нашла сказать Александра.

— Нет, Маша на даче... Они на дороге... забирать ее хотели... — просопел генерал.

— В дом пошли, — велела ему Александра, и он послушался, двинулся наверх.

С генеральшей Верой Ивановной было совсем плохо: три дня она кричала сорванным голосом, хрипло и дико, засыпала только под уколами, но бедную Машу от себя не отпускала ни на шаг. Распухшая и отекшая Вера Ивановна привела Машу на похороны, девочка сразу же кинулась к Александре и простояла, прижавшись к ее боку, всю длиннейшую гражданскую панихиду.

Вера Ивановна билась о закрытый гроб и в конце концов начала выкрикивать обрывчатые слова вологодского плача, который вырвался из глубины ее простонародной, испорченной генеральством души.

Окаменевшая Александра держала твердую руку на черной Машиной голове, две старшие дочери стояли справа и слева, а позади, взявши Нику за руку, оберегал их семейное горе Иван Исаевич.

Поминки устроили в генеральской квартире на Котельнической набережной. Все, включая посуду, привезли из какого-то специального места, где кормились высокие лица. Петр Степанович напился горько и крепко. Вера Ивановна все требовала к себе Машеньку, а девочка цеплялась за Александру. Так они и просидели весь вечер втроем, теща да свекровь, соединенные общей внучкой.

— Сандрочка, забери меня к себе, Сандрочка, — шептала девочка в ухо Александре, а Александра, обещавшая генералу не отбирать у них единственное дитя, утешала ее, говорила, что заберет, как только бабушке Вере станет получше.

— Нельзя же ее бросить одну, сама понимаешь, — уговаривала она Машу, сама только о том и мечтая, чтобы забрать ее в две с половиной комнаты в Успенский переулок.

Именно в этот вечер на побледневшем лице Маши Александра заметила россыпь рыжих веснушек, фамильных веснушек Синопли, маленьких знаков живого присутствия давно умершей Матильды.

— Надо бы Машу отсюда забрать. Я бы помог, — как всегда, в неопределенной грамматической форме, чтобы избежать интимного «ты» и официального «вы», не называя ни Александрой Георгиевной, ни Сандрочкой, пробормотал Иван Исаевич поздним вечером того же дня, проводив ее до дому с Котельнической набережной.

— Надо-то надо, да как заберешь? — так же неопределенно ответила Сандра.

Медея на похороны крестника не приехала: покойной Анели приемная дочь Нина лежала в больнице с тяжелой операцией, и Медея на лето забрала к себе из Тбилиси двух ее малолеток. И теперь не с кем было их оставить...

К концу августа Иван Исаевич закончил забор, положил на окна решетки и сделал хитрый замок:

— Хороший вор сюда не полезет, а от шпаны защита.

Все это черное время, от самого дня похорон, он не отходил от Александры, и здесь, на этом печальном месте, и начался их брак.

Их отношения как будто навсегда остались освещены этим трагическим событием, да и сама Александра, казалось, уже не способна была радостно праздновать свою жизнь, как делала от самой ранней юности, невзирая ни на какие обстоятельства войны, мира или вселенского потопа.

Ни о чем таком Иван Исаевич не догадывался. Он был другой человек, не было в его словаре таких слов, в алфавите таких букв, а в памяти таких снов, какие знала Александра. Свою жену он воспринимал как существо высшее, совершенное.

К слову сказать, когда он сообразил, что младшая дочь Ника никак не могла родиться от погибшего за четыре года до этого полковника Китаева, фамилию которого она носила, он поверил бы с большим удовольствием в версию непорочного зачатия, чем в какую-нибудь иную.

Александре, исключительно из желания сберечь его высокую веру, пришлось сочинить историю, как она собиралась замуж за летчика-испытателя, а он, оставив ее беременной, накануне свадьбы разбился.

История была придумана не на все сто процентов — летчик действительно имел место, и даже фотография с веселой дарственной надписью имелась, и действительно, к несчастью, он разбился на испытаниях, но о женитьбе никогда между ними и разговора не было, и отцом Ники был не он, да и разбился спустя пять лет после Никиного рождения, и Ника его помнила, потому что он всегда приносил длинные коробки с исчезнувшими впоследствии конфетами «Южный орех»...

Но так уж относился Иван Исаевич к своей жене, что и в этом сомнительном для ее биографии месте он усмотрел достоинство — другая женщина в таком положении сделала бы аборт или какую другую гадость, а Сандрочка родила дите и растила, во всем себе отказывая... И он готов был украсить ее горькую жизнь всеми доступными его воображению средствами: приносил ей из Елисеевского магазина лучшее, что там видел, дарил ей подарки, порой самые нелепые, стерег ее утренний сон... В интимных отношениях с женой более всего он ценил самый их факт и в глубине простой души попервоначалу полагал, что благородной его жене от его притязаний одна докука, и немало времени прошло, прежде чем Сандрочке удалось его кое-как приспособить для извлечения небольших и незвонких супружеских радостей. Верность Ивана Исаевича оказалась гораздо большей, чем обыкновенно вмещается в это понятие. Он служил своей жене всеми своими мыслями, всеми чувствами, и Сандрочка, изумленная таким неожиданным под занавес женской биографии даром, благодарно принимала его любовь.

Генерал Гладышев построил за свою жизнь столько военных и полувоенных объектов, столько орденов получил на свою широкую и короткую грудь, что властей почти и не боялся. Не в том, разумеется, смысле, в котором не боится властей философ или художник в каком-нибудь расслабленно-буржуазном государстве, а в том смысле, что пережил Сталина, не покачнувшись, ладил с Хрущевым, с военных лет ему знакомым, и уверен был, что с любыми властями найдет язык.

Боялся он только своей супруги Веры Ивановны. Одна только Вера Ивановна, верная жена и боевая подруга, нарушала его покой и портила нервы. Мужний высокий чин и большую должность она считала как бы себе принадлежащими и умела стребовать все положенное ей, по ее разумению. При случае не стеснялась и скандал запустить. Этих скандалов и боялся Петр Степанович больше всего. Голос у супруги был прегромкий, акустика в высоких комнатах прекрасная, а звукоизоляция недостаточная. И когда она начинала кричать, он быстро сдавался:

— От соседей стыдно, совсем ты обезумела.

После голодного вологодского детства и бедной юности осталась Вера Ивановна раз и навсегда трахнутой трофейной Германией, которую завез в конце сорок пятого года Петр Степанович, человек не алчный, но и не растяпистый, в количестве одного товарного вагона, и с тех пор Вера

Ивановна все не могла остановиться, прикупала и прикупала добро.

Ругая жену безумной и сумасшедшей, в прямом смысле слова он ее таковой не считал. Поэтому в ту ночь, через несколько месяцев после гибели дочери, когда он был разбужен бормотанием жены, стоявшей в поросячьего цвета ночной рубашке перед выдвинутым ящиком дамского письменного стола — помнится, из Потстдама, — ему и в голову не пришло, что пора ее сдавать в сумасшедший дом.

— Она думает, она теперь все от меня получит... получит она... маленькая убийца... — Вера Ивановна заматывала в махровое полотенце китайский веер и какие-то флакончики.

— Что ты там среди ночи делаешь, мать? — приподнялся на локте Петр Степанович.

— Да спрятать надо, Петя, спрятать. Думает, так это пройдет. — Зрачки ее были расширены так, что почти сошлись с черными ободками радужки, и глаза казались не серыми, а черными.

Генерал так обозлился, что дурное предчувствие, шевельнувшееся в душе, сразу растаяло. Он засадил в нее, как сапогом, длинной матерной фразой, взял подушку и одеяло и пошел досыпать в кабинет, волоча за собой длинные тесемки солдатских подштанников.

Безумие — и это знают все, кто близко его наблюдал, — тем более заразительно, чем тоньше организация человека, находящегося рядом с безумцем. Генерал его просто не замечал. Мотя, дальняя родственница Веры Ивановны, смолоду жившая в их доме «за харчи», замечала кое-какие странности в поведении хозяйки, но не обращала на них особого внимания, ибо и сама, дважды переживши знаменитый российский голод, с давних времен была немного стронута на этом месте. Она жила, чтобы есть. Никто в семье не видел, как и когда она это делала, хотя и знали, что ест она по ночам.

Пировала она в своей узкой комнате без окна, назначенной под кладовую, за железным крючком. Сначала она съедала собранную за день недоеденную семейством еду, потом то, что считала себе положенным, и, наконец, самое сладкое, ворованное, то, что вынимала из кремлевских продовольственных заказов собственноручно, тайком: довесок осетрины, кусок сухой колбасы, конфеты, если они приходили не в запечатанных коробках, а в бумажных пакетах.

В свое жилище, запретное для всех домочадцев, она и кошку не пускала, и даже генерал, нечувствительный к мистической материи, ощущал здесь какую-то неприятную тайну. Туда несла она в мешочки пересыпанную крупу, муку, консервы. За день до ежегодной поездки к сестре в деревню, не попадаясь хозяйке на глаза, с двумя большими сумками она выскальзывала за дверь, ехала на Ярославский вокзал и сдавала сумки в камеру хранения. Все эти продукты она везла сестре в подарок, но из года в год повторялась одна и та же история: она ставила в первый же вечер на стол покрытую аппетитным машинным маслом банку тушенки, собираясь отдать остальное погодя, но больная ее душа не позволяла совершить этот отчаянный поступок, и она по-прежнему ела свои припасы по ночам, в темноте и одиночестве, а сестра, наблюдавшая с полатей ее ночные пиры, сильно ее жалела за жадность, но не обижалась. Хотя она была и старше Моти, но жила огородом, держала корову и к еде была не жадной.

Не удивительно, что, занятая постоянно своим пищевым промыслом, Мотя не заметила ни приступов столбняка, нападающих на Веру Ивановну, ни неожиданного возбуждения, когда она начинала ходить по квартире из комнаты в комнату, как зверь в клетке, а если что и замечала, то объясняла обычным образом: «Верка — чистая сатана».

Петр Степанович тоже ничего не замечал, поскольку многие годы избегал общения с женой, вставал рано, дома не завтракал, секретарша сразу, как он добирался до своего огромного кабинета, несла ему чай. Домой он возвращался поздно, в прежние времена за полночь, высиживал в своем управлении по шестнадцать часов кряду, а более всего любил инспекционные поездки на объекты и часто уезжал из Москвы. С супругой по своей инициативе он и двух слов не говорил. Приходил, ужинал, зарывался скорей в ее шелковые пуховые одеяла и засыпал быстрым сном здорового человека.

Так и получилось, что вся чудовищная сила безумия Веры Ивановны обрушилась на Машу. В первый класс она пошла уже здесь, на Котельнической. Будила, провожала в школу и приводила ее Мотя, а начиная с обеда Маша проводила время с бабушкой.

Машу сажали за стол. Напротив садилась бабушка Вера, не спускавшая с нее глаз. Нельзя сказать, чтобы она мучила Машу замечаниями. Она смотрела на нее серыми немигающими глазами и время от времени что-то неразборчиво шептала. Маша шарила серебряной ложкой в тарелке и не могла донести ее до рта. Суп под холодным взглядом Веры Ивановны быстро остывал, и Мотя, имевшая здесь свой интерес, быстро уносила его неизвестно куда, а перед Машей ставила большую тарелку со вторым, которое вскоре почти нетронутым отправлялось вслед за супом. Потом Маша съедала кусок белого хлеба с компотом, что, кстати, осталось на всю жизнь ее любимой едой, и бабушка говорила ей:

— Пошли.

Она послушно садилась за пианино на три толстых тома какой-то энциклопедии и опускала пальцы на клавиши. В своей жизни она не знала холода пронзительней того, который шел по ее костям через черно-белые зубья ненавистной клавиатуры. Вера Ивановна знала, что девочка ненавидит эти занятия. Она садилась сбоку от нее, глядела и все шептала, шептала что-то, и у

Маши на глазах выступали слезы, сбегали по щекам и оставляли холодеющие мокрые следы.

Потом ее отправляли в угловую комнату. Здесь на столе стояла Танина фотография в рамке, и еще много фотографических карточек было в картонной коробке. Маша раскрывала тетрадь, засовывала между страницами одну из материнских фотографий, чаще всего ту, где она стояла в дверном проеме какого-то деревенского дома и с одной стороны был виден кусок изгороди и куст с цветами, и улыбалась она такой широкой улыбкой, что та еле умещалась на ее узком лице... Эта любительская фотография была сделана Сергеем, и видно было счастье этого летнего утра и отсветы той ночи, которую они впервые провели вместе после того, как Таня сама сделала Сергею предложение. Он был давно молчаливо влюблен, но медлил, колебался, смущался тенью генеральства, стоявшей за Таниной спиной...

Маша писала крючки и палочки, временами надолго замирая над фотографией. Сидела она за уроками часами. Гулять ее не выпускали — были у Веры Ивановны какие-то специальные соображения. Изредка Мотя брала ее с собой в магазин, в булочную, в сапожную мастерскую. Почти все магазины были внизу, в цоколе их дома, прогулка была невелика, изредка они доходили до Солянки, где был любимый Машин дом с кариатидами — «с великанами», как называла их она. Еще большая прелесть была в том, что река Яуза, и церковки, и заборы вокруг строек, видные из окна, с их одиннадцатого этажа, вдруг увеличивались, теряли миловидность, зато обрастали мелкими деталями и прекрасными подробностями.

По вечерам, после того как Мотя укладывала ее спать, начиналось самое ужасное: она не могла уснуть, вертелась в большой кровати и все ждала минуты, когда заскрипит дверь и к ней в комнату войдет бабушка Вера. Она приходила в поздний час, который Маша определить не умела, в вишневом халате, с длинной гладкой косой за спиной. Садилась возле кровати, а Маша сжималась в комочек и зажмуривала глаза. Один такой вечер она запомнила особенно хорошо из-за иллюминации, которой украсили дом перед ноябрьскими праздниками. Свет был полосатым, желто-красным, и Вера Ивановна, сидя в полосе красного света, шептала протяжно и внятно:

— Убийца, убийца маленькая... Ты позвонила, вот они и поехали... из-за тебя все... Живи теперь, живи, радуйся.

Вера Ивановна уходила, и тогда Маша наконец могла заплакать. Она утыкалась в подушку и в слезах засыпала.

По воскресеньям приходила любимая Сандрочка, которую Маша всю неделю ждала. Машу отдавали до обеда, на несколько часов. Внизу, около подъезда, их ожидал Иван Исаевич, дядя Ваня, иногда один, чаще с Никой, и они шли гулять: то в зоопарк, то в планетарий, то в Уголок Дурова. Расставание всегда оказывалось для нее сильнее встреч, да и сама эта короткая прогулка напоминала о счастье других людей, которые живут в Успенском переулке.

Несколько раз Сандра приводила Машу туда. Она понимала, что девочка тоскует, но ей и в голову не могло прийти, что больше всего мучит Машу ужасное обвинение сумасшедшей старухи. А Маша ничего не говорила, потому что больше всего на свете боялась, что любимая Сандрочка и Ника узнают о том, что она совершила, и перестанут к ней приходить.

Поздней осенью Маше приснился первый раз страшный сон. В этом сне ровно ничего не происходило. Просто открывалась дверь в ее комнату и кто-то страшный должен был войти. Из коридора несло приближающимся ужасом, который все рос и рос, — и Маша с криком просыпалась. Кто и зачем распахивал дверь, которая всегда оказывалась чуть-чуть смещенной от двери действительной... На крик обыкновенно прибегала Мотя. Она укрывала ее, гладила, крестила — и тогда, уже под утро, Маша засыпала прочным сном.

Она и прежде плохо засыпала, ожидая прихода бабушки, а теперь и после ее ухода она подолгу не могла заснуть, боясь сна, который снился тем чаще, чем больше она его боялась. По утрам Мотя с трудом поднимала ее. Полусонная, она сидела на уроках, полусонной приходила домой и отрабатывала перед Верой Ивановной музыкальную повинность, а потом засыпала коротким дневным сном, спасающим ее от нервного истощения...

Место над Яузой, где стоял их дом, издавна считалось нехорошим. Выше была Вшивая горка, а по самому берегу стояли когда-то лачуги котельников и гончаров. На противоположном берегу раскинулся Хитров рынок, и населяли его окрестности старьевщики, проститутки и бродяги.

Их потомки и образовали население доходных домов, которые построили здесь в начале века. Именно эти люди, втиснутые теперь в трухлявые коммуналки, указывали на огромное, выше всех здешних церквей вознесшееся здание, архитектурный бред не без игривости, со шпилем, арками, колоннадами над разновысотными ярусами, и говорили: «Нехорошее место...»

Многие жильцы дома умирали насильственной смертью, а тесные окна и куцые балкончики притягивали самоубийц. Несколько раз в году к дому с воем подъезжала санитарная машина и подбирала распластанные человеческие останки, прикрытые сердобольной простыней. Столь любимая в России статистика давно установила, что число самоубийств повышается в зимние бессолнечные дни.

Тот декабрь был необыкновенно мрачным, солнышко ни разу не пробило глухих облаков — лучший сезон для последнего воздушного полета.

Обедали Гладышевы обыкновенно в столовой, а ужинали на кухне. Вечером, когда Маша доедала жареную картошку, по-деревенски приготовленную Мотей в виде спекшейся лепешки, в кухню вошла Вера Ивановна. Мотя сообщила ей, что сегодня опять «сиганули» — с седьмого этажа выбросилась дочь знаменитого авиаконструктора.

— От любви небось, — прокомментировала Мотя свое сообщение.

— Балуют, потому так и выходит. Гулять не надо пускать девчонок, — строго отозвалась Вера Ивановна. Она налила в стакан кипяченой воды и вышла.

— Моть, а что с ней стало? — спросила Маша, оторвавшись от картошки.

— Как что? Убилась насмерть. Внизу-то камень, не соломка. Ох, грехи, грехи... — вздохнула она.

Маша поставила пустую тарелку в раковину и пошла к себе в комнату. Они жили на одиннадцатом. Балкона в ее комнате не было. Она придвинула стул и влезла на широкий подоконник. Между десятым и одиннадцатым этажом притулилась зачаточная балюстрадка. Маша попробовала открыть окно, но шпингалеты, закрашенные масляной краской, не открылись.

Маша разделась, сложила свои вещи на стуле. Зашла Мотя сказать «спокойной ночи». Маша улыбнулась, зевнула — и мгновенно заснула. Впервые за всю жизнь на Котельнической набережной она заснула легким, счастливым сном, впервые не услышала тихого проклятия, с которым зашла к ней в полночь Вера Ивановна, и дверь ужасного сновидения не отворилась в эту ночь.

Что-то изменилось в Маше с того дня, когда она узнала о той девушке, которая «сиганула». Оказывается, существовала возможность, о которой она прежде не знала, и от этого сделалось легче.

Назавтра позвонила Сандрочка и спросила, не хочет ли она поехать с Никой в зимний пионерский лагерь ВТО. С Никой Маша готова была ехать куда угодно. Ника была единственной девочкой, которая осталась от прежней жизни. Все остальные ее подружки по Юго-Западу, где она жила раньше, исчезли бесследно, как будто тоже погибли вместе с ее родителями.

Несколько оставшихся до Нового года дней Маша жила в счастливом ожидании. Мотя собрала ей чемодан, одела его в парусиновый чехол и пришила к нему белый квадрат, на котором написали ее имя. Генеральский шофер привез с Юго-Запада ее лыжи. Палок не нашел, купил в «Детском мире» новые, красные, и Маша гладила их и принюхивалась: пахли они вкусней любой еды.

Тридцать первого декабря утром ее должны были отвезти на Пушкинскую площадь. Там она встречалась с Никой, туда подавали автобусы. Ей казалось, что там же будут и все ее подружки со старого двора: Оля, Надя, Алена.

Тридцатого вечером у нее поднялась температура под сорок. Вера Ивановна вызвала врача и позвонила Александре Георгиевне, чтобы известить. Поездка, таким образом, отменилась.

Два дня лежала Маша в сильном жару, время от времени открывая глаза и спрашивая:

— Который час? Уже пора... Мы не опоздаем?

— Завтра, завтра, — все говорила Мотя, которая от нее почти не отходила.

В каких-то просветах Маша видела и Мотю, и Сандрочку, и Веру Ивановну, и даже деда, Петра Степановича.

— Когда же я поеду в лагерь? — ясным голосом спросила Маша, когда болезнь ее отпустила.

— Да каникулы-то кончились, Машенька, какой теперь лагерь? — объявила Мотя.

Горе было велико.

Вечером приехала Сандрочка, долго утешала ее, обещала, что на лето заберет к себе в Загорянку.

А ночью ей снова приснился тот сон. Открылась дверь из коридора, и кто-то ужасный медленно приближался к ней. Она хотела крикнуть — и не могла. Она рванулась, спрыгнула с кровати, в странном состоянии между сном и явью придвинула стул к подоконнику, влезла на него и дернула шпингалет с невесть откуда взявшейся силой. Первая рама открылась. Вторая распахнулась совсем легко, и она соскользнула с подоконника вниз, даже не успев почувствовать ледяного прикосновения жестяного фартука.

Подол ее рубашки зацепился за его острый край, чуть-чуть придержал ее, и она мягко выпала на заваленную снегом балюстраду десятого этажа.

Через час Мотя закончила свою трапезу и вышла из чулана. На нее дохнуло холодом. Морозным воздухом несло из открытой двери Машиной комнаты. Она вошла, увидела распахнутое окно, ахнула, кинулась его закрывать. На подоконнике намело маленькую неровную горку снега. Только закрывши окно, она увидела, что Маши в постели нет. У нее подкосились ноги. Она села на пол. Заглянула под кровать. Подошла к окну. Шел густой снег. Ничего не было видно, кроме медлительных хлопьев.

Мотя сунула голые ноги в валенки, накинула платок и старое хозяйское пальто, побежала к лифту. Спустилась, пробежала через большой, покрытый красным ковром вестибюль, шмыгнула через тяжеленную дверь на улицу и обогнула угол дома. Снег лежал ровный, рыхлый, празднично блестел.

«Может, замело уже», — подумала она и пошла, разметывая валенками толстый снег под окнами их квартиры. Девочки не было. Тогда она поднялась и разбудила хозяев.

Машу сняли с балюстрады через полтора часа. Она была без сознания, но и без единой царапины. Петр Степанович проводил до машины укрытую одеялами девочку, вернулся в квартиру. Вера Ивановна просидела эти полтора часа на краю своей кровати, не сдвинувшись с места и не проронив ни слова. Когда Машу увезли, генерал увел Веру Ивановну к себе в кабинет, посадил в холодное кожаное кресло и, крепко взяв за плечи, встряхнул:

— Говори!

Вера Ивановна улыбнулась неуместной улыбочкой:

— Это она все подстроила... Танечку мою убила...

— Что? — переспросил Петр Степанович, догадавшись наконец, что его жена сошла с ума.

— Маленькая убийца... все подстроила... она...

Следующая машина увезла Веру Ивановну. Генерал не стал ждать до утра — вызвал немедленно. В эту ночь ему пришлось еще раз спускаться вниз, к санитарной машине. Поднимаясь наверх в лифте, он поклялся, что ни дня больше не проведет с женой под одной крышей.

Утром он позвонил Александре Георгиевне, сообщил о случившемся очень сухо и коротко и просил забрать Машу из больницы к себе, как только ее выпишут. Через день генерал уехал в инспекционную поездку на Дальний Восток.

Свою бабушку Веру Ивановну Маша видела с тех пор только один раз, на похоронах. Петр Степанович сдержал свое слово — Вера Ивановна прожила оставшиеся ей восемь лет жизни в привилегированной лечебнице, вдали от драгоценной мебели, фарфора и хрусталя. В сухой мертвой старушке с редкими серыми волосами Маша не узнала красивой, пышноволосой бабушки Веры Ивановны в вишневом халате, приходившей к ней, семилетней, шептать ночные проклятия...

Через неделю после счастливо закончившегося несчастья неказистый, провинциального вида еврей доктор Фельдман затолкнул Александру Георгиевну в подлестничный чулан, заваленный старыми кроватями, тюками с рваным бельем и коробками, усадил ее на шаткий табурет, а сам устроился на трехногом стуле. Старая трикотажная рубашка с растянутым воротом и кривой узел галстука выглядывали из распаха халата. Даже лысина его выглядела неопрятной — в неравномерных кустиках и клочках, как неперелинявший мех. Он сложил перед собой специально-врачебные, профессиональные руки и начал:

— Александра Георгиевна, если не ошибаюсь... Здесь совершенно невозможно поговорить. Единственное место, где не мешают... Разговор у меня к вам серьезный. Я хочу, чтобы вы поняли, что психическое здоровье ребенка целиком в ваших руках. Девочка пережила травму такой глубины, что трудно предвидеть ее отдаленные последствия. Я совершенно уверен, что многие мои коллеги настаивали бы на переводе ее в стационар и на серьезном медикаментозном лечении. Возможно, это и понадобится. Неизвестно, как будет развиваться ситуация. Но я думаю, что есть шанс эту историю похоронить... — Он смутился, почувствовав, что говорит не то. — Я имею в виду, что у психики есть огромные защитные механизмы и, может быть, они сработают. К счастью. Маша не отдает себе полного отчета о происшедшем. Идея самоубийства в ее сознании не сформировалась, и сам факт суицидной попытки ею не осознан. Происшедшее с ней может быть рассмотрено, скорее... знаете, как если бы человек отдернул руку, схватившись за горячее. Я с Машей много беседовал. Она неохотно идет на контакт, но, если контакт имеется, она говорит искренне, чистосердечно, и, знаете, — он смял свою полунаучную речь, — она очаровательное существо, умненькая, ясная, с каким-то очень хорошим нравственным строем... чудесный ребенок.

Лицо его посветлело, и он сделался даже симпатичным.

«На кого-то знакомого похож», — мелькнуло у Сандры.

— Одних людей страдание калечит, а других, знаете, как-то возвышает. Ей сейчас нужна теплица, инкубатор. Я бы забрал ее в этом году из школы, чтобы, знаете, исключить все случайности: плохой педагог, грубые дети... Лучше подержать ее дома до будущего года. И очень, очень щадящая обстановка. — Он встрепенулся. — И никаких контактов с той бабушкой! Исключить. Она внушила ей комплекс вины за смерть родителей, а это и взрослый человек не каждый вынесет. Все это может вытесниться. Старайтесь не напоминать ей об этом периоде, и о родителях тоже не надо ей напоминать. Вот телефон мой, звоните. — Он вынул заранее приготовленный листок. — Машу я не оставлю, буду наблюдать — пожалуйста, пожалуйста...

Александра не ожидала, что Машу так быстро отдадут. Ее вещи, второй раз за полгода перевезенные генеральским шофером на новую квартиру, стояли еще неразобранными, вместе с не пригодившимся чемоданом и лыжами. Александра сразу же после разговора с врачом поехала домой за Машиными вещами и в тот же день забрала ее в Успенский...

Была половина января, елка еще не была разобрана, стол раздвинут по-праздничному. Пришла и гостья — старшая дочь Александры, беременная Лидия. Еда была простая, не праздничная: винегрет, котлеты с макаронами да подгоревшее Никино печенье, которое она в спешке стряпала перед самым Машиным приездом.

Зато с рекомендованной доктором любовью все обстояло как нельзя лучше: сердце Александры просто разрывалось от молитвенной благодарности, что Маша чудом спаслась, что она здорова и у нее в доме. Ни один из ее собственных детей не казался ей в эти минуты столь горячо любимым, как эта хрупкая сероглазая девочка, совсем не их породы.

Ника тискала ее, обнимала, забавляла всеми известными ей способами. Маша немного посидела за столом, а потом пересела в детское плетеное креслице, которое за несколько дней до ее приезда принес откуда-то Иван Исаевич и два дня чинил поломанную ручку и прилаживал на сиденье кусок красного сукна с бахромой.

Расслабленная от беременности Лидия вскоре ушла — она теперь жила с мужем в комнате Ивана Исаевича.

Хотя вся семья ждала Машиного приезда, он все-таки оказался неожиданным, и потому спального места ей не приготовили. Ника отправилась спать к матери, а Машу уложили в Никину маленькую ладью, из которой она за лето почти выросла. Глаза у Маши слипались, но, когда ее уложили, сон ушел. Она лежала с открытыми глазами и думала, как в будущем году поедет с Никой в зимний лагерь.

Вымыв и убрав посуду, Александра подошла к девочке, села рядом.

— Дай руку, — попросила Маша.

Александра взяла Машу за руку, и девочка быстро уснула. Но когда Александра пыталась осторожно высвободить руку. Маша открыла глаза:

— Дай руку...

Так до утра и просидела Александра возле спящей внучки. Иван Исаевич пытался сменить ее на этом молчаливом посту, но она только качала головой и жестом отсылала его спать. Это была первая ночь в череде многих. Без ночного поводыря — бабушкиной или Никиной руки Маша не могла заснуть, а заснув, иногда просыпалась с криком, и тогда Сандра или Ника брали ее к себе, успокаивали. Как будто их было две: Маша дневная, спокойная, ласковая, приветливая, и Маша ночная — испуганная и затравленная.

Возле Машиной кровати поставили раскладушку. Обычно на ней укладывалась Ника, она лучше матери умела сторожить хрупкий Машин сон, а потревоженная, мгновенно засыпала. Ника вообще была лучшей помощницей матери, чем старшая Вера, которая училась в институте, обожала до страсти всяческое учение и кроме институтских занятий ходила на курсы то немецкого языка, то какой-то туманной эстетики.

Нике шел тринадцатый год, она уже набрала хороший рост и множество разных женских умений, стайка мелких прыщиков в середине лба свидетельствовала о том, что близится время, когда ее дарования будут востребованы.

Маша переехала в Успенский переулок как раз в то время, когда Ника охладела к обычной девчачьей забаве, к игре в куклы, и живая Маша разом заменила ей всех Кать и Ляль, на которых она так долго упражняла смутные материнские инстинкты. Все куклы с ворохом платьев и пальто, которые не ленилась им шить проворная Александра, перешли к Маше, и Ника почувствовала себя главой большой семьи с дочкой Машей и кучей игрушечных внучек.

Много лет спустя, уже родив Катю, Ника признавалась Александре, что, видимо, потратила весь первый материнский пыл на племянницу, потому что никогда не испытывала к своим детям такой трепетной любви, такого полного принятия в сердце другого человека, как это было в первые годы жизни Маши в их доме. Особенно в тот первый год, когда она жила состраданием к Маше, держала по ночам ее за руку, плела по утрам косички, а после школы водила гулять на Страстной бульвар. В Машиной жизни Ника занимала огромное и трудноопределимое место: была любимой подругой, старшей сестрой, во всем лучшей, во всем идеальной...

В следующем году, когда Машу снова отдали в школу, Ника водила ее в школу, а Иван Исаевич забирал. После занятий он либо приводил ее домой, либо таскал к себе в театр.

Александра, вскоре после Машиного переезда похоронившая свою знаменитую патронессу, ушла из театра. Теперь она заведовала маленьким закрытым ателье для правительственных дам. Место было блатное, но у Александры от прежних лет остались какие-то покровители.

Крепдешиновые обрезки от обширных правительственных платьев шли куклам на наряды, но обе они, и Ника, и Маша, сохранили на всю жизнь отвращение к розовому, голубому, оборчатому и плиссированному. Обе они, чуть повзрослев, стали носить мужские рубашки и джинсы, когда они здесь стали водиться.

Невзирая на столь не женственный, как полагала Сандрочка, стиль, к шестнадцати годам Ника стала пользоваться ошеломляющим успехом. Телефон звонил день и ночь, и Иван Исаевич смотрел на Сандрочку с ожиданием, когда же она прекратит бурную жизнь дочери.

Но Александра, казалось, и сама получала удовольствие от Никиных успехов. В конце девятого класса Ника завела увлекательный роман с молодежным поэтом, входившим в бурную моду, и, не закончив последней четверти, укатила с ним в Коктебель, сообщив об этом телеграммой постфактум, уже из Симферополя.

Маша с двенадцатого года стала Никиным доверенным лицом и принимала с тайным ужасом и восхищением ее исповеди. Обеими руками гребла к себе Ника удовольствия, большие и малые, а горькие ягодки и мелкие камешки легко сплевывала, не придавая им большого значения. Сплюнула, между прочим, и школьное обучение.

Сандра не ворчала, не устраивала бессмысленных выяснений и, помня себя молодой, быстро устроила Нику в театрально-художественное училище, где были у нее с театральных времен хорошие знакомые. Ника немного позанималась рисунком, сдала экзамены на необходимые четверки и с наслаждением выбросила школьную форму. Еще через год она была уже более или менее замужем.

Маша осталась последним ребенком у престарелых родителей, вокруг нее закручивалась теперь вся жизнь семьи. Ночные страхи ее кончились, но от раннего прикосновения к темной бездне безумия в ней остались тонкий слух к мистике, чуткость к миру и художественное воображение — все то, что создает поэтические склонности. В четырнадцать лет она увлекалась Пастернаком, обожала Ахматову и писала тайные стихи в тайную тетрадь.

10.

Квечеру над горами, в том месте, которое называли Гнилым Углом, нависли облака, а в доме собралась атмосфера молчаливого ожидания. Ника ждала, что зайдет Бутонов. По ее понятиям, после их ночного свидания следующий ход был за ним. Тем более что она не могла вспомнить, сказала ли ему, что собирается уезжать...

Ждала и Маша. Ее ожидание было тем напряженнее, что она и сама не знала, кого она больше ждет — мужа Алика, который должен был, собрав отгулы, приехать на несколько дней, или Бутонова... Ей все мерещилось, как он сбегает с горы, перепрыгивая через колючие кусты и подскакивая на осыпях. Может, наваждение и развеялось бы, если бы она посидела с ним на кухне, поговорила...

«Он неумен», — вспоминала она слова Ники, обращаясь к спасительной и ничтожной логике, как будто неумный человек не может быть источником любовного наваждения.

Всех острей тосковала и мучилась ожиданием Лизочка. Наутро, после дня мелких ссор и недовольств Таней, оказалось, что без нее она уже и жить не может. Она ждала ее весь день, канючила, а к вечеру, устав от ожидания, устроила истерику с заламыванием рук. Ника никогда не придавала большого значения Лизочкиным чрезмерным требованиям к жизни, но в этот раз улыбнулась: у нее тоже роман... «Мой характер: если я чего хочу — подайте немедленно».

Но в данную минуту желания матери и дочери частично совпадали: обе жаждали продолжения романа.

— Ну перестань... Одевайся, сходим к твоей Тане, — утешила Ника дочку, и та побежала надевать нарядное платье.

С расстегнутыми на спине пуговицами, с полной охапкой игрушек она вернулась к Нике на кухню — спросить, какую игрушку можно подарить Тане.

— Какую тебе не жалко, — улыбнулась Ника.

Медея, глядя на заплаканную внучку, отметила про себя: «Пылкая кровь. До чего же очаровательна...»

— Лиза, подойди, я тебе пуговицы застегну, — велела ей Медея, и девочка послушно подошла к ней и повернулась спиной.

Мелкие пуговицы с трудом продевались в еще более мелкие петли. От бледных волос пахло знакомой младенческой сладостью.

Через пятнадцать минут они уже были у Норы, сидели в ее домике, уставленном букетами глициний и тамариска. Крошечный летний домик был по-украински уютен, чисто выбелен, земляной пол устлан половиками.

Лиза спрятала принесенного зайца себе под юбку и добивалась от Тани интереса, но Таня ела кашу опустив глаза. Нора, по обыкновению, мягко жаловалась, что вчера очень устали, что припеклись, что очень уж далекая оказалась прогулка... Подробно и не без занудства... Ника сидела у окна и все поглядывала в сторону хозяйского жилья.

— Вон и Валерий тоже весь день не выходил, — кивнула Нора в сторону хозяев, — телевизор смотрит.

Ника легко встала и у дверей, обернувшись, сказала:

— Я к тете Аде на минуту...

Телевизор был включен на полную мощность. Стол заставлен большой едой. Михаил, хозяин, не любил мелких кусков, да и кастрюли у Ады, при всей ее невеликой семье, были чуть не ведерные. Работала она на кухне в санатории, и масштаб у нее был общепитовский, что хорошо сказывалось на рационе двух хрюшек, которых они держали.

Валерий и Михаил сидели слегка одуревшие от грузной еды, а сама Ада пошла как раз «на погреб», как она говорила, за компотом. Она вошла в комнату следом за Никой, с двумя трехлитровыми банками. Ада и Ника расцеловались.

— Слива, — догадалась Ника.

— Ника, да ты садись. Миш, налей чего, — приказала Ада мужу.

Бутонов уперся в телевизор.

— Да я так, только поздороваться. Лизка моя в гостях у ваших постояльцев, — отговорилась Ника.

— Сама-то к нам не зайдешь, только к жильцам ходишь, — укорила ее Ада.

— Ну, прям, я заходила несколько раз, а ты то на работе, то по гостям разъезжаешь, — оправдалась Ника.

Ада наморщила лобик, потерла нос, потерявшийся на толстом лице:

— Точно, в Каменку к куме ездили.

А Михаил уже налил стопку чачи. Он все умел по-хорошему делать, это Валерий знал от своего соседа Витьки: чачу гнать, мясо коптить, рыбу солить. Где бы Михаил ни жил, в Мурманске, на Кавказе, в Казахстане, больше всего он интересовался, как народ питается, и все лучшее примечал.

— Со свиданьицем! — возгласила Ника. — За ваше здоровье!

Она протянула стопку и Бутонову, который наконец оторвался от телевизора. Она смотрела на него таким взглядом, который Бутонову не понравился. Да и сама Ника ему сейчас не понравилась: голова ее была плотно обвязана ветхим зеленым платком, веселых волос не было видно, лицо казалось слишком длинным, и платье было цвета йода, в разводах. Бутонову было невдомек, что Ника надела на себя те самые вещи, которые ей больше всего шли, в которых она позировала знаменитому художнику — он-то и велел ей потуже затянуть

платок и долго чуть не со слезами разгля-
дывал ее, приговаривая: «Какое лицо... Боже,
какое лицо... фаюмский портрет...»

Но Бутонов про фаюмский портрет
ничего не знал, он обозлился, что она притащилась к нему, когда ее не звали, и права
такого он ей пока не давал.

— Витька нашего друг, врач известный, — похвастала Ада.

— Да мы вчера с Валерой в бухты ходили, знаю уж.

— Тебя не обгонишь, — съязвила Ада,
имея в виду что-то Бутонову неизвестное.

— Это уж точно, — дерзко ответила
Ника.

Тут заверещала Лиза, и Ника, почувствовав смутно какой-то непорядок в новом романе, выскользнула из двери, виль-
нув длинным йодистым платьем.

Вечер Ника провела с Машей — никто
к ним не пришел. Они успели и покурить,
и помолчать, и поговорить. Маша призна-
лась Нике, что влюбилась, прочитала то сти-

хотворение, что написала ночью, и еще два, и Ника впервые в жизни кисло отнеслась к творчеству любимой племянницы.

Весь день она не могла улучить времени, чтобы поделиться с Машей вчерашним успехом, но теперь успех совершенно прокис, да и Машу не хотелось огорчать случайным соперничеством. Но Маша, занятая собой, ничего не заметила:

— Что делать, Ника? Что делать?

Она была так озабочена своей свежеобразовавшейся влюбленностью, смотрела на Нику, как в детстве, снизу вверх, с ожиданием. Ника, скрывая раздражение на Бутонова, который ее за что-то решил наказать, и на свою курицу-племянницу, которая нашла в кого влюбиться, идиотка, пожав плечами, ответила:

— Дай ему и успокойся.

— Как «дай»? — переспросила Маша.

Ника обозлилась еще больше:

— «Как, как»... Ты что, маленькая? Возьми его за...

— Так просто? — изумилась Маша.

— Проще пареной репы, — фыркнула Ника. «Вот дура невинная, еще и со стихами... Хочет вляпаться — пусть вляпается...»

— Знаешь, Ника, — решилась вдруг Маша, — я пойду на почту прямо сейчас, позвоню Алику. Может, он приедет — и все встанет на свои места.

— Встанет, встанет... — зло рассмеялась Ника.

— Пока! — резко соскочила Маша с лавки и, прихватив куртку, побежала на дорогу.

Последний автобус в город, десятичасовой, отходил через пять минут...

На городской почте первым человеком, которого Маша увидела, был Бутонов. Он стоял в переговорной будке к ней спиной. Телефонная трубка терялась в его большой руке, а диск он крутил мизинцем. Не разговаривая, он повесил трубку и вышел. Они поздоровались. Маша стояла в конце очереди, перед ней было еще двое. Бутонов сделал шаг в сторону, пропуская следующего, посмотрел на часы:

— У меня уже сорок минут занято.

Лампы дневного света, голубоватые мерцающие палочки, висели густо, свет был резкий, как в страшном кино, когда что-то должно произойти, и Маша почувствовала страх, что из-за этого рослого, в голубой джинсовой рубашке киногероя может рухнуть ее разумная и стройная жизнь. А он двинулся к ней, продолжая свое:

— Бабы болтают... или телефон сломан...

Подошла Машина очередь. Она набрала номер, страстно желая услышать Аликов голос, который вернул бы все на свои места. Но к телефону не подходили.

— Тоже занято? — спросил Бутонов.

— Дома нет, — проглотив слюну, ответила Маша.

— Давай по набережной пройдемся, а потом еще позвоним, — предложил Бутонов.

Он вдруг заметил, что у нее симпатичное лицо и круглое ухо трогательно торчит на коротко остриженной голове. Дружеским жестом он положил руку на тонкий вельвет курточки. Маша была ему по грудь, тонкая, острая, как мальчик.

«С ней «воздух» работать можно», — подумал он.

— Говорят, здесь какая-то бочка на набережной и какое-то особое вино...

— Новосветское шампанское, — уже на ходу отозвалась Маша.

Они шли вниз, к набережной, и Маша вдруг увидела со стороны, как будто с экрана, как они быстрым шагом, с видом одновременно вольным и целеустремленным несутся вдоль курортного задника с вынесенными ко входам в санаторий вазонами с олеандрами, мимо фальшивых гипсовых колонн, мелким светом сверкающего вечнозеленого самшита, мимо неряшливых, натруженных от павильонной жизни пальм, и местная мордатая проститутка Серафима мелькнула в глубине кадра, и несколько крепких шахтеров с выпученными глазами, и музыка, конечно, «О море в Гаграх»... И при этом ноги ее радостно пружинили в такт его походке, и легкость праздника в теле, и даже какое-то бессловесное веселье, как будто шампанское уже выпито...

Подвальчик, куда привела Маша Бутонова, ему понравился. Шампанское, которое принесли, было холодным и очень вкусным. Кино, которое начали показывать по дороге, все продолжалось. Маша видела себя сидящей на круглом табурете, как будто сама находилась чуть правее и позади, видела Бутонова, повернувшегося к ней вполоборота, и, что самое забавное, одновременно видела и золотозубую, в золотой кофте барменшу, которая находилась у нее за спиной, и мальчиков полугрузчиков-полуофициантов, которые тащили из подвала с заднего хода ящики. Все приобретало кинематографический охват и одновременно кинематографическую приплюснутость.

И еще обратила внимание Маша: в качестве теневой фигуры сама она выглядит хорошо, сидит спокойно и прямо, профиль красивый, и волосы узким мысом красиво сходят на длинную шею сзади...

Да-да, кино разрешает игру, разрешает легкость... страсть... брызги шампанского... он и она... мужчина и женщина... ночное море... Ника, ты гениальная, ты талантливая... никакой тяжести бытия... никаких натуженных движений к самопознанию, к самосовершенствованию, к само...

— Отлично здесь, — сказала она с Никиной интонацией.

— Хорошее винцо... Еще налить?

Маша кивнула. Умная Маша, образованная Маша, первая из всей компании начавшая читать Бердяева и Флоренского, любившая комментарии к Библии, Данте и Шекспиру больше, чем первоисточники, выучившая домашним способом, если не считать плохонького заочного педагогического, английский и итальянский, написавшая две тоненькие книжечки стихов — правда, еще не изданных; Маша, умевшая поговорить с заезжим американским профессором об Эзре Паунде и о Никейском соборе с итальянским журналистом-католиком, молчала. Ей не хотелось ничего говорить.

— Еще налить? — Бутонов посмотрел на часы. — Ну что, попробуем еще раз позвонить?

— Куда? — удивилась Маша.

— Домой, куда... — засмеялся Бутонов. — Ты даешь...

Кино как будто немного отодвинулось, дав место прежнему беспокойству. Но курортные декорации снова вытянулись по струнке, пока они шли обратной дорогой к почте.

Бутонов сразу же дозвонился, задал несколько коротких деловых вопросов, узнал от жены, что поездку в Швецию отложили, и повесил трубку.

Маша звонила следом за ним, и теперь ей хотелось только одного — чтобы Алика не было дома. Его и не было. Звонить Сандре она не стала. Там рано укладывались спать, и к тому же Ника завтра будет в Москве, а письмо Сандре она уже написала.

— Не дозвонилась? — рассеянно спросил Бутонов.

— Дома нет. Закатился куда-то мой муж. Эти слова были сплошной ложью: она так не думала.

Алик, скорее всего, был на дежурстве. Кроме того, ложь была в том, как небрежно она это произнесла....

Но по закону кино, которое все продолжалось, все было правильно.

— Ну что, пошли? — спросил Бутонов и посмотрел на Машу с сомнением. — Может, такси?

— Нет здесь никаких такси, всю жизнь по ночам пешком ходим, два часа ходу...

Они свернули с освещенной улицы в боковую, прошли метров пятьдесят. Ни фонари, ни олеандры здесь не произрастали, улица сразу стала деревенской, черной. К тому же дорога шла то криво в горку, то, спотыкаясь, спускалась вниз. Темень на зем-

ле была непроглядной, зато на небе тьма
не была такой равномерной, над морем
небо было как будто светлее, а западный
край хранил слабое воспоминание о зака-
те. Даже звезды были какие-то незначительные, вполнакала.

— Здесь скостим немного. — Маша юрк-
нула вниз по стоптанной глинистой тропе не то к лесенке, не то к мостку.

— Неужели ты видишь что-нибудь? —
Бутонов коснулся ее плеча.

— Я как кошка, у меня ночное зрение.

В темноте он, не видя ее улыбки, решил,
что она шутит.

— В нашей семье это бывает. Между
прочим, очень удобно: видишь то, чего никто не видит...

Это была такая многозначительная женская подача сигнала, пробросок, чтобы
уменьшить расстояние между людьми, огромное, как бездна морская, но способное
сворачиваться в один миг.

Нельзя сказать, чтобы у Маши созрел
некий план. Скорее, в некоем плане созре-

ла Маша. Как шарик в детской игре, она попала в какие-то воротца, прокатилась по ложбинке, из которой нет другого выхода, кроме оплетенной тонкими веревочными нитями пустой дыры лузы. Но все это предстояло Маше обдумывать позднее, в часы долгих зимних бессонниц.

А пока что она вела Бутонова за руку через мосток и по лесенке, а потом вверх по тропинке и, скостив действительно километра полтора, вывела его на твердую земляную дорогу, обсаженную пирамидальными тополями. Это была умная дорога, развившаяся из тропы, и вела она кратким путем к шоссе. На шоссе их руки разъединились, Бутонов зашагал скорым, уверенным шагом, так что Маша за ним еле поспевала. Бутонов думал о своих московских делах, об отложенной поездке, прикидывал, что бы это значило.

Спина Бутонова, которую Маша видела в двух шагах от себя, прямо-таки воплощала полное отчуждение, и минутами ей хотелось наброситься на нее с острыми кулачками, рвануть голубую рубаху, закричать...

Они вошли в Поселок, и Маша поняла, что через несколько минут они расстанутся, и это было невозможно.

— Стой! — сказала она ему в спину, когда они проходили мимо Пупка. — Вот сюда.

Он послушно свернул в сторону. Теперь Маша шла впереди.

— Вот здесь, — сказала она и села на землю. Он остановился рядом. Ему вдруг показалось, что он слышит удары ее сердца, а у нее самой было такое ощущение, что сердце отбивает набат на всю округу.

— Сядь, — попросила она, и он присел рядом на корточки. Она обхватила его голову:

— Поцелуй меня.

Бутонов улыбнулся, как улыбаются домашним животным:

— Очень хочется?

Она кивнула.

Он не чувствовал ни малейшего вдохновения, но привычка добросовестного профессионала обязывала. Прижав ее к себе, он поцеловал ее и удивился, какой жаркий у нее рот.

Ценя во всяком деле правила, он и здесь их соблюдал: сначала раздень партнершу, потом раздевайся сам. Он провел рукой по «молнии» ее брюк и встретил ее судорожные руки, расстегивающие тугую «молнию». Она выскользнула из жестких тряпок и теребила пуговицы его рубашки. Он засмеялся:

— Тебя что, дома совсем не кормят?

Это ее забавное рвение немного взбудоражило Бутонова, но он не чувствовал себя в хорошей готовности, медлил. Горячее касание ее рук — «Ника, Ника, я взяла!» — отчаянный стон: «Бутонов! Бутонов!» — и он почувствовал, что может произвести необходимые действия.

Изнутри она показалась ему привлекательней, чем снаружи, и неожиданно горячей.

— У тебя там что, печка? — засмеялся он. Но она смеяться и не думала, лицо ее было мокрым от слез, и она только бормотала:

— Бутонов, какой ты! Бутонов, ты...

Бутонов ощутил, что девушка сильно опережает его по части достижений, и догадался, что она из той же породы, к которой принадлежала Розка, — скорострельная, яростная и даже внешне немного похожая, только без африканских волос. Он обхватил ее маленькую голову, больно прижав уши, сделал движение, от которого удары ее сердца почувствовал так, словно находился у нее в грудной клетке. Он испугался, что повредил ее, но было уже поздно:

— Извини, извини, малышка...

Когда он встал на колени и поднял голову, ему показалось, что они попали в луч прожектора: воздух светился голубоватым светом и видна была каждая травинка. Никакого прожектора не было — посреди неба катилась круглая луна, огромная, совершенно плоская и серебряно-голубая.

— Извини, но представление окончено. — Он шлепнул ее по бедру.

Она встала с земли, и он увидел, что она хорошо сложена, только ноги чуть кривоваты и поставлены, как у Розки, таким образом, что немного не сходятся наверху. Этот узенький просвет ему нравился — уж лучше, чем толстые ляжки, которые трутся друг о дружку и набивают красные пятна, как у Ольги.

Он был уже одет, а она все стояла в лунном свете, и он истолковал ее медлительность ложным образом, но теперь ему хотелось спать, а перед сном еще додумать свою думу об отодвинувшейся поездке...

Поселок был теперь весь как на ладони, и Бутонов увидел ту тропинку, которая вела его прямо к Витькову дому, на зады Адочкиного двора. Он прижал к себе Машу, провел пальцем по ее тонкому хребту:

— Тебя проводить или сама добежишь?

— Сама. — Но не ушла, задержала его. — Ты не сказал, что любишь меня...

Бутонов засмеялся, настроение у него было хорошее:

— А чем мы с тобой тут только что занимались?

Маша побежала к дому — все было новое: руки, ноги, губы...

Какое-то физическое чудо произошло... какое безумное счастье... Неужели то самое, за чем Ника всю жизнь охотится... Бедный Алик...

Маша заглянула к детям: посреди комнаты стоял уже собранный рюкзак. Лиза и Алик спали на раскладушках, Катя вытянулась на тахте. Ники не было. «Вероятно, легла в Самониной комнате», — подумала Маша. Был большой соблазн разбудить ее немедленно и все выложить, но решила все же среди ночи ее не тревожить. Дверь в комнату Самони она не открыла и на цыпочках пошла в Синюю...

Приключения Бутонова в тот вечер еще не кончились. Дверь в Витьков дом он нашел приоткрытой и удивился: он помнил, что заложил ее снаружи на петлю, хотя замок и не повесил. Он вошел, скрипнув дверью, скинул кроссовки на половичке и прошел во вторую комнату, где обычно спал.

На высокой постели, по-украински сложно устроенной, с подзором, покрывалом, горой регулярных подушек, которую каждое утро по ранжиру выстраивала Ада, на белом тканевом одеяле, разметав большие волосы по разоренным подушкам, спала Ника.

На самом деле она уже проснулась, услышав скрип двери. Она открыла глаза и засияла несколько разыгранной счастливой улыбкой:

— Вам сюрприз! С доставкой на дом!

...Второй подход к снаряду всегда был у Бутонова удачней первого. Ника была проста и весела, не омрачала последней ночи глупыми упреками, не сказала ничего такого, что могла бы сказать обиженная женщина.

Бутонов, исходя все из тех же правил обращения с женщинами, первым из которых он не успел сегодня воспользоваться из-за расторопности Маши, воспользовался вторым, во самым главным: никогда не пускаться с женщинами в объяснения.

На рассвете, к полному и взаимному удовлетворению, Ника покинула Бутонова, не забыв написать свой телефон в его записную книжку. Когда Ника вернулась, Медея уже сидела с чашкой, распространяющей запах утреннего кофе, и по лицу ее не было понятно, видела ли она из кухонного окна, как Ника возвращается домой. Впрочем, скрывать что бы то ни было от Медеи нужды не было: молодежь всегда была уверена, что Медея знает все про всех. Ника поцеловала ее в щеку и тут же вышла.

Проницательность Медеи, вообще говоря, сильно преувеличивали, но именно сегодня она оказалась в эпицентре: ночью, в третьем часу, после терпеливого и бесплодного ожидания сна, она вышла на кухню, чтобы выпить свой «бессонный декокт», как называла она заваренную с медом ложку мака. Вышедшая одновременно с ней луна осветила взгорок, на котором резвилась молодая парочка, ослепительно сверкая белыми неопознанными телами. Немного спустя, когда она уже выпила свой декокт мелкими внимательными глотками и лежала в своей комнате, она слышала, как отворилась соседняя дверь и легко звякнули пружины. «Вернулась Маша», — подумала Медея и задремала.

Теперь, видя вернувшуюся Нику, Медея на минуту задумалась: молодой человек, собственно говоря, был один на всю округу — спортсмен Валера с железным телом и поповской прической хвостиком. Так Медея с некоторым недоумением отметила это событие и сложила туда, где хранились прочие ее наблюдения о жизни молодой родни с их горячими романами и нестойкими браками.

Снова вошла Ника с горой только что снятого с веревки белья:

— Для литовцев приготовила. Еще поглажу до отъезда...

В полдень сосед отвозил в Симферополь Нику, Катю и Артема.

За полчаса до полудня Ника со стопой свежего белья вошла в Синюю комнату, которую Маша освобождала для литовцев, и здесь-то, впервые за утро оставшись наедине с Машей, Ника получила безмерно удивившее ее признание.

— Ника, это ужасно! — сияла Маша осунувшимся лицом. — Я так счастлива! Все оказалось так просто... и потрясающе! Если бы не ты, я бы никогда не осмелилась...

Ника села на стопку белья:

— Не осмелилась — что?

— Я взяла его, как ты сказала, — засмеялась Маша глуповатым смехом. — Оказалось, ты права. Как всегда, права. Надо было просто руку протянуть.

— Когда? — только и смогла выдавить Ника. Маша начала подробный рассказ о том, как на почте... Но Ника ее остановила,

у нее уже не было времени на долгие разговоры, она задала только один и, казалось
бы, совершенно странный вопрос:

— Где?

— На Пупке! Прямо на Пупке все произошло. Как в итальянском кино. Теперь на
этом месте можно поставить крест в память
о моей несгибаемой верности мужу. — И
Маша улыбнулась своей умной и прежней
улыбкой.

Ника никак не предполагала, что ее
раздраженный совет будет принят с такой
торопливой буквальностью. Но Бутонов
оказался не промах...

— Ну что же, Маша, теперь тебе будет
о чем стихи писать, любовную лирику... —
предсказала Ника — и нисколько не ошиб-
лась.

«Нехорошо как... Подарить, что ли, ей
этого спортивного доктора? — думала Ника. — Ладно, все равно я уезжаю. Как будет,
так будет...»

11.

Сундучок — кожаный, в деревянных гнутых ободьях, выклеенный изнутри бело-розовым полосатым ситцем, наполненный перегородчатыми коробками, сложно взаимодействующими между собой и образующими ряд полочек и отделений, — принадлежал некогда Леночке Степанян.

С этим сундучком она вернулась в девятьсот девятом году из Женевы, с ним путешествовала из Петербурга в Тифлис, с ним в одиннадцатом году приехала в Крым. С этим сундучком она вернулась в Феодосию в девятнадцатом, и здесь перед отъездом в Ташкент он был подарен Медее.

Три поколения девочек замирали перед ним с вожделением. Все они верили в то, что сундучок Медеи полон драгоценностей. И в самом деле, там лежало несколько бедных драгоценностей: большая перламутровая камея без оправы, которую проели в двадцать четвертом году, три серебряных кольца и кавказский наборный пояс, мужской и к тому же на очень узкую талию. Но помимо этих ничтожных драгоценностей, в сундучке лежало все, о чем мог мечтать Робинзон Крузо. В безукоризненном порядке, надежно упакованными хранились здесь свечи, спички, нитки всех цветов, иголки и пуговицы всех размеров, шпульки к несуществующим швейным машинкам, крючки для брюк, шуб, рыбной ловли и вязания, марки царские, крымские, немецкие оккупационные, шнурки, тесьма, кружево и прошивки, тринадцать разноцветных прядей волос от первой стрижки годовалых детей Синопли, завернутые в папиросную бумагу, множество фотографий, трубка старого Харлампия и еще много чего...

В двух нижних ящичках лежали письма — разложенные по годам, непременно в цельных конвертах, аккуратно вспоротых сбоку с помощью разрезального ножа.

Здесь же хранились и разнообразные справки, среди которых и курьезные, например бумага об изъятии велосипеда у гр. Синопли для транспортных нужд Добровольческой армии. Это был настоящий семейный архив, и, как всякий настоящий архив, он укрывал до времени неразгласимые тайны. Впрочем, тайны попали в надежные руки и сохранялись, насколько это от Медеи зависело, довольно тщательно, по крайней мере первая из имеющихся.

Тайна эта содержалась в письме на имя Матильды Цырули, помеченном февралем тысяча восемьсот девяносто второго года. Пришло письмо из Батума, написано было на очень плохом русском языке и подписано грузинским именем Медея. Теперешняя

Медея знала, конечно, о существовании своей батумской тезки, Матильдиной золовки, жены старшего брата Сидора. Согласно семейной легенде, та грузинская Медея умерла от горя на похоронах своего мужа, погибшего от несчастного случая. Именно в ее честь и получила Медея свое, столь необычное для греков, имя... Письмо, с выправленной орфографией, следующее:

«Матильда, дорогая подруга, на той неделе еще говорили, что они утопли, твой Тересий и братья Кармаки. А позавчера в Кобулетах вынесло его на берег. Узнавали его свидетели Вартанян и Курсуа-фуражка. Похоронили, и Царствие Небесное, больше ничего не могу сказать. Когда ты сбежала, он стал еще злей, побил дядю Платона, с Никосом всегда дрался, тебя Бог отпустил. У меня очень болят ноги. Ту зиму почти не могла ходить. Сидор мне помогает, ему будет большая награда. Венчайся сразу теперь. Любовь мою тебе посылаю, и Бог с тобой. Медея».

Медея нашла это письмо спустя несколько лет после смерти родителей и скрыла его от братьев и сестер. Когда юная Сандрочка начала свои первые похождения, Медея рассказала ей эту историю с какой-то смутной педагогической целью. Она как будто пыталась заклясть Сандрочкину судьбу, предупредить неудачи и трудный поиск участи, через который, как следовало из этого письма, прошла их мать Матильда. Медея была глубоко убеждена, что легкомыслие приводит к несчастью, и никак не догадывалась, что легкомыслие с равным успехом может привести и к счастью и вообще никуда не привести. Но Сандра с детства вела себя так, как хотела ее левая нога, и Медея никогда не могла понять этого непостижимого для нее закона левой ноги, закона прихоти, сиюминутного желания, каприза или страсти.

Вторая семейная тайна была связана именно с этой Сандрочкиной особенностью и до поры была скрыта от самой Медеи на нижней полке однодверного платяного шкафа, в офицерской полевой сумке Самуила Яковлевича.

В маленькой комнате, где Самуил провел последний, мучительный год своей жизни, Медея устроила себе уголок. Развернула мужнино кресло к окну, поставила сбоку сундук, на нем разложила те несколько книг, которые постоянно читала. В этой комнате она постоянно меняла белые занавески на еще более белые, стирала белесую крымскую пыль с книжной полки и шкафа с Самуиловыми вещами. Вещи его она не трогала.

Весь тот год она читала Псалтирь, каждый вечер по кафизме, заканчивала и начинала снова. Псалтирь у нее была старая, церковно-славянская, сохранившаяся от гимназических времен. Вторая, греческая, принадлежавшая Харлампию, была для нее трудна, поскольку была написана не на языке понтийских греков, а на современном греческом. Еще была в доме русско-еврейская, с параллельным текстом, виленского издания конца прошлого века, которая вместе с двумя другими еврейскими книгами лежала теперь на крышке сундучка.

Медея иногда пыталась читать Псалтирь по-русски, и хотя некоторые места были яснее по смыслу, но терялась таинственная красота затуманенного славянского...

Медея прекрасно помнила смуглое лицо молодого человека с толстой, грубо раздвоенной верхней губой, его заостренный на кончике нос и большие плоские лацканы коричневого пиджака, когда он решительно подошел к Самуилу, сидящему на лавочке возле феодосийской автостанции в ожидании симферопольского автобуса. Молодой человек, прижимая локтем к боку три книги, остановился возле Самуила и задал лобовой вопрос:

— Извините, вы еврей?

Самуил, измученный болями, молча кивнул, не пожелав блеснуть какой-нибудь обычной из своих шуток.

— Возьмите, пожалуйста, у нас умер дед, и никто этого языка не знает. — Молодой человек начал совать в руки Самуилу потрепанные книги, и тут стало видно, что он страшно смущен. — Вы, может, почитаете когда-нибудь. Хаим звали моего деда...

Самуил молча раскрыл верхнюю из них.

— Сидур... Я таки плохо учился в хедере, молодой человек, — задумчиво сказал Самуил, а юноша, видя нерешительность Самуила, заторопился:

— Вы, пожалуйста, возьмите, возьмите. Я же не могу их выбросить. Нам на что? Мы же не верующие...

И коричневый юноша убежал, оставив три книги на лавке возле Самуила. Самуил посмотрел на Медею больными глазами:

— Ну, ты видишь, Медея... — Он запнулся, потому что догадался, что она видит все, что видит он, а сверх того еще кое-что, и ловко вывернулся: — Теперь такую тяжесть придется в Симферополь тащить и обратно...

Последний листок надежды облетел — верующая не в случайность, а в Божий промысел, она поняла этот внятный знак без сомнения: готовься! И никакая биопсия, за которой они ехали в областную больницу, была ей с этой минуты не нужна.

Они посмотрели друг на друга, и даже Самуил, привыкший проговаривать немедленно все, что ни приходило ему в голову, промолчал.

Биопсию в Симферополе ему делать не стали, прооперировали на второй день, вынули большую часть толстого кишечника, сделали вывод в бок, стому, и через три недели привезла его Медея домой умирать.

Однако после операции ему постепенно становилось все лучше. Он, как ни странно, окреп, хотя худоба его была чрезвычайной. Медея кормила его одними кашами и поила травами, которые сама и собирала. Через несколько дней после возвращения из больницы он стал читать эти ветхие книги, и самый никудышный ученик Ольшанского хедера в последний год своей жизни, благословляя неизвестного Хаима, возвращался к своему народу, а православная Медея радовалась. Она никогда не изучала богословия и, может быть, благодаря этому чувствовала, что лоно Авраамово находится не так уж далеко от тех мест, где обитают христианские души.

Прекрасным был этот последний год его жизни. Осень стояла во дворе тишайшая, кроткая, необыкновенно щедрая. Старые татарские виноградники, давно не чищенные и заброшенные, одарили землю своим последним урожаем. В последующие годы старые лозы окончательно выродились, и вековые труды пропали даром.

Груши, персики и помидоры ломили ветви. За хлебом стояли очереди, сахара не было и в помине. Хозяйки варили и солили томаты, сушили на крышах фрукты, а умелые, вроде Медеи, готовили татарскую пастилу без сахара. Украинские свиньи жирели на сладкой падалице, и медовый дух тлеющих плодов висел над Поселком.

Медея тогда заведовала больничкой — только в пятьдесят пятом прислали туда врача, а до той поры она была единственным фельдшером в Поселке. Ранним утром она входила в комнату мужа с тазом теплой воды, снимала нескладный и грубо сделанный аппарат с больного бока, чистила, обмывала рану отваром ромашки с шалфеем.

Он, морщась не от боли, а от неловкости, бормотал:

— Ну где же справедливость? Мне достался мешок с золотом, а тебе мешок с говном...

Она кормила его водянистой кашей, поила из пол-литровой кружки травным отваром и ждала, подставив под бок лоток, пока каша, совершив свой короткий путь, не изольется из открытой раны. Она знала, что делала: травы вымывали из него яд болезни, пища же практически не усваивалась. Смерть, к которой оба готовились, должна была наступить от истощения, а не от отравления.

Брезгливый Самуил поначалу отворачивался, страдал от обнажения этой неприятной физиологии, но потом почувствовал, что Медея не делает ни малейшего усилия, чтобы скрыть отвращение, что воспалившийся край раны или задержка этого самого истекания слегка изменившей вид каши действительно волнуют ее гораздо больше, чем неприятный запах, идущий от раны.

Боли были сильными, но нерегулярными. Иногда несколько дней проходили спокойно, потом образовывалось какое-то внутреннее препятствие, и тогда Медея промывала стому кипяченым подсолнечным маслом, и опять все налаживалось. Это была все-таки жизнь, и Медея готова была нести этот груз бесконечно...

По утрам часа три она проводила возле мужа, к половине девятого уходила на работу и прибегала в обед. Иногда, когда в пару с ней работала Тамара Степановна, старая медсестра, та отпускала ее с обеда, и уже больше она на работу не возвращалась.

Тогда Самуил выходил во двор, она усаживала его в кресло и сама садилась рядом на низкой скамеечке, чиркая маленьким ножичком с почти съеденным лезвием по грушам или очищая от кожицы зашпаренные помидоры.

К концу жизни Самуил стал молчалив, и они тихо сидели, наслаждаясь взаимным присутствием, покоем и любовью, в которой не было теперь никакого изъяна. Медея, никогда не забывавшая о его редком природном беззлобии, о том событии, которое он считал своим несмываемым позором, а она — искренним проявлением его кроткой души, радовалась теперь тихому мужеству, с которым он переносил боль, бесстрашно приближался к смерти и буквально источал из себя благодарность, направленную на весь божий свет, и в особенности на нее, Медею.

Он обычно ставил кресло так, чтобы видны были столовые горы, сглаженные холмы в розово-серой дымке.

— Здешние горы похожи на Галилейские, — повторял он вслед за Александром Ашотовичем, которого никогда не видел, как и Галилейских гор. Знал только со слов Медеи.

Ту книгу, отрывки из которой он хуже всех прочитал на празднике своего еврейского совершеннолетия полвека тому назад, он читал медленно. Забытые слова, как пузырьки воздуха, поднимались со дна памяти, а если этого не происходило и квадратные буквы не желали открывать ему своего сокровенного смысла, он искал в параллельном русском тексте приблизительную подсказку.

Он быстро понял, что книга не поддается точному переводу. На краю жизни ему стали открываться вещи, о которых он и не подозревал: что мысли не полностью, а с большой степенью приблизительности передаются словами, что есть некий зазор, некая брешь между мыслью и словом и заполняется она напряженной работой со-

знания, которая и восполняет ограничен-
ные возможности языка. Чтобы пробиться
к мысли, которая представлялась теперь
Самуилу подобием кристалла, надо мино-
вать текст — сам по себе язык засоряет
драгоценный кристалл неверными словами с их блуждающими во времени грани-
цами, графикой слов и букв, разнообразным звучанием речи.

Он заметил, что происходит некоторое
смещение смысла: два языка, которыми он
владел, русский и иврит, выражали мысли
несколько по-разному.

«Национальное по форме, — улыбался
Самуил, — божественное по содержанию...»
Шутил по привычке.

Сил у него было мало. Все, что он делал, он делал теперь очень медленно, и Медея замечала, как изменились его движения,
с какой значительностью и даже торже-
ственностью он подносит чашку ко рту,
вытирает иссохшими пальцами отросшие
за последние несколько месяцев усы и ко-

роткую с проседью бороду. Но, словно в компенсацию за этот физический упадок, а может, Медеины травы так действовали, голова была ясная, мысли хоть и медлительные, но очень четкие. Он понимал, что времени жизни осталось мало, но, как ни удивительно, чувство вечной спешки и присущая ему суетливость совершенно оставили его. Теперь он мало спал, дни и ночи его были очень длинными, но он не тяготился этим: сознание его перестраивалось на иное время. Глядя в прошлое, он изумлялся мгновенности прожитой жизни и долготе каждой минуты, которую он проводил в плетеном кресле, сидя спиной к закату, лицом к востоку, к темнеющему сине-лиловому небу, к холмам, делающимся в течение получаса из розовых хмуро-голубыми.

Глядя в ту сторону, он совершил еще одно открытие: оказалось, что всю жизнь он прожил не только в спешке, но и в глубоком, от себя самого скрываемом страхе, вернее, во многих страхах, из которых самым острым был страх убийства. Вспоминая теперь то ужасное событие в Василищеве — расстрел, которым он должен был руководить и которого так и не увидел, позорно грохнувшись в нервный припадок, — он благодарил теперь Бога за неприличную для мужчины слабость, за нервно-дамское поведение, спасшее его от душегубства.

«Трус, трус, — признавался он себе, но и здесь не упускал случая поиронизировать: — «Она его за трусость полюбила, а он ее — за снисхожденье к ней...» А трусость свою, — так теперь судил себя Самуил, — всегда прятал за баб».

Психоаналитик, возможно, вытянул бы из Самуилова случая какой-нибудь комплекс с мифологическим названием и уж, во всяком случае, объяснил бы повышенную сексуальную агрессивность дантиста подсознательным вытеснением страха перед кровавой жизнью с помощью простых возвратно-поступательных движений в податливой мякоти пышнотелых дам... Женившись на Медее, он прикрылся от вечного страха ее мужеством... Его хохмы, шуточки, постоянное желание вызвать улыбку у окружающих было связано с интуитивным знанием: смех убивает страх. Оказалось, что смертельная болезнь тоже может освобождать от страха жизни.

Последней страшной собакой, готовой укусить за пятку каждого еврея, был космополитизм. Еще до того, как этот термин устоялся, оброс негнущимся развернутым определением «буржуазная реакционная идеология», с первой ждановской публикации Самуил с тревогой следил за газетами, в которых этот пузырь то раздувался, то опадал. Сидя на своем социально незначительном, но материально более чем сносном месте в должности районного врача-протезиста со времен своего позорного бегства из рядов непосредственных вершителей истории в стадо подопытных наблюдателей, Самуил предвидел очередное переселение народов. Крымские татары, немцы, отчасти понтийские греки и караимы были к этому времени из Крыма уже депортированы, и у него появилась хитроумная мысль — нанести опережающий удар и уехать на Север по контракту лет на пять, а там, глядишь, само и утрясется...

Еще до болезни он часто прохаживался со своим приятелем Павлом Николаевичем Шимесом, врачом-физиотерапевтом из судакского санатория, по холеному парку, прилежавшему когда-то к даче Степанянов, и шепотом они обсуждали великую историю в ее оперативном, сиюминутном срезе...

В конце октября пятьдесят первого года, ранним утром, в воскресенье, доктор Шимес приехал к нему из Судака с поллитровкой разведенного спирта, что было чрезвычайно странным приношением, исходя из безалкогольных навыков доктора, и попросил Медею — к большому изумлению Самуила — оставить их наедине.

После чего, пощелкивая не очень удачно пригнанной челюстью, не Самуиловой, надо сказать, работы, и барабаня пальцами по краю стола, он сообщил, что пришел конец. Оказалось, что накануне в санатории было партийное собрание, на котором с провинциальной умственной нерасторопностью его обвинили космополитом за несчастный душ Шарко, который доктор много лет кряду пропагандировал наряду с другими физиотерапевтическими методами, сплошь разработанными немецкими физиологами конца прошлого века.

— Этот идиот, начальник санатория, думал, что Шарко украинец. Кто-то его просветил на этот счет... Мне, Самуил, в голову вот что пришло: а что, если я ему покажу справку? Она хранится у нас дома, — зашептал Шимес.

— Какую справку? Что Шарко украинец? — удивился Самуил.

— Что я крещеный. Они думают, что я еврей, здесь вся собака зарыта, а мой отец крестился и всю семью крестил еще в девятьсот четвертом году, накануне погрома...

Что делать? Что делать? — Он уронил лысую голову на руки.

Он все-таки оставался настоящим евреем, потому что православный в подобную минуту не позволил бы себе забыть о принесенной бутылке. Самуил почесал в маленькой бородке и ответил в своей обычной манере:

— Справку свою ты оставь для похорон, чтобы твои попы пропели над тобой ихний христианский каддиш. Это не выход. Для русских ты все равно еврей, а для евреев хуже гоя... А вот что касается Шарко, ты объяви этим ослам, что доктор Шарко украл свое изобретение... Ну у Боткина или у Спасокукоцкого... А еще лучше — у академика Павлова. Что ты так смотришь? Напиши в процедурном кабинете: «Душ академика Павлова» — и все они успокоятся. И Павлов на тебя не обидится, он еще до войны умер. — Самоня ехидно улыбнулся: — А если ты уж такой православный, можешь поставить в церкви свечку за него, моя Медея тебя научит, она знает, как это делается...

Бедный Шимес обиделся и ушел. Однако, подумав, все-таки написал большими красными буквами: «Душ академика Павлова» — и повесил. Но было поздно: с работы его уволили, хотя объявление это провисело на двери два с лишним года... Тогда, после ухода Шимеса, Самуил почувствовал, что страх постепенно заменяется сожалением, почему же кругом такая непроходимая глупость... А может, болезнь уже начала тогда свою тайную работу в здоровом с виду теле Самуила?

...Тепло стояло необыкновенно долго для здешних мест, до самого конца ноября. Зато с первых же дней декабря начались холодные дожди, быстро переходившие в снег, и шторма. Хотя море было довольно далеко и значительно ниже, морской непокой доносился до Поселка, усиливаясь по ночам. Ветер нес массы явной и скрытой воды, и толстая водяная подушка над землей была столь плотной, что невозможно было и вообразить, что наверху, всего лишь километрах в пяти выше этого холодного месива, сияет неистощимое, безмерное солнце.

Самуил перестал выходить на улицу. Медея отнесла его плетеное кресло в летнюю кухню и повесила на нее зимний замок. Готовила она теперь в доме, на плите, да еще подтапливала небольшую печь, сложенную в год их переезда феодосийским печником, — татары в домах печей не ставили, да и полы оставляли земляными. Их настилили на другой год после переезда.

Самуил попросил повесить в его комнате плотные занавески. Он не любил промежуточного сумеречного света, задергивал темно-синие шторы и зажигал настольную лампу. Когда же выключали электричество — а это случалось довольно часто, — он зажигал старую «шахтерку», которая давала яркий беловатый свет.

Окна теперь держали закрытыми, и Медея постоянно жгла в самодельных светильничках настоянное на травах масло, и в доме стоял восточный сладкий аромат.

Газет Самуил не читал, даже космополиты, время от времени вылавливаемые во всех областях науки и культуры, перестали его интересовать.

Он добрался уже до книги Левит. Эта малоувлекательная, в сравнении с двумя первыми книгами Пятикнижия, книга, адресованная главным образом священникам, содержала почти половину из шестисот тринадцати запретов, на которых была натянута еврейская жизнь.

Самуил долго вчитывался в эту странную книгу и все не мог взять в толк, почему это «из пресмыкающихся, крылатых, ходящих на четырех ногах» есть можно только тех, «у кого есть голени выше ног, чтобы скакать по земле». Но и из них годными для еды объявлялись только саранча и никому не известные харгол и хараб, а всякие другие считались скверными.

Никаких, абсолютно никаких логических объяснений этому не давалось. Он был топорным и негибким, этот закон, и много места в нем уделялось всяким ритуалам, связанным с храмовым богослужением, что было совершенной бессмыслицей ввиду давнего отсутствия храма и полной невозможности когда-нибудь его восстановить.

Потом он заметил, что общие очертания этого неповоротливого закона, намеченные еще в Исходе и полностью разработанные в Талмуде, рассматривают все мыслимые и немыслимые ситуации, в которые может попасть человек, и дают точные предписания поведения в этих обстоятельствах, и все эти хаотически наложенные запреты преследовали единственную цель — святость жизни народа Израиля и связанное с этим полное отвержение законов земли Ханаанской.

Это был путь, предлагаемый ему с юности, и он от него отказался. Более того, от законов земли Ханаанской, которые обещали не святость, но некоторый на справедливости основанный относительный порядок, он тоже отказался и в юности своей успел потрудиться для разрушения и того и другого...

Исследуя теперь древнее еврейское законодательство, он приходил к мысли о глубочайшем беззаконии, в котором жили люди его страны и он сам среди них. Собственно, это был всеобщий закон беззакония, хуже Ханаанского, которому одновременно подчинялись и невинность, и дерзость, и ум, и глупость... И единственным человеком, как он теперь догадывался, действительно, живущим по какому-то своему закону, была его жена Медея. То тихое упрямство, с которым она растила детей, трудилась, молилась, соблюдала свои посты, оказалось не особенностью ее странного характера, а добровольно взятым на себя обязательством, исполнением давно отмененного всеми и повсюду закона.

Впрочем, он знал и других людей такого же устройства — его покойный дядя Эфраим, невзначай убитый подвыпившим солдатом, исчезнувшим в конце улицы не оглянувшись; и, возможно, таким человеком был слабоумный уборщик Раис, молодой татарин, в маленькой своей головке удерживающий всего два правила: всем улыбаться и тщательно, идиотически тщательно убирать дорожки санаторного парка...

Он, привыкший всегда пробалтывать Медее все, что ни приходило ему в голову, теперешние свои мысли удерживал в себе, но не из боязни быть непонятым, а скорее из ощущения, что не сможет выразить их во всей точности. Медея по его редким высказываниям понимала, как изменилась его внутренняя жизнь, радовалась этому, но была слишком озабочена его физическим состоянием, чтобы глубоко вникать в эту перемену. У него начались боли в спине, и теперь она делала ему уколы, чтобы он мог уснуть.

Декабрь миновал, штормы утихли, но по-прежнему было сумрачно и холодно. Уже с середины января они начали ждать весны. Медея, прежде аккуратно отвечавшая на письма родственников, теперь отзывалась лишь краткими почтовыми открытками — письмо получила, спасибо, у нас все по-прежнему, Медея, Самуил...

Времени на письма у нее не оставалось. За всю зиму она написала только два настоящих письма — Леночке и Сандре.

Февраль тянулся бесконечно, и в нем, как нарочно, было еще и двадцать девятое число. Зато в десятых числах марта солнце, показавшись, уже не пропускало ни часа, и сразу все пошло зеленеть. По дороге с работы Медея, поднявшись на согретый солнцем холм, срывала несколько фиалок и асфоделей, укладывала их на блюдечке возле Самуила. Он почти не вставал и даже не садился, потому что в сидячем положении боли как будто усиливались. Ел он теперь один раз в день, потому что процесс еды был для него слишком утомительным. Лицо его все продолжало меняться, и Медея находила его одухотворенным и прекрасным.

Последнее воскресенье марта выдалось совсем теплым и безветренным, и Самуил попросил вывести его во двор. Она вымыла кресло, просушила его на солнце, застелила старым одеялом. Потом одела Самуила, и ей показалось, что его пальто весит больше, чем он сам. Двадцать шагов от кровати до кресла он прошел медленно, с величайшим трудом.

На ближнем откосе тужились тамариски, веточки их напряглись лиловым цветом, который весь хранился еще внутри. Он смотрел в сторону столовых гор, а они смотрели на него — дружелюбно, как равные на равного.

— Господи, как хорошо... как красиво, — повторял он, и слезы текли сразу и от внутренних, и от наружных уголков глаз и терялись в отросшей клином бороде.

Медея сидела рядом с ним на скамеечке и не заметила той минуты, когда он перестал дышать, потому что слезы еще несколько минут текли из глаз...

Похоронили его на пятый день. Иссохшее тело терпеливо ожидало приезда родственников, не проявляя признаков тления. Приехали Александра с Сережей, Федор с Георгием и Наташей, брат Димитрий с сыном Гвидасом из Литвы, вся мужская родня из Тбилиси. Мужчины отнесли его на руках на местное кладбище и сели за скромный поминальный стол.

Медея не разрешила печь пирогов и устраивать праздничное угощение. Стояла кутья, хлеб, сыр, блюдо среднеазиатской зелени да крутые яйца. Когда Наташа спросила Медею, почему она так распорядилась, Медея ответила:

— Он еврей, Наташа. А у евреев вообще не бывает поминок. Приходят с кладбища, садятся на пол, молятся и постятся... Признаюсь, этот обычай мне показался правильным. Не люблю наших поминок, всегда слишком много едят и пьют. Пусть будет так...

Со смерти мужа Медея надела вдовьи одежды — и поразила всех красотой и необыкновенным выражением мягкости, которого прежде в ней не замечали. С этим новым выражением она вступила в свое длинное вдовство.

Весь тот год Медея, как было сказано, читала Псалтирь и ожидала загробной вести от мужа с таким прилежанием, как ждут почтальона с давно отправленным письмом. Но все не получала. Несколько раз ей казалось, что долгожданный сон начинается, что все уже полно присутствием мужа, но это ожидание разрушалось внезапным — во сне же — приходом враждебного и незнакомого человека или — в реальности — сильным порывом ветра, который хлопал окном и выметал сон.

Первый раз он приснился ей в начале марта, незадолго до годовщины смерти. Сон был странным и не принес утешения. Прошло несколько дней, прежде чем он разъяснился.

Самуил приснился ей в белом халате — это было хорошо, — с руками, испачканными гипсом или мелом, и с очень бледным лицом. Он сидел за рабочим столом и стучал молоточком по какому-то неприятному остро-металлическому предмету, но это был не зубной протез. Потом он обернулся к ней, встал. И оказалось, что в руках у него портрет Сталина, почему-то вверх ногами. Он взял молоточек, постучал им по краю стекла и аккуратно его вынул. Но пока он манипулировал со стеклом, Сталин куда-то исчез, а на его месте обнаружилась большая фотография молодой Сандрочки.

В тот же день объявили о болезни Сталина, а через несколько дней и о смерти. Медея наблюдала живое горе и искренние слезы, а также бессловесные проклятия тех, кто не мог это горе разделить, но оставалась вполне равнодушной к этому событию. Гораздо больше она была озабочена второй половиной сна: что делала во сне Сандрочка и что предвещает ее присутствие... Медея смутно тревожилась и даже собиралась поехать на почту, чтобы позвонить в Москву.

Прошло еще две недели. Наступила годовщина смерти Самуила. Погода выпала в тот день дождливая, и Медея вся вымокла, пока добралась с кладбища домой. На следующий день она решила разобрать вещи мужа, кое-что раздать и, главное, найти какие-то инструменты и небольшой немецкий электромоторчик, который она обещала сыну феодосийской приятельницы...

Рубашки она сложила стопочкой, хороший костюм оставила для Федора — может, пригодится. Еще были два свитера — они сохранили живой запах мужа, и она задержала их в руках, решивши не отдавать никому, оставить себе... На самом дне шкафа она нашла полевую сумку с разными справками: документ об окончании школы протезирования при Наркомздраве, справку об окончании рабфака, несколько грамот и официальных поздравлений.

«Переложу в сундучок», — подумала Медея и открыла малозаметное боковое отделение полевой сумки. В нем лежал тонкий конверт, надписанный Сандрочкиной рукой. Адресовано было письмо Мендесу С. Я., на Судакский почтамт, до востребования. Это было странно.

Машинально она открыла конверт и запнулась на первой же строке.

«Дорогой Самоша» — было написано Сандрочкиной рукой. Никто его так не называл. Старшие звали его Самоней, младшие — Самуилом Яковлевичем.

«Ты оказался гораздо более сообразительным, чем я предполагала, — читала Медея. — Дело обстоит именно так, но из этого ровно ничего не следует, и лучше было бы, чтобы ты сразу же о своем открытии и забыл навсегда. Мы с сестрой полные противоположности, она святая, а я трижды свинья. Но лучше я умру, чем она узнает, кто отец этого ребенка. Поэтому умоляю: письмо это немедленно уничтожь. Девочка исключительно моя, только моя, и не думай, пожалуйста, что у тебя ребенок, это просто одна из многих Медеиных племянниц. Девочка отличная. Рыженькая, улыбается. Кажется, будет очень веселая, и, надеюсь, она не будет на тебя похожа — в том смысле, что эта тайна останется между нами двумя. За деньги спасибо. Они не были лишними, но, честно говоря, я не знаю, хочу ли я получать от тебя помощь. Самое главное, чтобы сестре ничего не пришло в голову. А то у меня и так угрызения совести, а уж что со мной будет, если она что-нибудь узнает?

А с ней? Будь здоров и весел, Самоша. Сандра».

Медея читала письмо стоя, очень медленно, прочла дважды. Да, да. Они часто ходили в бухты в то лето, Александра и Самуил. И колечко свое девичье она потеряла в то лето.

Потом Медея села в кресло. Неведомая никогда душевная тьма накатилась на нее. До позднего вечера просидела она, не меняя позы. Потом встала и начала собираться в дорогу. Спать в ту ночь она не ложилась.

Наутро она стояла на автобусной остановке, в аккуратно повязанной черной шали, с большим рюкзаком и самодельной кошелкой в руке. На дне кошелки, в старинной ковровой сумочке, лежало заявление об отпуске, которое она решила отправить с дороги, документы, деньги и злополучное письмо. Первым же автобусом она уехала в Феодосию.

12.

Стоя на остановке автобуса с рюкзаком за плечами, Медея ощущала себя не менее чем Одиссеем. Вероятно, даже более, поскольку Одиссей у берегов Трои, не догадываясь о многолетнем времени, которое понадобится ему для возвращения, достаточно точно представлял себе расстояние, отделявшее его от дома.

Медея же, привыкшая измерять расстояния часами своего хорошего хода, даже и вообразить не могла, как длинна задуманная ею дорога. Кроме того, Одиссей был искателем приключений и человеком воды, и он вовсе не упускал возможности отсрочить свое возвращение, больше делая вид, что цель его — грубое жилище в Итаке, называемое царским дворцом, да объятия престарелой и хозяйственной жены.

Медея до того времени провела всю свою жизнь безотлучно в одних и тех же местах, если не считать единственной поездки в Москву с Сандрочкой и ее первенцем, Сергеем, и эта безотлучная жизнь, которая сама по себе стремительно и бурно менялась — революции, смена правительств, красные, белые, немцы, румыны, одних выселяли, других, пришлых, безродных, вселяли, — придала в конце концов Медее прочность дерева, вплетшего корни в каменистую почву, под неизменным солнцем, совершающим свое ежедневное и ежегодное движение, да под неизменным ветром с его сезонными запахами то высыхающих на берегу водорослей, то вянущих под солнцем фруктов, то горькой полыни.

Но вместе с тем она была и приморским человеком: с детства мужчины ее семьи уходили в море. В море погиб отец, морской дорогой ушел навсегда Александр Ашотович Степанян с Анаит и Арсеном, ветхий пароход увез из Батума тетку с двумя братьями, и даже сестра Анеля, вышедшая замуж за грузина из гористого Тифлиса, покидала когда-то дом с новой пристани милой Феодосии.

И хотя водные пути никак не пролегали через тот далекий город, поездку в который Медея десятилетиями откладывала, а теперь собралась в единую ночь, она решила хотя бы часть пути, его начало, совершить по морю, от Керчи до Таганрога...

Первые два этапа пути, от Поселка до Феодосии и от Феодосии до Керчи, были такими же привычными, как проход по собственному двору. Приехав под вечер в Керчь, она оказалась на границе своей ойкумены, древняя Пантикапея была ее самой восточной точкой.

В порту Медея узнала, что пассажирские рейсы начинаются лишь в мае, и редкие суда, идущие от Керчи к Таганрогу, возят только грузы, а пассажиров не берут. Она расстроилась, так как поняла, что совершила первую ошибку: ей надо было все-таки ехать сразу через Джанкой, не соблазняясь морскими завитушками.

Отвернувшись с неприязнью от желто-серой гнилова́той меотийской воды, она пошла к своей давней приятельнице Таше Лавинской, предавшейся с юных лет «гробокопательству», как шутил ее муж, старый доктор Лавинский, интеллигент и библиофил, почти такая же местная достопримечательность, как склеп Дианы.

Жили Лавинские на задворках музея, и квартира их была как будто филиалом его — обломки рыхлого керченского камня, античная пыль и сухая бумага заполняли дом.

Таша не сразу узнала Медею, они не виделись несколько лет, со времени болезни Самуила, когда немногочисленные друзья, кто из деликатности, кто из эгоизма, почти перестали навещать их в Поселке.

Узнав, Таша кинулась к Медее на шею, не дав снять рюкзак.

— Погоди, погоди, Ташенька, прежде разденусь, — отодвинула ее Медея. — Дай умыться. Самуил говорил, что Керчь — мировой полюс пыли...

Стояла сырая весна, о пыли не могло быть и речи, но доверие Медеи к слову покойного мужа было так велико, что она чувствовала себя страшно пропыленной.

Сдвинув с края стола привычным движением вороха растрепанных книг, разрозненных листов с мелкими рисунками и неразборчивыми редкими строками, Таша разложила на газете еду, нисколько не пытаясь приукрасить ее скудость и неприглядность.

Сергей Илларионович, величественный старый муж молодой когда-то красавицы, великодушно не заметивший ее ранней некрасивой старости, вылезающих из подбородка жестких одиночных волос, выпятившихся вперед зубов, всю жизнь рассматривал Ташино сугубое отвращение к домашнему хозяйству как очаровательную особенность. Он не утратил архаической застольной элегантности и потчевал Медею вяленой рыбой и рыбными консервами, совершенно несуразными в этом рыбачьем городе.

Зато вино было хорошее, подарочное. Хотя он давно был на пенсии, но все еще практиковал понемногу, и близкие люди, которых он пользовал, кроме обычного гонорара, несли в дом еду, как в прошлые, голодные и почти выветрившиеся из короткой памяти годы.

Узнавши про Медеину дорожную неудачу, он тут же позвонил начальнику порта, и тот обещал отправить Медею завтра же утром, с первой оказией, но никаких удобств путешественнице он не обещал.

До поздней ночи просидели они втроем за столом, допили хорошее вино, потом выпили плохого чаю, а Таша, так и не поинтересовавшись, чего это ради Медее понадобился Таганрог, пустилась рассказывать о какой-то решеточке, обнаруженной ею в приазовском мезолите. Медея долго не могла взять в толк, о чем она так горячится, пока Таша не разложила перед ней поверх недоеденной рыбы замызганные рисуночки, сделанные уверенной рукой, с изображением, напоминающим сеточку для игры в крестики-нолики, и объявила эту решетку одним из самых устойчивых культовых символов, известных с палеолита и обнаруженных и в Египте, и на Крите, и в доколумбовой Америке, а теперь вот и здесь, в Приазовье...

Сергей Илларионович старчески дремал в кресле, время от времени просыпаясь благодаря своей врожденной вежливости, покачивал в знак согласия сонной головой, бормотал что-то одобрительное и снова впадал в дремоту.

Нисколько не заинтересовавшись научными Ташиными изысканиями, Медея терпеливо ожидала окончания лекции, удивляясь тому, что Таша словом не обмолвилась ни о своей дочери, ни о внучке, живущих в Ленинграде.

На поворотах Ташиной речи Медея согласно кивала головой и думала о том, как упорна природа человека, как устойчива бывает иногда страсть, не поддающаяся никаким переменам, вроде этих самых решеточек, овалов и точек, которые, отпечатавшись однажды, живут потом тысячелетиями во всех укромных уголках мира — в подвалах музеев, в помойках, нацарапанные на сухой земле и на ветхих заборах играющими детьми...

Наутро приехал рослый полный человек в морской форме без погон и увез Медею из спящего дома Лавинских, а еще через час Медея покачивалась в середине Керченской бухты на старом грузовом суденышке вида столь родного, как будто оно было из старой армады ее деда Харлампия.

Старчески сопя и немощно напрягаясь, пароходик дотащился до Таганрога только к вечеру. Изморось к этому времени превратилась в мелкий серый дождь, и Медея, двенадцать часов просидевшая на деревянной лавке на палубе с прямой спиной и плотно сдвинутыми коленями, спустилась по сходням, ощущая себя скорее частью деревянной скамьи, от которой только что оторвалась, чем живым человеком.

На пристани она осмотрелась: кроме одинокого фонаря и мальчика, ехавшего с ней от самой Керчи и читавшего все светлое время толстую книжку, никого и ничего здесь не было. Мальчик был в том последнем отроческом возрасте, когда обращение «молодой человек» еще приводит в смущение.

— Скажите, пожалуйста, молодой человек, как удобнее добираться до Ростова-на-Дону, поездом или автобусом?

— Автобусом, — коротко ответил он.

Возле мальчика стояла двуручная корзина, обвязанная старой тканью с приятно знакомым рисунком. Медея задержалась на ней взглядом: выгоревшие, едва различимые ромашки, собранные в круглые букеты... Мальчик как будто поймал ее взгляд и сказал нечто несуразное, пихнув корзину ногой:

— Если в багажник влезет, то и для вас места хватит.

— Что вы сказали? — удивилась Медея.

— Брат мой из Ростова за мной приедет. На машине. Я думаю, там для вас место будет...

— Вот как? Прекрасно...

Душевная тьма, которая обвалилась на нее и не отпускала ни на минуту с тех пор, как она прочла это ужасное, торопливое и небрежное письмо, не помешала ей возликовать: «Господи, благодарю, что ты не оставляешь меня во всех моих путях, посылаешь мне своих дорожных ангелов, как Товию...»

Юноша, неведомо для себя исполнявший обязанности дорожного ангела, отодвинул тупым носком сапога корзину в сторону и объяснил Медее:

— Машина у него большая, «Победа», но, может быть, в ней какой-нибудь груз уже есть...

Речь мальчика была правильной, интонация как будто знакомая — мальчика из хорошей семьи. Видимо, толстые книги шли ему впрок.

Минут через пятнадцать подошел коренастый молодой мужчина, поцеловал паренька, похлопал по плечу:

— Молодец, Лешенька! Чего ж тетку не привез?

— Она обещала летом приехать. Ноги у нее болят.

— Бедняга... Как она там одна управляется?

Вопрос был не пустой, он ждал ответа.

— Мне показалось, все у нее в порядке. Одну комнату сдает. Жилец человек приличный, из Ленинграда, работает на метеостанции. Дрова привез. Гостинцев вот прислала. — Он кивнул на корзину. — Я не хотел брать, она настояла...

Мужчина махнул рукой:

— Ну, это дело известное...

Он взялся за корзину. Мальчик остановил его:

— Толь, вот женщина тоже в Ростов едет. У тебя место есть?

Толя повернулся к Медее, как будто только что заметив ее, хотя все время разговора она стояла рядом.

— Есть место. Захвачу вас. В Ростове вам куда?

— На железнодорожный вокзал.

— Давайте ваш рюкзак, — протянул он руку и накинул на плечо лямки.

Медея про себя все бормотала: «Господи, благодарю тебя за все благодеяния твои, за все посылаемое тобою, и дай мне все вместить, ничего не отвергая...»

Это был всегдашний ее разговор с Богом, смесь давно вытверженных молитв и ее собственного голоса, живого и благодарного...

Медея, едва расправив кости после долгого сидения на палубе, села теперь в машину, где, впрочем, было тепло и удобно. Ее сырая одежда вскоре если не просохла, то пропиталась ее, Медеиным, теплом. Она задремала и сквозь дремоту слышала обрывки разговора братьев: что-то о свадьбе сестры, о педагогическом институте, где учился мальчик на первом курсе, о Симферополе, о тетке, которую он навещал в Старом Крыму.

«Надо бы навестить Нину», — смутно, сквозь сон подумала Медея, вспомнив о прежней феодосийской соседке, переселившейся в Старый Крым после пожара, уничтожившего ее дом на их старой улице. Сквозь сон Медея вспоминала Нину, ее старую мать, помешавшуюся в ночь пожара, и младшую сестру с ожогом предплечья, которую Медея принялась немедля лечить грубым и надежным народным средством...

В полной тьме, среди ночи, подвезли Медею к железнодорожному вокзалу. Водитель взял Медеин рюкзак и повел к кассам. Возле одного окошечка стояла длинная безмолвная очередь, остальные два были закрыты так глухо, что, казалось, вообще никогда не открывались.

Медея остановилась возле одного из таких глухих окошек, поблагодарила водителя. Он снял с плеча рюкзак, поставил на пол и сказал неуверенно:

— Может, я отвезу вас пока к себе, а уж утром будете отсюда выбираться. Смотрите, что здесь творится...

Медея не успела его поблагодарить, как рядом с ее плечом открылось окошечко, и, не успев даже удивиться, Медея спросила билет на Ташкент.

— Только плацкарта, — предупредила кассирша, — и две пересадки вам делать, в Саратове и в Сальске...

— Хорошо, — сказала Медея.

Толпа с криком и воем тут же ринулась к раскрывшемуся неожиданно окошку, заварилась яростная склока: одним хотелось сохранить прежний порядок очереди, другим, стоявшим в хвосте и оказавшимся теперь поближе к выдаче, вовсе этого не хотелось.

Через минуту, с трудом протиснувшись сквозь кипящую рукопашной во имя справедливости толпу, с билетом в руке, Медея взяла у Анатолия рюкзак. Он только развел руками:

— Ну, вам и повезло же!

Они вышли на перрон и уже не видели, что окошечко, выдав Медее билет, немедленно закрылось и толпа, разделившаяся теперь надвое, кипела возле обоих закрытых окошек, а нетерпеливые руки барабанили по глухой фанере.

Поезд Медеи подошел через двенадцать минут, хотя и с пятичасовым опозданием, и, уже отъехав от Ростова, она поняла, почему ромашковая тряпка показалась такой знакомой: это была ее собственная занавеска, подаренная Нине после пожара вместе со многими другими необходимыми вещами тридцать лет тому назад... Следовательно, тетушка в Старом Крыму, о которой шла речь, и была ее бывшая соседка Нина, а молодые мужчины — дети девочки, которую Медея лечила в ту ночь от ожога... Медея улыбнулась сама себе, успокоилась: устройство мира, несмотря на его возросшее многолюдство и суматошливость, оставалось все тем же самым, ей понятным, — происходили маленькие чудеса, люди сходились и расходились, и все вместе образовывало красивый узор...

Она достала из рюкзака два сухаря и большой немецкий термос с крышкой. Чай, налитый еще в Керчи, был горячим и сладким...

Около четырех суток просидела Медея у вагонного окна, изредка вытягиваясь на нижней полке и засыпая неровным и вибрирующим сном, на дне которого все темнел нерастворимый осадок тьмы.

Поезд шел медленно, с маленькими бессчетными остановками и долгими бессмысленными стояниями на разъездах. Расписание отменилось само собой уже с момента подачи поезда к месту отправления с большим опозданием. На всех станциях и полустанках поезд встречала уставшая от ожидания толпа. В медлительном и грязном составе не так уж много было людей, совершающих длинное, как Медея, путешествие.

Большинство с корзинами, мешками и узлами садились на несколько перегонов, толпились в проходах и покидали вагон, оставляя после себя тяжелые запахи и подсолнечную лузгу.

Пережившая все крымские смуты, помнившая тифозные бараки, голод и холод, Медея никогда не участвовала в огромных переселениях, сопровождавших отечественную историю, и только по близкой наслышке знала о теплушках, скотских вагонах и очередях за кипятком на станциях.

Уже миновав свое пятидесятилетие, она впервые, да и то добровольно, оторвалась от милой оседлой жизни и с изумлением наблюдала, какие несметные полчища людей передвигаются по большой бесхозной земле, заваленной больным железом и битыми камнями. Вдоль железнодорожных откосов, под тонкой весенней травой лежала восемь лет тому назад окончившаяся война — сгладившимися воронками с бурой водой, вросшими в землю развалинами и костями, которыми полна была земля от Ростова до Сальска, от Сальска до Сталинграда.

Медее казалось, что память о войне земля хранит глубже, чем все это множество людей, громко и единообразно переживающих недавнюю смерть Сталина. Всего несколько недель прошло, как он умер, и все попутчики, разговаривая между собой, постоянно поминали об этом.

Она услышала много фантастического: пожилой железнодорожник, возвращавшийся с похорон собственной матери, шепотом рассказывал о большом смертоубийстве, случившемся в Москве в день прощания со Сталиным, и об еврейских кознях, к этому приведших; другой человек, мрачный, на деревянной ноге, с пестрой от орденских колодок грудью, рассказывал о подземном городе, набитом сверхсекретным американским оружием, якобы откопанным случайно посреди Москвы; две учительницы, ехавшие на какое-то местное совещание, профессионально напряженными голосами все обсуждали между собой, кто же теперь поведет страну к заветному коммунизму... Зато подвыпивший мужик, не снимавший ушанки от Иловинской до самого Саратова, молча слушавший всю дорогу их громкий стрекот, выходя, стащил вдруг с головы шапку, обнаружив пегую лысину, сплюнул на пол и сказал крепким голосом:

— Дуры вы непаханые! Хуже-то, чем теперь, ни при ком не буде...

Медея улыбнулась в окно. С ранней юности она привыкла к политическим переменам относиться как к погоде — с готовностью все перетерпеть: зимой мерзнуть, летом потеть... Однако ко всякому сезону готовилась загодя, к зиме — хворостом, к лету — сахаром для варенья, если таковой в природе присутствовал. От властей же она хорошего никогда не ждала, остерегалась и держалась подальше от людей, к власти причастных.

Что же касается великого вождя, то за ним числился давний семейный счет. Задолго до революции, в Батуме, он сбил с толку тетушкиного мужа Ираклия, и тот попал в неприятнейшую историю, связанную с ограблением банка, из которой вытянула его родня, собравши большие деньги...

В Поселке в день смерти вождя повесили траурные флаги и собрали митинг. Из Судака приехал партийный начальник, не самый главный, из новых. Он сказал речь, потом пустили торжественную музыку, две местные женщины, Соня из продмага и Валентина Ивановна, учительница, заплакали, а потом все решили отправить телеграмму с изъявлением горя: «Москва, Кремль...» Медея, уместная, как никто, в своей траурной одежде, постояла положенное, а потом пошла на свой виноградник и до вечера чистила его...

Все это было для нее отдаленным гулом чуждой жизни. Теперешние дорожные попутчики, эти отдельные люди, образующие народ, теперь громко тревожились, боялись своего сиротского будущего, плакали, другие, молчаливые, тихо радовались смерти тирана, но и те и другие должны были теперь что-то решать заново, научиться жить в изменившемся за одну ночь мире.

Странно было то, что и Медея, по совершенно другому поводу, переживала похожее чувство. Глубоко в сумке лежащее письмо вынуждало ее посмотреть на себя самое, на сестру, на покойного мужа новыми глазами и прежде всего смириться с фактом, который казался ей совершенно невозможным.

Связь мужа, все годы брака ее боготворившим, превозносившим чрезмерно ее достоинства, отчасти вымышленные, с сестрой Александрой, существом, открытым ей до последней жилки, была невозможна не только по бытовым причинам. Какой-то высший, как чувствовала Медея, запрет был перейден, но, судя по бойкому письму Сандрочки, по ее легкому тону, она даже и не заметила этого родственного и тайного преступления. Одно только желание избежать неприятной огласки...

Особая мука была в том, что теперешнее положение не требовало ни решений, ни действий. Все прежние несчастья в жизни — смерть родителей, болезнь мужа — требовали от нее физического и нравственного напряжения; случившееся теперь было лишь отзвуком давней истории, не было уже в живых Самони, но осталась его дочка Ника, и невозможно было с ним посмертно выяснять отношения.

Мужем она была оскорблена, сестрой предана, поругана даже самой судьбой, лишившей ее детей, а того, мужнего, ей предназначенного ребенка вложившей в сестринское веселое и легкое тело...

Темное состояние ее души усугублялось еще и тем, что Медея, всегда подвижная, вынуждена была целыми сутками сидеть у окна и все движение было только снаружи, в мелькании пейзажей за окном и слабом копошении людей в вагоне.

Трое с половиной суток длилась дорога, и, поскольку маршрут был довольно прихотлив, с сильной дугой на север, к тому же в глубину континента, она как будто перегнала весну: покинув зеленеющий Крым, снова увидела в Предуралье слежавшийся по оврагам снег, голую, прихваченную ночными морозами землю, а потом снова догнала весну уже в казахстанских степях, во всей полноте их цветения, жаркого, тюльпанно-пестрого.

В Ташкент поезд прибыл ранним утром, она вышла из него с похудевшим рюкзаком и, зная, что родня ее живет недалеко от вокзала, спросила, куда идти...

Улица называлась Двенадцать Тополей, но тополя, если и росли здесь, скромно растворились в цветущем урюке, высаженном при дороге, вдоль арыков. Было самое раннее, самое новорожденное утро, любимейшее Медеино время, и после тяжелой, грязной железнодорожной жизни она особенно остро ощущала священную чистоту утра, его запахи, в которых к знакомым примешивались незнакомые: дым от иного топлива и острый запах мясной еды. Но все перебивал густой дух сирени, вывесившей тяжелые и синие, как виноград, кисти поверх глинобитных дувалов и дощатых заборов. И птицы пели как будто на иностранном языке, не так звенели, больше стрекотали.

Пока Медея шла по бесконечно длинной улице, наслаждаясь движением, слегка поводя плечами, обремененными рюкзачным ремнем, под который она по-солдатски сложила свое пальтишко, она ухватывала глазами, кроме номеров домов, всякую мелкую мелочь, всякую новую новость: на заборе, к примеру, преспокойно сидела буро-розовая горлинка, знакомая ей с детства, но в Крыму эта птица была пугливой, дикой и в город не залетала. Тяжелый воздух дороги, который, казалось, она несла на себе, отлетал под слабой волной утреннего ветерка, который, знала Медея, всегда подымается на восходе... Вдруг издали, с восточной стороны, вместе с ветром принесся крик. Он тоже как будто шел волной, и голоса были высокими, детскими:

— Вода! Вода пошла! Сувгя!

И тут же несколько детишек выскочили из калиток и ворот, и над оградами появились детские головы. Толстая старуха в валенках и украинской проносившейся на груди рубашке вышла к арыку...

Медея остановилась. Она знала, что сейчас произойдет, и ждала этой минуты. Дно неглубокого арыка было запечатано гладкой бледно-коричневой пленкой, словно снятой с топленого молока, и розовые лепестки урюка, только что отлетевшие от деревьев, под рассветным ветерком медленно опускались на нее, и вот уже послы-

шалось ворчание воды, и впереди ее буро-
го язычка летело розовое облако цветоч-
ного сора.

Крик уже миновал улицу, уже журчала
вода. Дети и старики отворяли отводы арыков в свои дворы. Начинался час утреннего
полива...

Возле Леночкиного дома Медея столк-
нулась с белобрысым мальчиком лет десяти. Он только что впустил воду во двор и
умыл веснушчатое лицо бурой, слегка по-
дозрительной на вид водой.

— Здравствуй, Шурик, — сказала ему
Медея.

Он слегка шарахнулся и исчез в кустар-
нике с криком:

— Мамуня! К тебе гости!

Во дворе Медея огляделась: три домика, один из которых был с верандой и высоким крыльцом, и два беленых, попроще,
образовывали каре, в середине которого
стоял айван, а от летней кухни с навесом,
расположенной сбоку, к ней медленно шла

седоватая, толстая, в белом фартуке с высоким нагрудником, дорогая Леночка. Она не сразу узнала Медею, а узнав, раскинула руки и побежала навстречу с глупым и радостным криком:

— Счастье мое пришло!

Застучали окна и двери. Проснулась наконец старая овчарка в конуре и энергично залаяла, чувствуя свое упущение по службе. Двор наполнился, как показалось Медее, несметной толпой. Но толпа была своя, родная — Леночкина дочь Наташа с семилетним Павликом, Георгий, младший сын Леночки, выросший за последнюю зиму в хорошего юношу, худая маленькая старуха с костылем.

«Старая нянька Галя», — догадалась Медея.

На крыльце, склонив набок надменное лицо восточной красавицы, стояла тринадцатилетняя Шуша, старшая дочь Наташи, в белой ночной рубашке, почти укрытая блестящими азиатскими волосами.

Белобрысый Шурик спрятался за ствол персикового дерева и выглядывал из-за него.

— Ах, господи, Федор в командировке, вчера только уехал! — сокрушалась Леночка, все не выпуская Медею из объятий. — Ну что же ты не предупредила? Жора бы тебя встретил!

Семья стояла вокруг, ожидая в очередь родственного целования. Только Галя, что-то буркнув про себя, заковыляла к брошенной печке, где был какой-то хозяйственный беспорядок: черный дым поднимался от сковороды...

— Ах, чаю тебе, чаю! Ах, дура, кофе, кофе! Ах, радость моя пришла! — кудахтала Леночка, каждое слово повторяя дважды и обмахивая воздух вокруг головы единственным в мире жестом, своим собственным.

Медея, увидев это совершенно выпавшее из ее памяти движение Леночкиной маленькой кисти, испытала резкое чувство счастья.

С двадцатого года, когда Медея проводила с феодосийского вокзала брата Федора с новым назначением и новой, накануне ему вверенной женой, сосватанной твердой Медеиной рукой, подруги виделись дважды: в тридцать втором, вскоре после переезда Медеи и Самуила в Поселок, и в сороковом, когда ташкентские Синопли всей семьей приехали к Медее.

В то последнее предвоенное лето у Медеи был большой съезд родни: Сандрочка с Сережей и Лидочкой, брат Константин, погибший через год, в первые же дни войны, Таша Лавинская... В доме негде было повернуться. Все звенело от детских голосов, июльского солнца и крымского вина.

Федор в тот год получил Государственную премию, ждал нового назначения, чуть ли не министерского.

Медея в то время отпуск взять не могла, ходила каждый день на службу, а потом варила, варила, варила... Сестра и невестка рады бы помочь, но Медея не любила, когда ее хозяйства касались чужие руки, переставляли прижившиеся на своих местах вещи, нарушали ее порядок. Только с годами, к старости, она смирилась с тем, что на ее летней кухне хозяйничают молодые родственницы и никогда ничего нельзя найти.

Из-за многолюдства и постоянной кухонной толчеи подругам почти не удалось поговорить. Медея запомнила только последнюю предотъездную ночь, когда они мыли на кухне посуду после прощального ужина и Леночка, вытирая длинным полотенцем стопку тарелок, горько жаловалась, что Федор беспечен, сует голову прямо тигру в пасть. Она предусмотрительно боялась его большой карьеры и превращения из скромного землемера чуть ли не в главного начальника над всей ирригационной системой Узбекистана.

— Как он не понимает, — сокрушалась Леночка, — отец мой был членом Крымского правительства, и об этом ни в одной анкете не сказано. А чем выше поднимаешься, тем больше на виду...

Здесь, в Ташкенте, Медея была единственной и дорогой гостьей. По утрам, отправив детей в школу, Леночка и Медея шли на Чорсинский базар, недалеко от дома, покупали баранину, раннюю зелень, иногда кур. Двух кур на обед было мало, трех — много.

В семье все привыкли есть помногу, к удивлению Медеи. Конец марта был скудным временем, никакой летней роскоши восточного базара не наблюдалось. Но кошелки они набивали доверху и обратную дорогу совершали на трамвае.

Обед обыкновенно накрывали поздно, около восьми, ко времени прихода с работы Федора. До того дети кусочничали, подхватывая то ломоть хлеба, то лепешку. Зато обед растягивался часа на два и, кроме обычной здешней еды — самсы, лагмана, всегда стояла на столе какая-нибудь армянская редкость — даже пахлаву Леночка печь не разучилась.

Поздними вечерами, когда дом затихал, обе они подолгу сидели у чисто убранного стола, перед замысловатым пасьянсом, который раскладывался у Леночки не чаще раза в год, перебирали ранние воспоминания, начиная с гимназических, хохотали, вздыхали, плакали о тех, кого любили и кто пропал в дебрях прошлого.

Тяжелый камень медленно ворочался на дне Медеиной души, но разговор все не поворачивался таким боком, чтобы рассказать о письме. Что-то Медею останавливало, да и свежепережитая трагедия вдруг стала казаться Медее какой-то неприличной...

В горячке дня, усиленной жаром летней плиты, очага во дворе и постоянно кипящей выварки для белья, голубизна и крахмальная ломкость которого была особенной Леночкиной слабостью, Медея наблюдала за укладом жизни и отмечала с одобрением привычки старого степаняновского дома, смесь щедрости, обращенной к окружающим, и некоторого скупердяйства кухни. Баклажаны и грецкие орехи Леночка считала, деньги — никогда.

Впрочем, судьба, в юности лишившая Леночку родной семьи, а в годы войны — девятнадцатилетнего старшего сына, никогда не давала изведать ей бедности. Ей как будто на роду было написано всегда ходить в золоте и есть на серебре. Удивительно, но в первый же год жизни в Ташкенте ее разыскала, не без помощи Медеи, старая Ашхен, служанка ее умершей тифлисской тети, бездетной богатой вдовы. Из Тифлиса Ашхен пришла пешком и принесла в грязной дорожной торбочке семейные драгоценности, завещанные теткой.

Леночка, лишившаяся к тому времени всего, что оставалось от прошлой жизни, тотчас надела на руку два кольца, одно с жемчужиной, второе с голубым бриллиантом, вдела в уши черные агатовые блюдечки с мелкой жемчужиной посередине, а остальное положила на дно корзины, в которую складывала приданое для своего первенца, вскоре обещавшего появиться на свет. Старая Ашхен прожила у нее в доме еще шесть лет, до самой смерти....

Свой дом в Ташкенте, этот самый дом, полученный Федором сразу же по приезде, Леночка стала устраивать так, как было заведено в их семье, с поправкой на очень скромный достаток.

Лучшую комнату она назвала кабинетом и отдала мужу, в спальню поставила две кровати, вынесенные из дому в сарай теми узбеками, которые заняли этот дом после прежнего хозяина, помощника губернатора, застрелившегося от старческого приступа тоски в начале семнадцатого года.

В том же сарае Леночка обнаружила остатки мебели, не ушедшие в топку. Из двух табуреток, накрыв их яркими платками, она изобразила прикроватные тумбочки, накупила на базаре медной утвари, и их жилище стало неуловимым образом похоже и на старый тифлисский дом, и на судакскую дачу, и на женевскую квартиру — во всем сказывался вкус покойной Армик Тиграновны.

Второй дом, в их же дворе, они прикупили позже для Наташи и теперь вели переговоры с последними соседями, чтобы купить и третий, стоявший по правую руку от центрального: Леночка мечтала поселить в этом доме Георгия.

Медея обо всем этом знала из писем, в которых Леночка упоминала о всех сколько-нибудь значительных событиях. Но главным для них оставалась сама форма обращения, девическая, доверительная, и слог письма, и почерк, и, конечно же, французский язык, на который они легко переходили.

Каждое письмо было тайной присягой верности, хотя три четверти писем были посвящены снам, предчувствиям, описаниям придорожного дерева или встреченного лица.

Описывая свадьбу дочери, Леночка подробнейшим образом описывает необыкновенно бурный дождь, выпавший только в одном районе города в то самое время, когда молодожены выходили из ЗАГСа, и белое Наташино платье, ткань которого села от влаги, полезло вверх и открыло ее пухлые колени, но при этом Леночка не упомянула о том, что Наташиным мужем стал кореец Виктор Ким, инженер-связист, уже тогда прославившийся на весь город своими необыкновенными лингвистическими способностями. Кроме общерусского, домашне-корейского, школьного немецкого и необязательного узбекского, он незаметным образом выучил к двадцати пяти годам еще и английский и занимался китайским, считая, что на этот язык ему придется потратить не менее пяти лет.

Только полгода спустя после свадьбы, рассказывая в очередном письме о своей поездке в пригород Куйлюк и описывая рисовые чеки, крошечные затопленные поля в ярких рядах узколистного риса, Леночка мельком упоминает о родителях Наташиного мужа, сморщенной корейской парочке, столь схожей и бесполой внешности, что трудно было определить, кто же из двоих муж, а кто жена...

Во всяком случае, когда спустя еще полгода Медея получила первую фотографию новорожденной Шуши, она не удивилась круглолицей мордочке с узенькими прорезями глаз, в которой никак не угадывалась теперешняя красавица.

Иногда днем Леночка укладывала Медею на брезентовую раскладушку под навесом, почти сплошь затянутым молодыми виноградными плетями, совала ей в руки французскую книжку из собранной здесь, в единственном букинистическом магазине, библиотеки, и Медея, рассеянно перелистывая «Опасные связи» или «Пармскую обитель», впервые в жизни испытывала наслаждение от безделья, от полного расслабления тела, как будто ток, поддерживающий ее мышцы в напряжении, вдруг отключили и каждое волоконце расправилось в блаженстве.

Она слегка читала, слегка дремала, слегка наблюдала за детьми. Шуша держалась высокомерно и отчужденно, но имела вид человека, погруженного в свои мысли. Ее младший брат Павлик целыми днями играл на скрипке, а когда появлялся во дворе, то был слишком уж вежлив. Медея искала в них родовые приметы и не находила: азиатская кровь в этих детях полностью победила греко-армянскую.

Зато тихий белобрысый приемыш Шурик был, как ни странно, по всем приметам свой, синоплинский: хотя его пушистые, легкие волосы не имели ни малейшего оттенка семейной ржавчины, густо-рыжие веснушки усыпали его узкое белокожее лицо, а главное — это Медея не сразу заметила, а заметив, изумилась, — мизинец был короткий, едва доставал до конца первой фаланги безымянного. Впрочем, своих наблюдений Медея никому не открывала.

— Какой хороший мальчик, — тихо сказала Медея, указывая глазами на Шурика, выстругивающего сухую ветку сирени, чтобы заменить обгоревшую ручку кофейника.

— Он мне совсем родное дитя, — отозвалась Леночка. — Но Александра мне никто не заменит. А Шурик — да. Очень хороший мальчик. Мать его была ссыльная немка из Поволжья. Умерла от туберкулеза сразу после войны. Его сначала в детский дом определили, он там хлебнул горя. Федя его навестил как-то. Мать-то его работала в Коканде, на каком-то Федином объекте. Навестил его Федя раз, другой — и привез домой. Он нам очень пришелся к дому. Очень пришелся...

Медея слушала, молчала, смотрела. На пятый день она заметила, что после обеда Леночка понесла в боковую комнату при входе, где жила Галя, тарелку супа.

Поймав Медеин взгляд, объяснила:

— Муся там у нас, Галина младшая сестра.

— Муся? — удивилась Медея, никогда этого имени не слышавшая.

— Ну да, Муся. Парализована, бедняжка. Дочка от нее отказалась, а Галя забрала, — ответила Леночка, а Медея тут же вспомнила парализованную кормилицу Армяк Тиграновны, которую Степаняны возили за собой лет десять то в Крым, то в Швейцарию в заказном немецком кресле из трубчатой меди, а кормила эту бессловесную иссохшую старуху сама Армик Тиграновна, потому что из других рук старуха еду не принимала...

Как все повторяется...

«Бог всегда будет давать им богатство, — мельком подумала Медея, хотя сегодняшнее благосостояние семьи никак нельзя было назвать богатством. — Никто, как Леночка, не умеет им распорядиться».

Леночка, покормив Мусю, которую Медея так и не увидела, тут же кинулась распекать Галю, зачем та выбросила полбанки виноградных листьев, заготовленных в прошлом году для долмы... Новые, свежие колыхались над Медеиной головой, и она улыбалась...

Наконец Федор, совершивший свою начальственную поездку в низовья Амударьи и на Аральское море, позвонил из Нукуса и сообщил, что скоро приедет.

«Прекрасно, повидаю его — и домой. Да, к Пасхе — домой», — решила Медея.

Но приехал Федор только в Лазареву субботу, накануне Вербного воскресенья, в середине дня. Зафырчала машина, Шурик стремглав побежал отворять ворота, но Федор уже шел по двору. Свежий багровый загар сиял под белой провинциальной шляпой. Шурик, вспорхнув к нему на грудь, обнял его за шею. Федор поцеловал белую макушку и снял его с себя. Положив ему руку на голову, он шел через сад.

— Папа приехал! — крикнула Леночка из окна звенящим голосом, как будто он отсутствовал не две недели, а два года.

Медея, скинув ноги с раскладушки, не успела еще встать, когда он сгреб ее в охапку, поднял, прижал к себе, как ребенка:

— Сеструшенька, умница, приехала!

Медея вдыхала запах его волос, тела и узнавала полузабытый запах отцовских рабочих фуфаек, который мало кому показался бы приятным, но для Медеиной всесохраняющей памяти был драгоценным подарком.

Все завертелось вокруг Федора точно так же, как в то утро, когда приехала Медея. Шофер, привезший его, открыл ворота и разгружал машину. Вытащил какие-то свертки, мешки. Это были богатые гостинцы, и Леночка сразу же занялась огромным присоленным осетром. Шурик стоял возле нее, осторожно трогая пальцем злую рыбью морду. Хотя Леночка заранее готовилась к приезду мужа, осетр выбил ее из колеи, и, велев Наташе с Галей накрывать на стол, она занялась рыбиной. Вооружившись ножом, она нырнула близоруким лицом в распоротое брюхо.

Шофер, тоже Федор, красивый человек лет сорока, с попорченными пороховым чернением щеками, вытащил из бездонного экспедиционного газика ящик с неопределенными бутылками без этикеток.

За столом Федор мало ел, много пил и, не снимая тяжелой руки с Медеиного плеча, рассказывал о своей последней поездке уверенным голосом начальника.

Пришли помощник Федора, пара пожилых друзей и молодая красивая гречанка Мария, послевоенная политэмигрантка, первая в Медеиной жизни настоящая коринфянка.

Шурик и Павлик тихо сидели на детской стороне стола, а Леночка сновала то в летнюю кухню, то к мангалу во дворе. Безэтикетные бутылки содержали в себе что-то крепкое, резкое, напоминающее дешевый коньяк, но Медее это питье пришлось по вкусу. Федор пил из большой серебряной стопки, и лицо его, воспаленное свежим загаром, делалось постепенно пурпурным и тяжелым.

Потом зашли двое одноклассников Георгия, их тоже усадили за стол. Леночка, верная своим принципам, убирала горячие блюда, как только они остывали, и на поднятых руках вносила новые.

Медея, совсем недавно совершившая свое огромное путешествие и питавшаяся всю дорогу лишь мелкими серыми сухарями, радовалась от души застольному изобилию, но, как и Федор, едва прикасалась к еде. Шел Великий пост, и Медея, с раннего детства приученная к постам, не только добровольно и радостно принимала их, но всегда даже как-то укреплялась за это время. Леночка, напротив, с юности страдала от обязательного говения и с тех пор, как уехала в Среднюю Азию, и в церковь ходить перестала, и тем более держать посты.

Все это отлично знала Медея, но знала также, какие приступы беспричинной тоски одолевали Леночку время от времени, и объясняла она их Леночкиным отпадением от церкви.

Это была также одна из тем их переписки. Обе они были достаточно просвещенными женщинами, чтобы понимать, что духовная жизнь человека никак не исчерпывается взаимоотношениями с церковью, но Медея воспринимала церковную жизнь как единственную для себя возможную.

«Мне, по моему невеликому уму и самовольному характеру, — писала она Леночке задолго до войны, когда маленькая греческая церковь, настоятелем которой был младший брат Харлампия, Дионисий, закрылась и она стала ходить в русскую, — церковная дисциплина нужна, как хроническому больному лекарство. Счастье моей жизни, что наставляла меня в вере мама, человек простой и исключительно доброкачественный, сомнений она не знала, и мне никогда в жизни не надо было бесплодно биться над философскими вопросами, которые вовсе не каждому человеку надо решать. Традиционное христианское решение вопросов жизни, смерти, добра и зла меня удовлетворяет. Нельзя красть, нельзя убивать — и нет обстоятельств, которые сделали бы зло добром. А то, что заблуждения делаются всеобщими, нас вовсе и не касается».

Леночке соблазны убийства и воровства не предлагались. Были у нее только хозяйственные и домашние тяготы, способные надорвать более хрупкую женщину, но ей они были не только по силам, но и всласть.

Разрасталась семья, дом, Леночка с интересом посматривала на Жориных одноклассниц, прикидывая, которая из них может стать ему женой.

Будущие дети, таким образом, уже заглядывали в ее жизнь, обещая пополнить ее семью, как пополнили ее приемный Шурик и невидимая Муся. Эти принятые в дом люди и были ее религией, и Медея отлично это понимала.

К полуночи гости разошлись, стол опустел, а Федор все не снимал руки с Медеиного плеча.

— Ну что, сестра, — заговорил он по-гречески. — Нравится тебе мой дом?

— Очень, Федор, очень, — склонила она голову.

Леночка убирала посуду. Галю она давно отправила спать. Медея хотела помочь, но Федор удержал ее:

— Сиди, она сама все сделает. Как тебе мой младший? Узнала нашу кровь?

Спросил по-гречески, и эта самая их общая кровь, разведенная в мальчике с чьей-то чужой, ударила Медее в лицо, и она еще ниже склонила голову:

— Узнала. И палец...

— Все узнали, а она, святая дура, как ты, ничего не видит, — сказал он неожиданно зло и горько.

Медея встала и, чтобы прервать разговор, ответила ему по-русски:

— Поздно, брат. Спокойной ночи. И тебе спокойной ночи, Леночка.

Она долго лежала без сна в тугом крахмальном белье, на сдобных подушках и соединяла давние слова, мимолетные взгляды, умолчания и, соединив все воедино, поняла, что секрет Сандрочкиного последнего ребенка ни для кого, кроме нее, не был секретом и, судя по всему, знала даже Леночка, но, при всей своей болтливости, пощадила Медею. Но была ли Леночка столь же простодушна, знала ли, что принимает в дом полубрата к своим детям?

«Мудрая Леночка, великая Леночка, — думала Медея, — она об этом и знать не хочет...»

Неожиданное открытие, которое могло бы сделать подруг еще ближе, заговори они об этом, не давало Медее уснуть.

За окном посветлело, запели птицы, и Медея стала тихо собираться в церковь. Вербное воскресенье она с детства очень любила.

К церкви на Госпитальной улице она подошла рано, за час до начала службы, даже двери были закрыты. Зато рынок уже шумел, и она прошла вдоль рядов, рассеянно поглядывая по сторонам.

Женщин почти не было среди продавцов — торговали узбеки в толстых халатах. Зато покупатели все были женщины, главным образом русские. Ташкент вообще показался Медее сплошь русским городом, узбеков она видела только на вокзале в день приезда да на базаре. Живя в русском центре, она так и не добралась до старого города, с его азиатским устройством, хорошо знакомым ей по старому татарскому Крыму, особенно по Бахчисараю.

«Всех перемолотили, — подумала она. — Огромная русская провинция стала».

Она сделала круг по базару и снова подошла к церкви. Было уже открыто. У церковного ящика копошилась похожая на толстого кролика старушка в белом платке, на ящике стоял стакан, а в нем несколько веточек воробьино-серой вербы.

— Ага, и здесь растет, — обрадовалась Медея.

Взяв две четвертушки бумаги и написав на одной «Об упокоении», она стала

420

вписывать в привычном порядке имена — о. Дионисий, о. Варфоломей, Харлампий, Антонида, Георгий, Магдалина... Другую, живую часть семьи, она выписывала на другой бумажке, под словами «О здравии...»

На этом самом месте, выписывая крупными идеальными буквами родные имена, она всегда переживала одно и то же состояние: как будто она плывет по реке, а впереди нее, разлетающимся треугольником, ее братья и сестры, их молодые и маленькие дети, а позади, таким же веером, но гораздо более длинным, исчезающим в легкой ряби воды, ее умершие родители, деды — словом, все предки, имена которых она знала, и те, чьи имена рассеялись в ушедшем времени. И ей нисколько не трудно было держать в себе всю эту тьму народа, живого и мертвого, и каждое имя она писала со вниманием, вызывая в памяти лицо, облик, если так можно выразиться, вкус этого человека...

За этим неторопливым занятием застала ее Леночка. Она коснулась ее плеча.

Поцеловались. Леночка огляделась по сторонам: церковный народ был жалок, старухи так уродливы.

Сквозь сладкий запах ладана явственно пробивался запах грязной, изношенной одежды, старых, нездоровых тел. От стоявшей рядом старухи несло кошками...

«Неужели и в Тифлисе, в маленькой армянской церкви в Солулаки, куда поднимались по ступенчатой улице, такое же оскудение и убожество? — думала Леночка. — Как красиво и торжественно было во времена детства, когда бабушка в лиловой бархатной шапочке с шелковыми завязками под мягким подбородком, нарядная, в светлом платье мама и сестра Анаит стояли впереди церковного народа, напротив единственной на беленой стене иконы Рипсимэ и Гаянэ, и пахло воском, ладаном, цветами...»

Раздался возглас: «Благословенно Царство...» Началась служба.

Леночка смотрела на Медею, которая стояла твердо, закрыв глаза и опустив голову, — она владела искусством долгого стояния не меняя позы, не переминаясь с ноги на ногу.

«Стоит как скала посреди моря», — с нежностью подумала о ней Леночка и вдруг полила слезы о Медеиной судьбе, о горечи ее одиночества, о проклятии бездетности, о преступлении обмана и измены... Но Медея ни о чем таком не думала. Три дребезжащих старушечьих голоса пели «В Заповеди Блаженств». И новые слезы вдруг накатили на Леночку, уже не о Медее, а обо всей жизни. Это было острое переживание, в котором сливалось удесятеренное чувство потерянной родины, живой близости погибших родителей и убитого на войне сына, и это было счастливое мгновение полной потери памяти о себе, минутного наполнения сердца не своим, суетным, а Божьим, светлым, и от переполнения сердце ломило так сильно, что она сказала про себя: «Господи, забери меня, как Сепфору, вот я!»

Но ничего такого не произошло, она не упала замертво. Напротив, минута острого счастья прошла, и оказалось, что служба уже на половине. Священник неразборчиво шелестел словами, которые она с детства знала наизусть.

Леночке вдруг стало скучно, она почувствовала тяжесть в ногах и душевную усталость. Хотелось уйти, но было неловко перед Медеей.

Священник вышел с чашей — «Со страхом Божиим и верою приступите», но никто не приступил, и он ушел в алтарь.

Едва дождавшись, когда Медея приложится к кресту, вышла Леночка из храма. Они поздравили друг друга с праздником и поцеловались торжественно и холодновато.

Ни слова, ни одного слова не сказала Медея о своей горькой обиде, и до самой смерти они будут писать друг другу нежные письма, в которых будут сны, воспоминания, беглые мысли, сообщения о рождении новых детей и новые рецепты варений...

Через три дня Медея уехала. Федор пытался уговорить сестру остаться, но, увидев в ее глазах тихую непреклонность, купил ей билет на самолет и в страстную среду отвез ее на аэродром.

Медея первый раз в жизни летела самолетом, но оказалась совершенно равнодушна к этому событию. Ей хотелось скорее домой. Леночка, чувствуя ее нетерпение, даже немного обиделась. Письмо, лежащее теперь на дне Медеиного рюкзака, совершенно перестало ее беспокоить. Самолет сделал посадку в Москве, восемь часов Медея провела во Внуковском аэропорту, ожидая рейса на Симферополь. Сандрочке она не позвонила. Никогда.

13.

Пятого мая у Медеи произошла частичная пересменка: утром уехали Ника с Катей и Артемом, а после обеда приехали литовцы, сын Медеиного брата Димитрия, умершего три года тому назад от запущенной сердечной болезни, — Гвидас с женой Алдоной и больным мальчиком Виталисом.

Парализованный малыш был постоянно завязан в мучительную судорогу, коряво двигался и еле говорил.

Гвидас с Алдоной, придавленные болезнью сына, навсегда застыли перед неразрешимым мучительным вопросом: за что?

Они приезжали сюда каждый год ранней весной, жили у Медеи недели две до начала купального сезона, потом Гвидас перевозил их в Судак, снимал удобную квартиру у моря, в бывшей немецкой колонии, у Медеиной приятельницы тети Поли, и уезжал. Снова он появлялся в середине июля, чтобы увезти их от жары в прохладную Прибалтику.

Виталис страстно любил море и чувствовал себя счастливым только в воде. И еще он любил Лизу и Алика, они были единственными детьми, с которыми он общался. Трудно было сказать, вспоминал ли он их в зимние месяцы, но первая встреча с ними после разлуки была для него праздником.

Старшие готовили детей к приезду Виталиса, и дети были заряжены добрыми намерениями. Лиза выделила из своего собачье-медвежьего парка лучшее животное для подарка. Алик построил в куче песка дворец, предназначенный Виталису на слом, —

это была такая игра: Алик строил, Виталис ломал, и оба радовались.

Маша перебралась в Самонину комнату, освободила для литовцев Синюю, побольше.

Сама Маша находилась с утра в состоянии хаотического вдохновения: слова, строчки одолевали ее, и она едва успевала закрепить их в памяти. Постепенно образовалось: «Прими и то, что свыше меры, как благодать на благодать, как дождь, как снег, как тайну веры, как все, с чем нам не совладать...» На том дело и кончилось.

Одновременно и совершенно независимо Маша утешала Лизу, которая крепилась-крепилась, но все-таки вскоре после отъезда матери расплакалась, потом накормила детей, уложила их спать и, бросив грязную посуду, легла в зашторенную Самонину комнату, собравшись в круглый комочек и повторяя мысленно весь вчерашний вечер — и золотую кофту барменши, и движение, которым Бутонов крутил телефонный диск.

Вспомнила также, как отозвалось ее тело на его первое случайное прикосновение еще тогда, в походе, когда прожгло ей руку и залихорадило.

«Вот точка судьбы, опять точка судьбы, — думала она. — Первая — когда родители утром выехали на Можайское шоссе, в семь лет; вторая — когда Алик подошел на студии, в шестнадцать, и теперь, в двадцать пять. Перемена жизни. Перелом судьбы. Давно ждала его, предчувствовала. Милый Алик, единственный из всех, кто мог бы понять. Бедный Алик, у него, как ни у кого, есть это понимание судьбы, чувство судьбы... Ничего не могу поделать. Неотменимо. Ничем не могу помочь...»

Ей тоже никто не мог помочь: чувство судьбы-то у нее было, но опыта адюльтера не было.

«..Любовь то гостьей, то хозяйкой, то конокрадом, то конем, то в час полуденный прохладой, то в час полуночный — огнем...» — И заснула.

Вечером состоялись обыкновенные посиделки. На месте Ники и ее гитары восседали Гвидас-Громила в рыжих усах и его жена Алдона с мужским лицом и женственной, в парикмахерских локонах, прической.

Рядом с Георгием — Нора, разговор тугой, в паузах. Не хватало Ники, одно присутствие которой делало любое общение гладким и непринужденным. Медея была довольна: Гвидас, как обычно, привез литовских гостинцев, а кроме того, вручил Медее приличную сумму денег на ремонт дома.

Теперь они с Георгием обсуждали подводку воды. В Нижнем Поселке водопровод был, а к Верхнему его так и не подвели, хотя много лет обещали. Домов здесь было немного, все пользовались привозной водой, которую хранили либо в старых наливных колодцах, либо в цистернах. Георгий не был уверен в насосной станции — дойдет ли вода доверху.

Алдона часто выходила из кухни — послушать под дверью Синей комнаты, спит ли Виталис. Обычно он несколько раз в ночь с криком просыпался, но теперь, после тяжелого пути, спал хорошо.

Маша не принимала участия в разговоре. Шел одиннадцатый час, она еще не потеряла надежды, что зайдет Бутонов. Увидев, что Нора встала, она обрадовалась:

— Я тебя провожу?

Георгий замолк на полуслове, потом спохватился:

— Да я провожу, Маш.

— Я все равно хочу пройтись, — поднялась Маша.

К дому Кравчуков шли молча, гуськом. У задней калитки остановились. В Норином домике было темно и тихо, Таня спала, и Нора пожалела, что рано ушла. Георгий собирался ей что-то сказать, но точно не знал что, да и Маша мешала.

Маша разглядывала кравчуковский доходный дом с сараями, пристройками и террасами, но свет различила только у хозяев.

— Я к тете Аде зайду...

Маша постучала в хозяйскую дверь, вошла. Ада в позе мадам Рекамье с вываливающимися розовыми грудями полулежала у телевизора.

— Ой, Маш, ты, что ли? Заходи. Тебя что-то не видно. Ника заходила, а ты гордая... Ой, а тощая какая! — неодобрительно заметила Ада.

— Да я всегда такая, сорок восемь килограммов...

— ...костей, — фыркнула Ада.

Маша договорилась насчет комнаты для своей московской подруги — с первого июня — и спросила, не сможет ли Михаил Степанович встретить ее в Симферополе.

— Откуда же мне знать? У него график. Спроси сама. Он в сарае с постояльцем что-то разбирается... Уж спать пора, а они там...

Как все местные, Ада ложилась спозаранку. Маша подошла к сараю. Дверь была приоткрыта, лампа на длинном шнуре, подвешенная к гвоздю на стене, описывала световой овал, в котором склонились две головы — Михаила Степановича и Бутонова.

— Ну, чего тебе? — не оборачиваясь, спросил Михаил.

— Дядя Миша, я насчет машины спросить...

— А, ты... — удивился он. — Я думал, Ада...

Бутонов смотрел на нее из света в темноту, и Маша не поняла, узнал ли он ее. Она вышла на свет, улыбнулась.

Рот его был плотно сжат, две пряди, не ущемленные резинкой, висели, и он отвел их тыльной стороной лоснящейся черным маслом руки. Глаза его ничего не говорили.

Маша испугалась: он ли это? Не приснился ли ей вчерашний лунный ожог?

Она забыла, зачем пришла. Впрочем, знала зачем — увидеть его, коснуться и получить доказательства того, что по своей природе не может иметь ни доказательств, ни опровержений, — свершившегося факта.

— Какая тебе машина? — спросил Михаил Степанович, и Маша очухалась.

— Подругу встретить из Симферополя.

— Когда?

— Первого июня. Она у вас будет жить, в горнице.

— Тю-у! — прогудел Михаил Степанович. — До первого дожить надо. Ближе к делу приходи.

Маша медлила, все ожидая, не скажет ли чего Бутонов или хоть посмотрит в ее сторону. Но он щурился на металл, поводил обтянутыми майкой плечами, головы не поднимал, но усмехнулся про себя: загорелась кошкина задница!

— Ладно, — шепнула Маша и, выйдя, прислонилась к стене сарая.

— Мотор-то в полном порядке, Степаныч, — услышала она голос Бутонова.

— А я тебе что говорю, — отозвался он. — Электрика барахлит, я так думаю.

«Он меня не узнал? Или не захотел узнать?» — мучилась Маша, не согласная ни на то, ни на другое. Ничего третьего в голову не приходило. Была темнота, вчерашняя шальная луна освещала другие холмы и пригорки, другие любовники резвились в ее театральном свете, в застывшей магниевой вспышке.

Еле сдерживая слезы, она шла к дому не по короткой тропе, а через Пупок, чтобы убедиться хотя бы в реальности самого этого места, где вчера все произошло... И что это было? И может ли так быть, чтобы для одного человека это значило перемену судьбы, пропасть, разъятие небес, а другой просто вообще не заметил происшедшего...

На самой середине Пупка она села, скрестив ноги по-турецки. Левая рука ее уперлась в землю, а правая — в ее собственный носовой клетчатый платок, пролежавший здесь сутки и своей крахмальной скрюченностью как раз и являющий доказательство того, что вчерашнее событие действительно имело место. Она наконец заплакала, а поплакав немного, по многолетней привычке переводить все свои мысли и чувства в более или менее короткие рифмованные строчки, забормотала:

«Все отменю, что можно отменить, — себя, тебя, беспечность и заботу, трудов любовных пьяную охоту и беспробудность трезвого житья...»

Получилось не совсем то, но каким-то боком... «Все отменю, что можно отменить, забывчивость, беспамятство и память...»

Ничего не прояснилось, но стало немного легче. Сунув платок в карман, пошла в дом. Все давно спали. Она вошла в детскую, всю в слабых шевелящихся потоках света и тени — от полосатых занавесок. Дети спали. Алик спросил раздельно, не просыпаясь:

— Маша? — И забормотал что-то невнятное.

Маша легла в Самониной комнате, рядом, — не вымыв ног, не зажигая света. Спать не могла, строки не складывались.

Пожалев, что Ника уехала и не с кем разделить свои новые переживания. Маша зажгла настольную лампу и взяла из стопы книг самую растрепанную — это был утешительный Диккенс.

Вскоре она услышала легкий стук в окно. Отодвинула темную штору — маленькое окно загораживал Бутонов:

— Дверь откроешь или окно?

— Ты в окно не пролезешь, — ответила Маша.

— Голова проходит, а уж остальное как-нибудь, — ответил Бутонов вроде бы недовольным голосом.

Маша щелкнула задвижкой:

— Погоди, я стол отодвину.

Бутонов влез. Он был хмур, слов никаких не произнес, и она только слабо ойкнула, когда он обеими руками прижал ее к себе.

На ощупь она была точно как Розка. Машины небеса опять разъялись, и ворота в них оказались совсем не в том месте, где она трудолюбиво и сознательно их искала, листая то Паскаля, то Бердяева, то пропахшую корицей восточную мудрость.

Теперь Маша легко, без малейшего усилия, попала туда, где время отсутствовало, а было лишь неземное пространство, высокогорное, сияющее острым светом, с движением, освобожденным от всякой обязательности физических законов, с полетом, плаванием и полным забвением всего, что оставалось за пределом единственной реальности внешней и внутренней поверхности растворившегося от счастья тела.

Она медленно скользила вниз с последнего горного пика, зажав губами щепоть кожи его предплечья, когда услышала простодушно-плебейский вопрос:

— А закурить у тебя не найдется?

— Найдется, — ответила она, приземляясь хрупкой ступней на дощатый пол.

Она пошарила ногой — пачка сигарет лежала где-то на полу. Нащупала ногой пачку, дотянулась рукой, раскурила и передала ему сигарету.

— Вообще-то я не курю, — сообщил он как нечто о себе интимное.

— Я не думала, что ты придешь. Ты даже на меня не посмотрел, — ответила она, раскуривая вторую.

— Я разозлился, зачем ты туда притащилась, терпеть не могу, — просто объяснил он. — Спать хочется. Я пойду.

Он встал, натянул одежду, она отодвинула штору. Светало.

— В дверь выпустишь или в окно лезть? — спросил он.

— В окно, — засмеялась Маша. — Так будет ближе.

...Забавы Виталиса были самые младенческие: бросал оземь все, что ни попадало в руки, так что Алдона всегда держала для него эмалированную посуду, не стеклянную. Он ломал с удовольствием игрушки, рвал книжки и тоненько смеялся при этом. Иногда на него нападали приступы агрессивности, он махал сведенными кулачками и зло кричал.

Мальчик этот внес своим рождением много раздоров в жизнь окружающих. Гвидас был в глубокой ссоре со своей матерью Аушрой, которая и вообще-то была против его ранней женитьбы на много старшей Алдоне, еще и с ребенком от первого брака, и Гвидас по настоянию матери долго медлил с женитьбой. Но женился он сразу же, как только Алдона с неизлечимо больным ребенком — а это было определено с первой минуты — вышла из роддома. Аушра малыша даже и не видела.

Донатас, старший сын Алдоны, два года терпел сомнительные преимущества здорового ребенка перед больным, от тайной ревности перешел постепенно к открытой неприязни к брату, которого иначе как «краб проклятый» не называл, и перебрался к отцу. Через некоторое время, не прижившись в новой семье отца, он переехал к бабушке по отцовской линии в Каунас.

Бедная Алдона и это должна была снести. В неделю раз, в воскресенье, заранее собрав сумки с продуктами и игрушками, первым поездом она уезжала в Каунас и последним — возвращалась. Бывшая свекровь, имевшая много собственного горя — литовско-хуторского, ссыльного, вдовьего, молча принимала продукты. Пряча радостный или жадный блеск глаз, красивый, широкоплечий Донатас брал из рук матери дорогие игрушки, показывал свои аккуратные тетради, полные скучных четверок пополам с тройками, она занималась с ним математикой и литовским, а потом он провожал ее до калитки — дальше бабушка не пускала.

С тяжелым чувством Алдона уезжала из Вильнюса, оставив малыша с Гвидасом, с тяжелым сердцем уезжала из Каунаса, а самым горьким было чувство собственной инструментальности: всем нужны были ее заботы и труды, ее старание, никому — ее любовь и она сама. Для младшего она продолжала оставаться питающей и согревающей утробой, старший, казалось, только ради подарков ее и терпел.

Гвидас, женившийся на ней после большой любовной неудачи, здесь, на крымской земле, случившейся, относился к ней ровно, гладко, без внутреннего интереса.

— Слишком уж по-литовски, — сказала она ему в редкую минуту раздражения.

— А как иначе, Алдона? Иначе нам не выжить. Только по-литовски и возможно, — подтвердил он, и она, коренная литовка с прожилкой тевтонской крови, вдруг ожглась необычным чувством: «Быть бы мне грузинкой, или армянкой, или хоть еврейкой!»

Но ей не было даровано ни счастливое облегчающее рыдание, ни заламывание рук, ни освобождающая молитва — только терпение, каменное крестьянское терпение. Она и была агрономом, до рождения Виталиса заведовала тепличным хозяйством. В первый год жизни ребенка, лишенная привычного зеленого утешения, она жестоко маялась, старательно училась быть матерью безнадежного инвалида, не спускала с рук свою косенькую крошку, издающую слабый скрежет, совершенно нечеловеческий звук, когда она опускала его в кроватку.

На второй год, ранней весной, она заделала картонные стаканчики, пустила рассаду, разбила под окном огород. Она погружала пальцы в землю, и все то злое электричество, которое вырабатывалось от сверхсильного терпения и напряжения, стекало в рыхлую буро-песчаную грядку, утыканную стрелами лука и розеточной листвой редиса. Горькие овощи особенно хорошо родились на ее грядках...

Тогда они уже переехали в недостроенный дом в пригороде Вильнюса. Высокий забор Гвидас поставил еще до начала стройки: соседские глаза, нацеленные на маленького калеку, были непереносимы.

В строительство Гвидас вложил всю свою страсть, дом удался красивым, и жизнь в нем стала немного полегче — Виталис в этом доме встал на ноги. Нельзя сказать, что он научился ходить. Скорее, он стал передвигаться и вставать из сидячего положения.

Изменения к лучшему происходили также у мальчика после жизни на море, и Гвидас с Алдоной после окончания строительства не отменили ежегодного паломничества в Крым, хотя трудно было бросать дом ради глупого дела отдыха.

Десятки маленьких детей прошли через руки Медеи, включая и Димитрия, покойного деда маленького уродца. Ее рукам было знакомо изменчивое ощущение веса детского тела, от восьмифунтового новорожденного, когда ворох конвертика, одеяла и пеленок превышает само содержимое, до упитанного годовичка, не научившегося еще ходить и оттягивающего за день руки, как многопудовый мешок. Потом маленький толстяк подрастал, обучался ходить и бегать и через три года, при-

бавив несколько незначительных килограммов, бросался с бегу на шею и снова
казался пух-пером.

А в десять лет, когда ребенок тяжело заболевал и лежал в жару, в пятнистом беспа-
мятстве, он снова оказывался неподъемно
тяжелым, когда надо было его переложить
на другую кровать...

Еще одно маленькое открытие сделала
Медея, ухаживая за чужими детьми: до четырех лет все они были занятными, смыш-
леными, остро сообразительными, а с четырех до семи происходило что-то неуло-
вимо важное, и в последнее предшкольное
лето, когда родители непременно привози-
ли будущего школьника в Крым, как будто
Медее для отчета, одни оказывались несомненно и навсегда умницами, другие — глу-
поватыми.

Из Сандрочкиных детей в умники Медея определила Сережу и Нику, Маша оставалась под вопросом, а из Леночкиных ум-
ницей, к тому же и обаятельным, был по-

гибший на фронте Александр. Ни Георгий, ни Наташа, по мнению Медеи, этим качеством не обладали. Впрочем, доброту и хороший характер Медея ценила не меньше. Было у Медеи высказывание, которое постоянно цитировала Ника: «Ум покрывает любой недостаток...»

В этот самый сезон сердце Медеи было особенно обращено к Виталису. Он был самым младшим среди Синопли — сын Шурика-приемыша собирался появиться на свет спустя две недели в виде Афанасия Синопли и пока не считался.

По вечерам Медея часто держала Виталиса на руках, прижимая спинкой к свой груди и поглаживая маленькую головенку и вялую шейку. Он любил, когда его гладили, — прикосновения, вероятно, отчасти заменяли ему словесное общение.

«Отпущу их в Ялту на субботу и воскресенье, — решила про себя Медея. — Пусть Алдона погуляет в Ботаническом саду, а переночевать могут у Кастелло».

Был у Медеи старинный приятель Кастелло, который уж лет двадцать вел в Никитском ботаническом саду какое-то нескончаемое строительство. Еще Медее хотелось бы, чтобы Алдона, отпустив сама себя от вечного материнского рабства, села бы поздно вечером с ней, выпила бы припасенной Медеей рябиновки или яблочной водки и вздохнула бы: «Ох, устала до смерти...» И пожаловалась, и, может быть, заплакала бы, и тогда Медея, приложившись несколько раз в молчании к толстостенной стопочке, дала бы ей понять, что страдания и бедствия для того и даются, чтобы вопрос «за что?» превратился в вопрос «для чего?», и тогда заканчиваются бесплодные попытки найти виновного, оправдать себя, получить доказательства собственной невиновности и рушится выдуманный жестокими и немилосердными людьми закон соизмеримости греха с тяжестью наказания, потому что нет у Бога таких наказаний, которые обрушиваются на невинных младенцев.

И может быть, Медея рассказала бы ей тихими и незначительными словами о разных событиях жизни, которые происходят не от несправедливости, а от самой природы жизни, вспомнила бы погибшего на фронте самого удачного из Леночкиных детей — Александра, и утонувшего Павлика, и маленькую новорожденную девочку, которая ушла вместе с ее матерью, и, возможно, у Алдоны через какое-то время все изменилось бы само собой, просто от течения времени в нужном направлении и от привычки, тугой, как мозоль...

Но Медея никогда не начинала разговора первой, ей нужно было приглашение, подача и, разумеется, внимательная готовность слушать.

...Через несколько дней, после дневного сна, разбивавшего детский день на две неравные половины, прогулочная бригада из трех матерей — Маши, Норы и Алдоны — и четырех детей, совершая мелкие колебательные движения относительно курса, добрались до больнички. Виталиса обычно возили на прогулочной коляске, спиной к дороге и лицом к матери. На этот раз коляску толкали Лиза с Аликом. Медея, увидев их из окошка, вышла на крыльцо.

Лиза, присев на корточки перед Виталисом, разжимала его пальчики, приговаривая:

— Сорока-воровка кашу варила, сорока-воровка деток кормила... — И, слегка тряся его за мизинец, пищала: — А этому не дала!

Он пронзительно кричал, и непонятно было, плачет он или смеется.

— Радуется, — со всегдашней неловкой улыбкой объяснила Алдона.

Медея посмотрела в сторону детей, поправила скрученную вокруг головы шаль, еще раз посмотрела на Лизу и сказала Алдоне:

— Прекрасно, Алдона, что Виталиса привозите. Лизочка у нас капризная, избалованная, а так хорошо она с ним играет.

Пусть побольше с ним будет, для всех полезно. — Медея вздохнула и сказала не то со старой печалью, не то с жалостью: — Вот ведь беда какая: все хотят любить красивых и сильных... Ступайте домой, девочки, я скоро приду...

Двинулись в сторону дома. Маша вырвала толстую зеленую травинку со сладким стеблем, пожевала. Что имела в виду Медея, говоря о красивых и сильных? Не намек ли на ее ночного гостя... Нет, на Медею не похоже, она не намекает. Либо говорит, либо молчит...

Бутонов приходил к Маше каждую ночь, стучал в окно, втискивал в его узкий проем поочередно свои атлетические плечи, заполнял собой весь объем небольшой комнаты, все Машино тело вместе с душой и уходил на рассвете, оставляя ее каждый раз в остром ощущении новизны всего существа и обновления жизни... Она засыпала сильным коротким сном, в котором все продолжалось его присутствие, просыпалась часа через два и вставала в призрачном состоянии безграничной силы и столь же безграничной слабости. Поднимала детей, варила, стирала, все делалось само собой и легко, только стеклянные стаканы бились чаще, чем обычно, да фальшивые серебряные ложки падали беззвучно на земляной пол кухни.

Незаконченные строчки появлялись в пузыристом пространстве, поворачивались боком и уплывали, мелькнув неровным хвостом...

Бутонов же не говорил никаких слов, кроме самых простых: «Поди сюда... подвинься... подожди... дай закурить...»

Он даже ни разу не сказал, что придет завтра. В один из вечеров он пришел к Медее на кухню. Пил чай, разговаривал с Георгием, который со дня на день откладывал отъезд, но наконец собрался. Маша искала бутоновского взгляда из темного угла кухни, но воздух неподвижно лежал вокруг его любимого лица, вокруг неподвижных плеч, и никаких знаков близости от него не исходило. Маша пришла в отчаяние: он ли тот самый, кто приходит к ней по ночам? Всплывала мысль о ночном двойнике...

Простившись с Георгием и не сказав ей даже самого незначащего слова, он ушел, но опять пришел ночью, тайно, и все было как прежде, только в минуту, когда они отдыхали на берегу обмелевшей страсти, он сказал:

— Моя первая настоящая любовница была на тебя похожа... Наездница она была...

Маша попросила рассказать про наездницу. Он улыбнулся:

— Да чего рассказывать? Хорошая была наездница. Худая, кривоногая. До нее я думал: до чего же скучное занятие — детишек делать! Она исчезла. Хотя я думаю, что ее муж убил.

— Она была красивая? — почти с благоговением спросила Маша.

— Конечно, красивая. — Он положил ладонь на ее лицо, потрогал скулы, узкий книзу подбородок. — У меня, Машка, все женщины красивые. Кроме жены.

Когда он ушел, она еще долго представляла себе то наездницу, то жену, то себя — наездницей...

Прошли три огромные, как три жизни, ночи и три призрачных дня, а на четвертый день Бутонов зашел в неурочное время, когда Алдона мыла на кухне послеобеденную посуду, а Маша развешивала у колодца детское белье. Он спустился вниз, молча сел на плоский камень.

— Что? — испугалась Маша и бросила обратно в таз отжатую пижаму.

— Я уезжаю, Маша. Пришел попрощаться, — сказал он спокойно.

Она ужаснулась:

— Навсегда?

Он засмеялся.

— Ты больше никогда ко мне не придешь?

— Ну, может, ты ко мне как-нибудь заедешь? В Расторгуево, а? — Он медленно поднялся, отряхнул белые штаны, поцеловал ее в сжатый рот. — Ты что, расстроилась?

Она молчала. Взглянув на часы, он сказал:

— Ладно, пошли. Пятнадцать минут у меня есть.

Впервые при свете дня они вошли в Самонину комнату, удачно миновав Алдону, пристально теревшую тарелки, и через пятнадцать минут он действительно ушел.

«Как уходят боги... Как будто его никогда и не было... — думала Маша, обнимая полосатый половик, проехавший вместе с ней через всю комнату. — Хоть бы скорее Алик приехал...»

Теперь, когда все кончилось так же внезапно, как началось, и у нее осталась только тонкая пачечка грубых серых полулистов, исписанных марающей шариковой ручкой, ей хотелось скорее почитать Алику свои новые стихи и именно ему рассказать обо всем, что на нее обрушилось.

Алик в это время уже подъезжал к Судаку, а Бутонов, ему навстречу, на старом «Москвиче» Михаила Степановича ехал в Симферополь, чтобы тем же самолетом, которым прилетел Алик, лететь вечером в Москву.

Медея возвращалась с работы и первой увидела идущего от Нижнего Поселка Алика — в синем солнцезащитном козырьке и темных очках на городском незагорелом лице. Немного погодя Алика увидела и Маша, гуляющая с детьми в травяных зарослях Пупка.

С криками: «Алька! Алька! Папа приехал!» — понеслись они вниз по дороге. Он остановился, сбросил с плеч небольшой, туго набитый рюкзак и раскинул руки для общего объятия. Маша подбежала первой, обхватила его за шею с самой искренней радостью. Лиза с Аликом прыгали с восторженными воплями.

К тому моменту, когда Медея поравнялась с ними, рюкзак был наполовину разворочен. Маша распечатала одно из привезенных для нее писем, Лиза прижимала к себе пакет с тянучками и белесую куколку размером с мышь, подарок Ники, а маленький Алик расковыривал коробку с новой игрой. Старший Алик пытался запихнуть в рюкзак все то, что из него было вытащено.

Алик расцеловался с Медеей и тут же сунул ей картонную коробку, его обычное профессиональное подношение:

— Примите от нашего Красного Креста вашему Красному Кресту.

Там были кое-какие дефицитные лекарства, пара колодок пластыря и обычные резиновые перчатки, которых в прошлом году в Судаке было не достать.

— Спасибо, Алик. Рада, что вы приехали.

— Ох, Медея Георгиевна, я вам такую книжку привез, — перебил он ее, — сюрприз! Как вы отлично выглядите! — Он положил руку на макушку сыну: — Алька, а ты вырос на целую голову... — Он сложил пальцы щепоткой: — Комариную...

Маша от нетерпения переминалась с ноги на ногу, подскакивала:

— Ну пошли же скорее, Алик, наконец-то!

Медея прошла вперед. «Удивительное дело. Маша действительно рада приезду мужа, не смущена, не выглядит виноватой. Неужели для них супружеская верность ничего не значит? Как будто не приходит к ней каждую ночь этот спортсмен... А я, старая кочерга... — улыбнулась про себя Медея, — ну что мне за дело? Просто мне Алик нравится. Он на Самуила похож — не чертами лица, а быстротой темных глаз, и живостью, и такое же беззлобное остроумие... У меня, видимо, склонность к евреям, как бывает склонность в простудам или запорам. Особенно к этому типу кузнечиков, худых, подвижных... Но все-таки интересно, как Маша теперь будет выбираться из своего романа?»

Медея не знала, что Бутонов уже уехал, и с огорчением думала, что опять ей придется видеть чужие ночные дела, свидания, обманы...

«Как хорошо, что сама я была совершенно слепа к этой стихии, когда это касалось меня. И тридцать лет уже прошло, слава богу, с того лета... Там, в Заповедях Блаженств, забыли все-таки сказать: блаженны идиоты...»

Медея оглянулась: Алик тащил на спине Лизочку, в руке рюкзак и улыбался белыми зубами. На идиота он похож не был.

14.

Алик-муж, в отличие от Алика-сына, назывался Алик Большой. Большим он не был. Они были одного роста, муж и жена, и если принять во внимание, что Маша в своей семье была самой мелкой, рост Алика никак не относился к числу его достоинств.

Одежду он покупал себе в «Детском мире», и за тридцать лет у него ни разу не завелось приличной пары обуви, потому что на его ногу продавали только топорно-тупорылые мальчиковые ботиночки.

Однако при всей его миниатюрности он был хорошо сложен и красив лицом. Принадлежал к той породе еврейских мальчиков раннего включения, которые усваивают грамоту из воздуха и изумляют родителей беглым чтением как раз в то время, когда те подумывают, не показать ли ребенку буквы.

В семь лет он читал неотрывно тяжеленные тома «Всемирной истории», в десять увлекся астрономией, потом математикой. Он уже нацелился на высокую науку, ходил в математический кружок при мехмате, и мозги его крутились с такими высокими оборотами, что руководитель кружка только кряхтел, предвидя, как трудно будет юному дарованию пробить процентную норму Государственного университета.

Неожиданная смерть любимого отца, последовавшая от нелепой цепи медицинских случайностей, в течение нескольких дней развернула Алика на другую дорогу. Отец прошел войну, был трижды ранен и умер от скверно сделанной аппендэктомии. Пока отец умирал от перитонита, Алик по-

путно узнавал кое-что о страдании и со-
страдании — вещах, не входящих в программу вундеркиндов.

После быстрых похорон отца с военным оркестром и воплями обезумевшей
матери под гнилым декабрьским дождиком
бывшие однополчане и теперешние сослу-
живцы от болотистой слякоти Востряков-
ского кладбища вернулись в их большую
комнату на Мясницкой, выпили там ящик
водки и разошлись. В тот же вечер впечат-
лительный Алик сменил веру, отказавшись
от честолюбивых замыслов и от придуман-
ной для себя биографии — гибрида двух его
любимых героев, Эвариста Галуа и Рене Де-
карта — в пользу медицины.

С этого дня его недреманная голова
начала всасывать дисциплины, по которым
предстояло экзаменоваться: физику, после
математической прививки показавшуюся
ему наукой эклектической и нестрогой, и
биологию, которая страшно его обескура-
жила слабостью общей теоретической базы,

а также многоуровневостью процессов и отсутствием единого языка.

К счастью, он купил в букинистическом магазине возле дома выпущенный в тридцатых годах практикум по генетике Томаса Моргана и заметил для себя, что генетика, в то время проклинаемая и распинаемая вместе с ее носителями, и есть единственная область биологии, в которой можно внятно поставить вопрос и получить недвусмысленный ответ.

Поскольку медаль он получил не золотую, а всего лишь серебряную, поступление в институт представляло собой сражение с пятиглавым драконом. Единственная пятерка, добытая без боя, была за сочинение — Александр Сергеевич протянул ему дружественную руку. Тема «Ранняя лирика Пушкина» казалась Алику личным подарком небес.

Остальные экзамены он сдавал комиссии, по апелляциям, поскольку точно знал, что меньше пятерки ему получать нельзя, а преподаватели так же точно знали, кому их нельзя ставить.

Первую же четверку, по математике, он опротестовал. Членами комиссии были мехматовские наемники, поскольку своей кафедры математики в мединституте не было. Неглупые аспиранты быстро поняли, что мальчик очень сильный. К тому же он проявил необыкновенную выдержку, отвечал четыре часа, и когда наконец ему был задан вопрос, на который он не смог ответить, он засмеялся и сказал комиссии, состоявшей из пяти человек:

— Вопрос поставлен некорректно, но все-таки я прошу обратить ваше внимание на то, что ни один из заданных мне вопросов не входит в школьную программу. — Он понимал, что терять ему нечего, и пошел ва-банк: — Я чувствую, что следующим вопросом будет теорема Ферма.

Экзаменаторы переглянулись, и один спросил:

— А вы можете ее сформулировать?

Алик написал простое уравнение, вздохнул:

— При «п» больше двух не имеет целых положительных решений, но доказать это в общем виде я не берусь...

Председатель предметной комиссии с чувством глубокого отвращения к мальчишке, к себе самому и к ситуации, в которую все они попали, поставил в ведомость пятерку.

Итоги химии и биологии были те же, но без такого убедительного эффекта. За английский он получил четверку, но это был последний экзамен, было ясно, что он набрал проходной балл, и на апелляцию он не подал. Устал.

История его поступления стала институтской легендой, и все это напоминало историю Золушки. Его школьные годы были отравлены полной физической несостоятельностью: он был самым маленьким в классе — кстати, и по возрасту тоже. Его интеллектуальные достоинства, если и замечались, никак не избавляли его от унижений физкультурой. Да и вообще его детство просто ломилось от унижений: сопровождающая его домработница, завязывающая ему под подбородком цигейковые уши девчачьей шапки; страх перед обратной дорогой, когда он сам же настоял, чтобы домработница его больше не провожала; большая перемена как большая неприятность, невозможность зайти в школьную уборную. Когда его припекало, он шел к врачу, жаловался на головную боль, получал освобождение от занятий и, сунув бумажку с буквами «осв» дорогой учительнице, несся домой, чтобы помочиться...

Он остро переживал свое изгойство, смутно догадывался, что оно связано скорее с его достоинствами, чем с недостатками. Отец, редакционный работник Воениздата, всю жизнь стеснялся своей еврейской второсортности и ничем не мог помочь сыну, кроме прекрасного наставления в чтении. Исаак Аронович был хорошо образованным филологом, но жизнь затолкала его в такой угол, где он с благодарностью редактировал воспоминания полуграмотных маршалов минувшей кампании.

Слияние мужских и женских школ, как ни странно, послужило к облегчению Аликовой участи. Первые друзья появились у него среди девочек, и уже взрослым мужчиной он постоянно декларировал, что женщины, несомненно, составляют лучшую часть человечества.

В медицинском институте лучшая часть человечества была также и численно преобладающей. С первых же месяцев учебы вокруг Алика возникла атмосфера почтительного восхищения. Половина однокурсниц были иногородними, с двухлетним медицинским стажем и разнообразным жизненным опытом, они толклись в большой комнате на Мясницкой. В конце года мать Алика получила двухкомнатную квартиру в Новых Черемушках. В этой новой квартире, необжитой и еще заваленной связками нераспакованных книг, две Аликовы однокурсницы, Верочка Воронова из Сормова и Оля Аникина из Крюкова, ловкие, симпатичные фельдшерицы с красными дипломами, лишили Алика романтических иллюзий и одновременно освободили от обременительной девственности.

Курса с третьего, когда уже пошли практика и дежурства, эти быстрые и легкие соединения в бельевой, ординаторской, в смотровой были столь же непринужденны, как и ночные чаепития, и имели оттенок медицинской простоты. Большого значения происходящим на казенном белье соитиям Алик не придавал, гораздо больше его интересовала в те годы наука — естествознание и философия.

Дорога из Новых Черемушек на Пироговку стала для него настоящим Геттингеном. Отправной точкой послужили труды товарища Ленина, предлагаемые к обязательному чтению по курсу истории КПСС. Затем он ткнулся в Маркса, залез в Гегеля и Канта и обратным ходом дошел до истоков — полюбил Платона.

Читал он быстро, каким-то особым образом, змейкой — одновременно несколько строк составляли читаемую им большую строку. Много лет спустя он объяснял Маше, что все дело в быстродействии воспринимающих структур, и даже рисовал какую-то схему.

Дав волю своим проворным мозгам, он выстроил некую картину человека-вселенной и в добавление к мединституту стал ездить в университет, слушал там спецкурсы по биохимии на кафедре Белозерского и по биофизике у Тарусова. Его занимала проблема биологического старения. Он не был безумцем и не гонялся за бессмертием, но по каким-то биологическим параметрам высчитал, что сто пятьдесят лет — естественный предел человеческой жизни. Учась на четвертом курсе, он выпустил свою первую научную статью в соавторстве с солидным ученым и еще одним вундеркиндом.

Еще через год он пришел к выводу, что клеточный уровень груб, а для работы на молекулярном уровне ему не хватает знаний. В зарубежной научной периодике он добирал недостающее.

Многие годы спустя, занимая исключительно высокое положение в американской науке, Алик говорил, что наиболее интенсивным временем были как раз годы студенчества и что всю жизнь он питается идеями, которые пришли к нему на последнем, выпускном году обучения.

В том же году он познакомился с Машей. Его бывшая одноклассница Люда Линдер, любительница неофициальной поэзии, изредка таскала его в квартиры и литературные, клубы, где процветал самиздат и даже заезжий Бродский не брезговал иногда читать свои ставшие со временем нобелевскими стихи.

В тот раз Люда притащила его на вечер, где читали стихи несколько юных авторов, один даже многообещающий, прежде других севший на иглу и вскоре погибший.

Маша читала первая, как юнейшая из юных. Народу было мало, как говорится в таких случаях, все свои да дежурный стукач, завхоз по совместительству.

Время было самое что ни на есть переходное, шестьдесят седьмой год: хлеб не стоил ничего, зато слово, устное и печатное, обрело неслыханный вес. Самиздат уже совершал тайное бурение почвы, Синявский и Даниэль уже были осуждены, «физики» отделились от «лириков», а запретная зона не покрывала разве что зоопарки.

Алик в этот процесс вовлечен не был: теоретические проблемы он всегда предпочитал практическим, философию — политике.

Маша, синеглазая, с тонкими руками, которые жили в воздухе рядом с ее стриженой темной головой независимой и несколько нелепой жизнью, с тихой патетикой читала стихи.

Алик все отведенные ей тридцать минут не отрывал от нее глаз, а когда она кончила чтение и вышла в коридор, он шепнул на ухо Люде:

— Я сейчас вернусь...

Но больше он не появился. Он остановил Машу на полпути к уборной:

— Вы меня не узнали?

Маша посмотрела на него с вниманием, но не узнала.

— Это неудивительно. Мы еще не знакомы. Я Алик Шварц. Я хочу вам сделать предложение.

Маша посмотрела на него вопросительно.

— Руки и сердца, — объяснил он с полной серьезностью.

Маша счастливо рассмеялась — начиналось то, о чем она так много знала от Ники. Начинался роман. И она была совершенно к этому готова.

— «Мария Миллер-Шварц» звучит довольно нелепо. Но рассмотрим, — ответила она легко, страшно довольная именно легкостью этого разговора.

Торжество прямо-таки накатывало на нее — наконец-то она станет равноправна с Никой и скажет ей по телефону сегодня же вечером: «Ничка, ко мне сегодня мужик прикадрился, симпатичный, морда такая хорошая, с легкой небритостью, и с первого взгляда видно — умница...»

— Только имейте в виду, — предупредил он, — у меня совершенно нет времени на ухаживание. Но сегодняшний вечер свободен. Пошли отсюда.

Маша собиралась еще вернуться и послушать очкарика, который мял листочки в ожидании своего череда, но тут же и раздумала.

— Хорошо, подождите меня. — И пошла в уборную, а он ждал ее возле двери.

Маша торопливо одевалась, у нее было такое чувство, что никак нельзя терять времени, — Алик, того не зная, уже заразил ее своей внутренней спешкой. Он подал ей тощее элегантное пальто Сандрочкиной работы.

На улице было пусто и темно, зима была самого неприятного свойства, бесснежная и лютая. Маша, по моде досапожных лет, была в легких туфлях, без шапки. Алик взял ее за холодные косточки пальцев:

— Времени у нас всегда будет очень мало, а сказать надо много. Чтобы покончить с неинтересным: в такую погоду неплохо бы валенки и бабушкин платок, это я как врач заявляю. А что касается твоих стихов, — он перешел незаметно на «ты», — частично их надо выбросить, но есть несколько замечательных.

— А какие выбросить? — встрепенулась Маша.

— Нет, я лучше скажу, какие сохранить. — И он прочитал ей стихотворение, только что им услышанное, которое он со слуха в полной точности запомнил: — «Как в ссылке, мы в прекрасной преисподней бездомной и оставленной земли, а день осенний светом преисполнен и холодом пронзительным залит. Над кладбищем, как облако, висит обломок тишины, предвестницы мелодий, витающих в обманчивой близи, где завтрашнее зреет половодье. И острые кленовые листы, шурша, в безвидном пламени сгорают. Могилы полыхают, как костры, но календарь пока не отменяют». Я думаю, это очень хорошее стихотворение.

— Памяти моих родителей. Они разбились десять лет тому назад, — сказала Маша, удивляясь, как легко ей говорить ему то, о чем она вообще ни с кем не говорила.

— Жили счастливо и умерли в один день? — серьезно посмотрел на нее Алик.

— Теперь уже ничего другого не остается — только так думать...

Есть браки, скрепляющиеся в постели, есть — распускающиеся на кухне, под мелкую музыку столового ножа и венчика для взбивания белков, встречаются супруги-строители, производящие ремонты, закупающие по случаю дешевые пиломатериалы для дачного участка, гвозди, олифу и стекловату; иные держатся на вдохновенных скандалах.

Брак Маши и Алика совершался в беседах. Девятый год они были вместе, но, встречаясь каждый день по вечерам, после его возвращения с работы, они давали супу простыть, а котлетам сгореть, рассказывая о важном, что произошло в течение дня.

Жизнь каждым из них переживалась дважды: один раз непосредственно, второй — в избранном пересказе. Пересказ немного смещал события, выделяя незначительное и внося в происшедшее личную окраску, но и это оба они знали и даже, двигаясь навстречу друг другу, то и предлагали, что должно быть особенно интересно другому.

— А вот для тебя, — помешивая в тарелке горячий суп, говорил Алик, — весь день держал, чтобы не забыть...

А дальше шло описание нелепой утренней ссоры в метро, или дерева во дворе, или разговора с сослуживцем. А Маша тащила на кухню старый том с лапшой закладок или самиздатскую брошюру, разворачивала на нужном месте:

— Я вот тут отметила, ну просто специально для тебя...

В последние годы они отчасти поменялись ролями: раньше он больше читал, глубже зарывался в культурные проблемы, теперь научные занятия не оставляли времени для интеллектуальных развлечений, тем более что он все не мог расстаться со своей прежней работой на «Скорой помощи», которая, кроме того, что профессионально была ему интересна, оставляла достаточно времени для работы в лаборатории. Аспирантура, которую он окончил, была заочной, и это его устраивало.

Маша, сидя дома с сыном, редкостным ребенком, способным занимать себя с утра до вечера содержательной деятельностью, делала статеечки для реферативного журнала, читала множество книг с вниманием и жадностью и писала то стихи, то неопределенные тексты, как будто вырванные из разных авторов. Своего голоса у нее не прорезалось, и влекло ее в разные стороны — то к Розанову, то к Хармсу.

Стихи ее, тоже написанные несколькими голосами, два раза напечатали в журнальных подборках, но получилось как-то периферийно и незначительно. На странице они выглядели чужими, показались неудачно составленными, да к тому же и с двумя опечатками. Но Алик был страшно горд, купил целую кучу экземпляров и всем дарил, а Маша про себя решила, что пустячных публикаций больше давать не будет, а сразу издаст книгу.

Близость их была столь редкой и полной, выявлялась она и в общности вкусов, и в строе речи, и в тональности юмора. С годами у них даже мимика сделалась похожей, и они обещали к старости стать супругами-попугайчиками. Иногда, по глазам угадав не высказанную еще мысль, они хором цитировали любимого Бродского: «Так долго вместе прожили, что вновь второе января пришлось на вторник...»

Для их особого родства Маша нашла и особое немецкое слово, разыскала его в каком-то учебнике языкознания — Geschwister. Ни в одном из известных языков такого слова не было, оно обозначало «брат и сестра», но в немецкой соединенности таился какой-то дополнительный смысл.

Они не давали друг другу обетов верности. Напротив, накануне свадьбы они договорились, что их союз — союз свободных людей, что они никогда не унизятся до ревности и лжи, потому что за каждым сохраняется право на независимость. В первый же год брака, испытывая легкое беспокойство из-за того, что Алик был ее единственным мужчиной. Маша провела несколько сексуальных экспериментов — со своим бывшим однокурником, с литературным чиновником молодежного журнала, где ее однажды напечатали, и с каким-то уж совсем случайным человеком, — чтобы убедиться, что она ничего не упустила.

Маша не обсуждала этого с мужем, но прочла ему написанное в тот год стихотворение:

> Презренна верность:
> в ней дыханье долга,
> возможность привлекательных измен.
> Одна любовь не терпит перемен,
> себя не вяжет клятвой, кривотолком
> и ничего не требует взамен.

Алик догадался, промолчал и сильно от этого выиграл: Маша совершенно успокоилась. Ему тоже за годы их брака подворачивались кое-какие случаи. Он не искал их, но и не отказывался.

Но с годами они все сильнее прилеплялись друг к другу и в семейной жизни открывали все больше достоинств.

Наблюдая своих однокашников и друзей, женившихся, разведшихся, пустившихся резво в холостяцкий блуд, он, как неведомый ему фарисей, говорил в душе: «У нас не так, у нас все правильно и достойно и оттого — счастливо...»

Научные дела его шли великолепно. Настолько, что мало кто из его коллег мог оценить полученные им результаты. Свое избранничество, в детстве столь обременительное и тяжелое, усугубленное стыдом свалившегося на него с неба столь неудобного еврейства, с годами меняло окраску, но хорошее воспитание и природная доброжелательность прикрывали все крепнущее чувство превосходства над неуклюжими мозгами большинства коллег.

Когда в американском престижном научном журнале появилась его первая статья, он просмотрел состав редколлегии на обложке и сказал Маше:

— Здесь четыре нобелевских лауреата...

Маша, глядя в его смуглое, скорее индийское, чем иудейское лицо, поняла, что он примеряет на себя высокие научные почести. Читая его мысли, она попросила Нику, у которой от времен ее увлечения керамикой оставался муфель, написать на фарфоровой чашке стихотворение, и Алик в тот год получил в подарок от жены ко дню своего рождения большую белую чашку, на которой толстыми синими буквами было написано: «И будет так: ты купишь фрак, а я — вечерний туалет, король прослушает доклад, а после даст банкет».

Гости восхищались чашкой, но, кроме Алика, намека никто не понял.

Оба они находили большое удовольствие в том, что никакое многолюдство не мешало их бессловесному общению: переглянулись — вот и обменялись мыслями...

Они не виделись около двух недель, и Алик ехал теперь к жене с ошеломляющей новостью. Дело было в том, что в Академию наук приехал знаменитый американский ученый, специалист в молекулярной биологии, — выступить с докладом на конференции и прочитать лекцию. Он сходил в Большой театр, в Третьяковскую, по программе положенную, галерею и попросил переводчицу устроить ему встречу с мистером Шварцем.

Переводчица снеслась, проинформировала и получила инструкцию — сообщить приезжему, что мистер Шварц как раз находится в отпуске.

Однако мистер Шварц ни в каком отпуске не находился, напротив, пришел на конференцию, чтобы задать американцу некий научный вопрос. Состоялся пятиминутный разговор. Сметливый американец — недаром его дедушка был родом из Одессы — быстро сориентировался, взял у Алика домашний телефон и поздним вечером приехал к нему домой, заплатив таксисту, тоже очень сметливому в своем роде, Аликову месячную зарплату...

Все это происходило в Машино отсутствие. Дебора Львовна, Аликова мать, отдыхала в санатории. Горы немытой посуды и кучи раскрытых книг окончательно убедили американца, что он имеет дело с гением, и он незамедлительно сделал ему предложение — перейти к нему на работу. Boston, M.I.T*. Оставался один технический, но немаловажный вопрос — эмиграция. С этой новостью и ехал Алик к жене. Оба они были полны нетерпения — рассказать...

Тема эмиграции в интеллигентской среде тех лет была одной из самых острых: быть или не быть, ехать или не ехать, да, но если... нет, а вдруг... Рушились семьи, рвались дружеские связи. Мотивы политические, экономические, идеологические, нравственные... А сам процесс отъезда был таким сложным и мучительным, занимал иногда долгие годы, требовал решимости, мужества или отчаяния. Официальная дыра в «железном занавесе» была открыта только для евреев, хотя неевреи тоже ею пользовались. Черное море опять разъяло свои воды, чтобы пропустить Избранный Народ

*Массачусетский технологический институт.

если не в Землю Обетованную, то по крайней мере прочь из очередного Египта.

— В Исходе сказано, — восклицал Лева Готлиб, близкий друг Алика, «главный еврей Советского Союза», как Алик его называл, — что Моисей вывел из Египта шестьсот тысяч пеших мужчин. Но нигде не сказано, сколько их осталось в Египте. Оставшиеся просто перестали существовать. А те, которые не уехали из Германии в тридцать третьем, где они?

Но Алика совершенно не интересовала его собственная жизнь с точки зрения национальной, главная ценность для него заключалась в научном творчестве. Разумеется, он слышал все эти разговоры, даже принимал в них участие, внося теоретическую и охлажденную ноту, но занимало его на самом деле только клеточное старение.

Американское предложение значило для него, что эффективность его работы возрастет.

— Процентов на триста, я думаю, — прикидывал он, рассказывая обо всем Маше. — Лучшее в мире оборудование, никаких проблем с реактивами, лаборанты, да и вообще никаких материальных проблем для нас с тобой. Алька будет учиться в Гарварде, а? Я вполне к этому готов. Слово за тобой, Маша. Ну и мама, конечно, но я ее уговорю...

— А когда? — только и спросила Маша, совершенно не готовая к такому повороту событий.

— В идеальном варианте — через полгода. Если мы сразу же подадим документы. Но может растянуться и надолго. Этого я больше всего и боюсь, потому что с работы мне придется уйти сразу же. Чтоб шефа не подставлять. — Он уже все рассчитал.

«Две недели тому назад такое предложение привело бы меня в восторг, — подумала Маша. — А сегодня даже думать об этом не могу».

Алик в глубине души надеялся, что Маша обрадуется открывшейся перспективе, и теперешняя ее заминка его озадачила. Он не знал еще, что их домашний мир, разумный и осмысленный, дал трещину от самого хрустального верха до самого презренного низа. И сама Маша не осознала этого в полной мере.

Потом Маша прочитала Алику новые стихи. Он похвалил ее, отметил их новое качество. Принял горячую Машину исповедь об откровении, полученном ею в новых и острых отношениях, об особом виде совершенства, которое она нашла в чуждом человеке, о новом жизненном опыте — как будто со всего мира сняли пленку: с пейзажей, с лиц, с привычных чувств...

— Я не знаю, что мне делать со всем этим, — жаловалась Маша мужу. — Может быть, с точки зрения общепринятой ужасно, что именно тебе я все это говорю. Но я так тебе доверяю, ты самый близкий, и только с тобой вообще имеет смысл об этом говорить. Мы с тобой едины, насколько это возможно. Но все же, как жить дальше, я не знаю. Ты говоришь — уехать. Может быть...

Ее немного знобило, лицо горело, и зрачки были расширены.

«Как это некстати», — решил Алик и принес из кухни полбутылки коньяка. Разлил по рюмкам и заключил великодушно:

— Ну что же, этот опыт для тебя необходим. Ты поэт, и, в конце концов, не из этого ли материала строится поэзия? Теперь ты знаешь, что есть и более высокие формы верности, чем сексуальная. Я это и раньше знал. Мы с тобой оба исследователи, Машенька. У нас только разные области. Сейчас ты совершаешь какое-то свое открытие, и я могу это понять. И мешать я тебе не буду. — Он налил еще по рюмочке.

Коньяк был правильно назначенным медикаментом. Скоро Маша уткнулась ему в плечо и забормотала:

— Алька, ты лучший на земле... лучший из людей... ты моя крепость... Если хочешь, поедем куда хочешь...

И, обнявшись, они утешились. И уверились в своей избранности, и утвердились в превосходстве перед другими их знакомыми семейными парами, у которых возможны всякие мелочные бытовые безобразия, беглые случки в запертой ванной комнате, ничтожная бытовая ложь и низость, а у них, у Маши и Алика, — полная откровенность и чистая правда.

Через три дня Алик уехал, оставив Машу при детях, стирке и стихах. Ей предстояло провести в Крыму еще полтора месяца, поскольку необходимые для этого деньги Алик ей привез.

Через два дня после его отъезда Маша написала первое письмо. Бутонову. За ним второе и третье. В перерывах между письмами она писала еще и короткие отчаянные стихи, которые самой ей очень нравились.

Бутонов тем временем исправно доставал ее письма из почтового ящика — он оставил Маше свой расторгуевский адрес, потому что летнее время, когда жена с дочкой уезжали на академическую дачу Олиной подруги, он обычно проводил в Расторгуеве, а не в хамовнической квартире жены. Соображения семейной конспирации никогда Бутонова не тревожили, Оля была нелюбопытна и не стала бы вскрывать чужих писем.

Машины письма вызвали у Бутонова большое удивление. Они были написаны мелким почерком с обратным наклоном, с рисунками на полях, с историями из ее детства, не имеющими ни к чему никакого отношения, со ссылками на неизвестные имена каких-то писателей и содержали много неясных намеков. К тому же в конвертах лежали отдельные листочки неровной серой бумаги со стихами. Как догадался Бутонов, это были стихи ее собственного сочинения. Одно из стихотворений он показал Иванову, который понимал во всем. Тот прочитал вслух со странным выражением:

— «Любовь — работа духа, все ж тела в работе этой не без соучастья. Влагаешь руку в руку — что за счастье! Для градусов духовного тепла и жара белого телесной страсти — одна шкала».

— Откуда, Валерий? — изумился Иванов.

— Девушка мне написала, — пожал плечами Бутонов. — Хорошо?

— Хорошо. Наверное, дернула откуда-нибудь. Не пойму откуда, — вынес квалифицированное суждение Иванов.

— Исключено, — уверенно возразил Бутонов. — Не станет она чужое переписывать. Точно сама написала.

Он уже забыл о заурядном южном романе, а эта милая девчонка придавала ему какое-то уж слишком большое значение. Писем Бутонов прежде ни от кого не получал, сам не писал, да и на этот раз отвечать не собирался, а они все шли.

Маша ходила в Судак на почту и страшно огорчалась, что ответа все нет. Наконец, не выдержав, она позвонила Нике в Москву и попросила ее съездить в Расторгуево и узнать, не случилось ли чего с Бутоновым. Почему он не отвечает ей? Ника раздраженно отказалась: занята по горло.

Маша обиделась:

— Ника, ты что, с ума сошла? Я тебя первый раз в жизни прошу! У тебя романы раз в квартал, а у меня такого никогда не было!

— Черт с тобой! Завтра поеду, — согласилась Ника.

— Ника, умоляю! Сегодня! Сегодня вечером! — взмолилась Маша.

На следующее утро Маша опять притащилась в Судак с детьми. Гуляли, ходили в кафе, ели мороженое. Дозвониться до Ники не удалось — дома не было.

Вечером того же дня заболел Алик, поднялась температура, начался кашель — его обычный астматический бронхит, из-за которого Маша и высиживала с ним по два месяца в Крыму.

Целую неделю Маша крутилась при нем и только на восьмой день добралась до Судака. Письма ей все не было. То есть было — от Алика. До Ники она дозвонилась сразу же. Ника отчиталась довольно сухо:

— В Расторгуево съездила, Бутонова застала, письма твои он получил, но не ответил.

— А ответит? — глупо спросила Маша.

— Ну откуда я знаю? — обозлилась Ника. К этому времени она съездила в Расторгуево уже несколько раз. Первый раз Бутонов удивился. Встреча их была легкой и веселой. Ника и вправду собиралась только выполнить Машино поручение, но так уж получилось, что она осталась ночевать в его большом, наполовину отремонтированном доме.

Он начал ремонт два года тому назад, после смерти матери, но как-то дело застопорилось, и отремонтированная половина составляла удивительный контраст с полу-разрушенной, куда были сложены деревянные сундуки, топорная крестьянская мебель, оставшаяся еще от прадеда, валялись какие-то домотканые тряпки. Там, в разрушенной половине, Ника и устроила их скорое гнездышко. Уже утром, уходя, она действительно спросила у него:

— А чего ты на письма не отвечаешь? Девушка огорчается.

Бутонов разоблачений не боялся, но не любил, когда ему делали замечания:

— Я врач, я не писатель.

— А ты уж напрягись, — посоветовала Ника.

Ситуация показалась Нике забавной: Машка, умница-переумница, влюбилась в такого элементарного пильщика. Самой Нике он пришелся очень кстати: у нее шел развод, муж ужасно себя вел, чего-то от нее требовал, вплоть до раздела квартиры, ее транзитный любовник окончил в Москве высшие режиссерские курсы и уехал, а перманентный Костя раздражал именно своей серьезной готовностью немедленно начать супружескую жизнь, как только узнал о разводе.

— Тебе надо, ты и пиши, — буркнул Бутонов.

Ника захохотала — предложение показалось ей забавным. А уж как они с Машкой посмеются над всей этой историей, когда у нее схлынет пыл!

15.

Осенью, к ноябрьским праздникам, Медея вышла на пенсию. На первых порах освободившееся от работы время она предполагала заполнить починкой ватных одеял, с невероятной скоростью ветшающих за летние сезоны.

Она заготовила заранее и новый сатин, и целую коробку хороших катушечных ниток, но в первый же вечер, разложивши на столе истрепанное одеяло, обнаружила, что цветы уплывают прочь с линялого фона, а им на смену приплывают другие, выпуклые, шевелящиеся.

Высокая температура — догадалась Медея и закрыла глаза, чтобы остановить цветочный поток. К счастью, как раз накануне приехала Ниночка из Тбилиси.

Болезнь была как будто та же самая, которую перенесла Медея накануне замужества, когда Самуил ухаживал за ней с таким замиранием в душе, с такой нежностью и любовным трепетом, что впоследствии имел основания говорить: «У других людей бывает медовый месяц, а у нас с Медеей была медовая болезнь».

В перерывах между приступами свирепого озноба и глухого полузабытья на Медею опускалось блаженное успокоение: ей казалось, что Самуил в соседней комнате и сейчас войдет к ней, неловко держа обеими руками стакан и слегка выпучив глаза от боли, потому что стакан оказался горячее, чем он рассчитывал.

Но вместо Самуила появлялась из полутьмы Ниночка, в аромате зверобоя и тающего меда, с граненым стаканом в худых, плоских руках, с глазами матово-черными, глубокими, как у Самуила, и в голову Медее приходила догадка, которой она как будто очень долго ждала, и теперь она наконец снизошла на нее, как откровение: Ниночка-то их дочь, Самуила и ее, Медеи, их девочка, про которую она всегда знала, но почему-то надолго забыла, а теперь вот вспомнила, какое счастье... Ниночка приподнимала ее от подушки, поила душистым питьем, говорила что-то, но смысл сказанного не совсем доходил до Медеи, словно язык был иностранным. «Да, да, грузинский», — вспоминала Медея.

Но интонация была такая богатая, такая ясная, что все понималось из одних движений лица, руки, и из вкуса питья тоже. Еще было удивительно, что Ниночка угадывала ее желания и даже занавески задвигала и раздвигала за мгновение до того, как Медея хотела об этом попросить...

Тбилисская Медеина родня пошла от двух ее сестер, старшей Анели и младшей Анастасии, которую Анеля вырастила после смерти родителей. От Анастасии остался сын Роберт, неженатый, кажется, слегка тронутый. Медея с ним никогда не общалась.

Анеля своих детей не родила. Нина и Тимур были приемными, так что вся тбилисская родня была привитой веточкой. Родными племянниками эти дети приходились Анелиному мужу Ладо. Брат Ладо Григол и его жена Сюзанна были нелепой и несчастной парочкой: он — пламенный борец за кустарную справедливость, она — городская сумасшедшая с партийным уклоном.

Ладо Александрович, музыкант, профессор Тбилисской консерватории, преподаватель по классу виолончели, не имел с братом ничего общего и не общался с ним с середины двадцатых годов.

В первый раз Ладо и Анеля увидели племянников ранним утром в мае тридцать седьмого года — их привезла в дом дальняя родственница после ночного ареста родителей.

Знаменитый закон парности, всего лишь частный случай всеобщего закона повторяемости одного и того же события — не то для чеканки характера, не то для свершения судьбы, в Анелиной жизни сработал в идеальной точности. Прошло ровно десять лет с тех пор, как Анастасия вышла замуж и ушла из дому, и вот судьба привела им в дом новых сирот, на этот раз двоих.

Анеле было уже за сорок, Ладо был старше ее на десять лет. Они успели уже подвянуть и подсохнуть, готовились к мирной старости, а не к участи молодых родителей. Задуманная старость не удалась. Только понемногу выправились запущенные дети — началась война. Ладо не пережил тяжелых времен, умер от воспаления легких в сорок четвертом году.

Анеля, проедая остатки когда-то богатого дома, поставила детей на ноги. Умерла она в пятьдесят седьмом, вскоре после возвращения из ссылки совершенно безумной Сюзанны. Нина, уже молодая женщина, получила взамен любимой мачехи родную мать, одноглазую гарпию, полную злобы и параноидальной преданности вождю. Уже двадцать лет Нина ходила за ней.

Три-четыре дня, которые Нина собиралась провести у Медеи, обернулись восемью, и, едва поставив Медею на ноги, она уехала в Тбилиси.

Болезнь Медеи окончательно не прошла, бросилась на суставы, и Медея лечила теперь себя домашними способами. В толстых наколенниках из старой шерсти, под которыми были налеплены капустные листья, или пчелиный воск, или большие пареные луковицы, совершенно утратив обыкновенную легкость движений, Медея кое-как передвигалась по дому, но больше сидела, вычинивая одеяла.

При этом она размышляла о Ниночке, о ее безумной матери, о Нике, которая весь сентябрь провела в Тбилиси, приехав туда с театром на гастроли и сама, судя по Ниночкиным осторожным рассказам, устроившая хорошие гастроли из своей поездки...

«Праздномыслие», — останавливала себя Медея и делала то, чему ее в юности учил старый Дионисий: если житейские мысли затягивают тебя, не отпускают, не борись с ними, но думай свою мысль молитвенно, обращая ее к Господу...

«Бедная Сюзанна, прости ей, Господи, ужасные и глупые дела, которые она натворила, смягчи ей сердце, дай ей увидеть, как страдает из-за нее Ниночка... И Ниночке помоги, она кроткая и терпеливая, дай ей силы, Господи... Нику сохрани от всякого зла, опасно ходит девочка, такая добрая, такая яркая, вразуми ее, Господи...»

И опять она вспоминала Ниночкин рассказ о том, как Ника переполошила семью знаменитого тбилисского актера, завела шумный роман на виду у всего города, сверкала, блистала, хохотала, а бедная актерова жена, вся в черном, сжигаемая ревностью, носилась ночами по друзьям своего мужа, ломилась в закрытые двери в надежде застать неверного на месте преступления — и застала в конце концов. И была битая посуда, и прыжки из окна, и вопли, и страсти, и полное неприличие.

Самым удивительным было то, что еще в октябре Медея получила от Ники коротенькое письмо, в котором та описывала поездку, большой успех, который выпал театру, и даже похвалилась, что о ее костюмах к спектаклю написали отдельно.

«Давно я так не веселилась и не радовалась, — закончила она свое письмо. — А в Москве отвратительная погода, тягучий развод с мужем, и я все на свете отдала бы, чтобы жить в каком-нибудь другом месте, посолнечнее».

Относительно погоды Ника была совершенно права: уже с августа закончилось лето, сразу же началась поздняя осень. Деревья не успели как следует пожелтеть, и листья от сильных холодных дождей слетали на землю совсем зелеными. После веселого тбилисского сентября наступил невыносимый московский октябрь. В ноябре погода не исправилась, но настроение у Ники стало лучше: навалилось много работы.

Ника сдавала очередной спектакль у себя в театре, пропадала в мастерских, где без ее глаза портнихи все делали слишком уж приблизительно, к тому же кончала халтуру в театре «Ромэн».

Цыганщина ее очень соблазняла, но оказалось, что работать в этом театре очень сложно: эта самая цыганская вольница, столь обаятельная на городских площадях, в электричках и на театральных подмостках, оборачивалась в работе полным безобразием: назначенные режиссером встречи состоялись с пятого раза, каждая актриса закатывала скандалы, требовала невозможного. В тот день, когда немолодая, одна из самых голосистых артисток швырнула Нике в лицо бордово-красный наряд — ей хотелось бело-кружевной, — а Ника столь же ловко отпульнула его обратно, подбив его артистическим матом для веса, как подшивали прежде грузики в подолы легких платьев, случилась неприятность, которой Ника давно ждала и всячески пыталась избежать.

В двенадцатом часу ночи к ней приехала Маша. Едва открыв дверь, Ника поняла, что неприятность произошла. Маша кинулась к ней на грудь:

— Ника, скажи, это неправда? Ведь неправда, скажи!

Ника гладила скользкие от дождя волосы. Молчала.

— Я же знаю, неправда... — твердила Маша, комкая в руках крепдешиновую косынку в косых лиловых, серых и черных клетках. — Зачем она там, почему?

— Потише, потише, ушки на макушке. — Ника сделала предупреждающее движение в сторону детской комнаты.

Ника так давно, с самого июля, ждала этой неминуемой бури, что, пожалуй, даже испытала облегчение. Эта дурацкая тягомотина длилась все лето. Уезжая в мае из Поселка, Ника чистосердечно решила сделать Машке этот тайный подарок — уступить Бутонова. Но не получилось.

Все то время, пока Маша выгуливала детей в Крыму, Ника ездила к Бутонову, решив про себя, что дальше видно будет. Отношения у них образовались изумительно легкие. Бутонова восхищала в Нике чудесная простота, с которой она говорила обо всем на свете, и полное отсутствие чувства собственности, и когда он однажды попытался выразить это своим корявым языком, она его остановила:

— Бутончик, эта головка у тебя не самое сильное место. Я знаю, что ты хочешь сказать. Ты прав. Дело в том, что у меня мужская психология. Я, как и ты, боюсь влипнуть в длинный роман, в обязательства, в замужество, пропади оно пропадом. Поэтому, имей в виду, я всегда мужиков бросаю первой.

Это было не совсем так, но звучало правдоподобно.

— Ладно, подашь заявление за две недели до ухода, — сострил Бутонов.

— Валера, если ты будешь таким остроумным, я в тебя влюблюсь смертельно, а это опасно. — И Ника засмеялась громко, запрокидывая голову, тряся большими волосами и грудью.

Она смеялась постоянно — в трамвае, за столом, в бассейне, куда они однажды ходили, и несмешливый Бутонов поддавался на ее смех, на хохот до всхлипов, до боли в животе и потери голоса. Смеялись до изнеможения и в постели.

— Ты уникальный любовник, — восхищалась Ника, — обычно от смеха эрекция прекращается.

— Не знаю, не знаю, может, ты меня недостаточно рассмешила...

...Приехавшая в начале июля Маша, сбросив детей Сандре, сразу же понеслась в Расторгуево. Ей вдвойне повезло: Бутонова она застала, а Нику — нет. Та уехала накануне.

Машин приезд совпал с разгаром заброшенного два года тому назад ремонта. Накануне Бутонов расчистил бабкину половину, в которой лет двадцать не жили, и теперь пришли двое мужиков, нанятых на подмогу. Ника уговорила его не обшивать стены вагонкой, как он хотел, а, наоборот, ободрать все до бревен, очистить, заново проконопатить и привести в порядок грубую мебель, оставшуюся от давних времен.

— Поверь моему слову, Бутонов, сейчас ты эту мебель на дрова пустишь, а через двадцать лет она будет музейной.

Бутонов удивился, но согласился и теперь вместе с мужиками обдирал многослойные обои.

— Бутонов! — донесся с улицы женский крик. — Валера!

Он вышел в облаке пыли, в старой докторской шапочке. За калиткой стояла Маша. Он ее не сразу и узнал. Она была в густом крымском загаре, очень привлекательная, и огромная улыбка еле помещалась на узком лице.

Просунув руку в щель между штакетинами, она откинула крючок, и, пока он медлительно соображал, она уже неслась по кривой дорожке и бросилась, как щенок, ему на грудь, уткнулась лицом:

— Ужас! Ужас какой! Я уже думала, что никогда больше тебя не увижу!

От ее макушки шел сильный запах моря. И опять он услыхал, как тогда, в Крыму, громкий стук ее сердца.

— Черт-те что! Звучишь как в фонендоскопе!

От нее шел жар и свет, как от раскаленной спирали мощной лампы. И Бутонов вспомнил то, о чем забыл, — как она яростно и отчаянно сражалась с ним в маленькой комнате Медеиного дома, — и забыл то, о чем помнил: ее длинные письма со стихами и рассуждениями о вещах не то чтобы ему непонятных, но ни на что не годных...

Она прижалась ртом к пыльному медицинскому халату и выдохнула горячий воздух. Подняла лицо — улыбки не было, бледна до того, что два перевернутых полумесяца темных веснушек выступили от скул к носу.

— Вот я...

Если в бабкиной половине было ремонтное разорение, то на чердаке, куда они поднялись, была настоящая свалка. Ни бабка, ни мать никогда ничего из дому не выбрасывали. Дырявые корыта, баки, рухлядь столетнего накопления. Дом-то ставил еще прадед, в конце прошлого века, когда Расторгуево было еще торговым селом, и пыль стояла на чердаке действительно вековая — лечь невозможно.

Бутонов посадил Машу на хлипкую этажерку, и она была ну просто как глиняная кошка, только худая и без прорези в макушке.

Все произошло так сильно и кратко, что невозможно было оторваться, и тогда Бутонов перенес ее на изодранное кресло, и опять его прожгла теснота этого места и сугубая теснота ее детского тела. По отрешенному ее лицу текли слезы, и он слизывал их, и вкус их был вкусом морской воды. О господи...

Вскоре Маша уехала, и Бутонов опять пошел обдирать обои с мужиками, которые, казалось, и не заметили его отсутствия. Он был пуст, как печная труба, а вернее, как гнилой орех, потому что пустота его была замкнутая и округлая, а не сквозная... Ему почудилось, что он отдал больше, чем хотел...

«Да, сестрички... — Он не вникал в тонкости родства. — Полная противоположность. Одна смеется, другая плачет. Друг друга дополняют».

...Три дня Маша не могла застать Нику дома, хотя названивала не переставая. От Сандры она знала, что Ника в городе. Наконец дозвонилась:

— Ника! Куда же ты задевалась?

Маше и в голову не приходило, что Ника ее избегает: не готова к встрече.

— Догадайся с трех раз! — фыркнула Ника.

— Новый роман! — прыснула Маша, с ходу заглотив наживку.

— Пять с плюсом! — оценила Ника Машину догадливость.

— Кто к кому? Лучше я к тебе! Сейчас еду! — горела нетерпением Маша.

— Давай уж лучше в Успенском, — предложила Ника. — Мать, наверное, за трое суток от них очумела.

Детей как свезли в первый день к Сандрочке, так про них и забыли. Сандра с Иваном Исаевичем справляли праздник любви к внукам и вовсе ими не тяготились. Только Иван Исаевич все тянул на дачу — чего детей в городе томить...

— Нет-нет, лучше я к тебе, там не поговорить! — взмолилась Маша, и Ника сдалась: деваться было некуда, и она заранее знала, что эту исповедь ей принять придется.

С этого дня Ника приняла на себя роль доверенного лица. Положение ее было более чем двусмысленное, а сказать, что в этом деле у нее и своя доля, было как будто поздно. Маша в своей любовной горячке торопилась рассказать Нике о каждом свидании, и это было для нее чрезвычайно важно.

За многие годы она привыкла делиться самыми незначительными переживаниями с мужем, но теперь Алик не мог быть ее собеседником, и она все обрушивала на Нику, вместе со стихами, которые писала постоянно. «Расторгуевская осень», — шутила Маша.

И прежде знакомая с бессонницей, в эти месяцы Маша спала дырявым заячьим сном, полным звуками, строками, тревожными образами.

Во сне приходили какие-то нереальные животные, многоногие, многоглазые, полуптицы-полукошки, с символическими намеками.

Одно, страшно знакомое, ластилось к ней, и имя его тоже было ей знакомо, оно состояло из ряда цифр и букв. Проснувшись, она вспомнила странное имя — Ж4836... Засмеялась. Это был номер, отпечатанный жирной черной краской на полотняной ленточке, которую она пришивала к постельному белью для прачечной.

Вся эта чепуха была значительна. Один раз приснилось совершенно законченное стихотворение, которое она в полусне и записала. Наутро она с изумлением его прочла — «Не мое, не мое, не могла я этого сама написать...»

Сквозь «вы» на «ты» —
и далее в пролет
несуществующих местоимений,
своею речью твой наполню рот,
твоим усильям послужу мишенью,
и в глубине телесной темноты,
в огне ее мгновенного пробоя
все рушится, как паводком мосты, —
границы нет меж мною и тобою...

— Ну просто под диктовку писала, посмотри, ни одной помарки, — показывала она Нике ночную запись.

Но Ника не радовалась этим стихам, скорее — пугалась. Зато ее очень забавляло, что она, извещенная Машей о каждом слове, произнесенном Бутоновым, о каждом его движении, поминутно знает о том, как он провел вчерашний день.

— Жареной картошки не осталось? — невинно спрашивала она Бутонова, потому что Маша сказала ей, что накануне чистила у Бутонова картошку и порезала палец.

Бутонов не говорил с Никой о Маше, она тоже не заикалась о сопернице, и у Бутонова сложилось впечатление, что обе они прекрасно знают о положении вещей и даже поделили дни недели: Маша приезжала по выходным, Ника — по будням.

Но никакого сговора, конечно, не было, просто по выходным Ника ездила по дачам навещать детей: то Лизу, которая жила у Сандры на даче, то Катю, отдыхавшую у другой бабушки. Алик Маленький тоже гостил у Сандры.

Алик Большой старался брать дежурства на «скорой» по выходным, чтобы не терять лабораторного времени, а Маша, предпочитая не врать, а благородно умалчивать, уходила из дому, когда Алика дома не было. Впрочем, в последнее время он проводил дома очень мало времени.

Алик был ровен и хорош, лишних вопросов не задавал, и разговоры их вертелись вокруг отъезда. Уже был заказан вызов из Израиля. И хотя Маша эту тему поддерживала, отъезд казался ей нереальным.

В сентябре, когда Ника уезжала в Тбилиси, Маша просто изнемогала от ее отсутствия, пыталась дозвониться в Тбилиси, но в гостинице застать ее оказалось невозможно. Через Ниночку Маша тоже не смогла ее разыскать.

Бутонов в сентябре закончил ремонт, переехал к жене в Хамовники, но после ремонта расторгуевский дом стал притягательным для него, и он ночевал там два-три раза в неделю.

Иногда заезжал за Машей, и они ехали вместе на машине. Однажды они даже ходили в Расторгуеве за грибами, ничего не нашли, вымокли до белья, а потом сушили вещи у печки, и сгорел один Машин носок. И это тоже было маленьким событием их жизни — как и порезанный палец, как ссадина или синяк, полученные Машей в любовных трудах.

То ли дом Бутонова был к ней враждебен, то ли она вызывала Бутонова на некоторую сексуальную грубость, но таких маленьких травм было множество, и этими памятными знаками страсти она даже немного гордилась.

Когда наконец Ника вернулась из Тбилиси, Маша долго рассказывала ей обо всех этих мелочах и в конце всего, между прочим, сообщила, что пришел вызов.

Ника только диву давалась, как у Маши перевернулись мозги, — именно получение вызова и было важным событием.

Отъезд обозначал разлуку с семьей, может быть навсегда, а Маша то показывала синяки, то читала стихи.

Нике на этот раз тоже было что порассказать. Ее действительно увлекал новый роман, и про себя она решила, что это очень подходящий момент, чтобы поставить на Бутонове точку.

Целую неделю она, как Пенелопа, ждала приезда этого самого Вахтанга, который должен был приехать на «Мосфильм», на кинопробы, но приезд его все откладывался, и Ника, чтобы не терять форму, заехала к Бутонову. Поскольку Маша постоянно докладывала о своих передвижениях, труда не составляло выбрать подходящее время.

Бутонов Нике очень обрадовался. Ему хотелось показать ей отремонтированную половину дома — как-никак Ника была его личным дизайнером. Ему очень нравилась идея с обнаженными бревнами, но Ника пришла в ужас, увидев, что бревна залили лаком. Она долго и смешно ругала Бутонова, велела отмыть лак разбавителем. Передвинула мебель, показала, где и что надо починить, а к чему не прикасаться. Все-таки она прожила много лет в доме с краснодеревщиком, и будучи человеком талантливым, и здесь все быстро схватила. Обещала привезти ему цветного стекла, чтобы вставить в буфет вместо утраченного, и сшить занавески в театральной пошивочной...

Косынка Никина соскользнула в какой-то момент, притаилась, как змея, между простыней и матрасом, и Ника не нашла ее, хотя наутро долго искала. Косыночка была собственноручная, одна из тех, на которых она осваивала батик еще в училище...

Когда Маша, теребя косынку, прямо с порога приступила к ней — правда, неправда? — Ника строго ее перебила:

— А что говорит Бутонов?

— Что вы с ним давно, еще с Крыма... Не может этого быть, не может... Я сказала ему, что это невозможно...

— А он? — не отставала Ника.

— А он говорит: «Прими как факт». — Маша все комкала Никину косынку, которая и олицетворяла собой некий факт.

Ника вытянула косынку из ее рук, бросила на подзеркальник:

— Вот и прими!

— Не могу, не могу! — взвыла Маша.

— Машка... — вдруг обмякла Ника. — Ну уж так случилось. Ну что теперь, вешаться, что ли? Не будем устраивать трагедии. Прямо черт знает что. «Опасные связи» какие-то...

— Ничка, солнышко мое, но как же мне быть? Я должна к этому привыкнуть, что ли? Я сама не понимаю, почему так больно. Когда я эту косынку вытащила, я чуть не умерла. — И снова встрепенулась: — Нет-нет, невозможно!

— Да почему невозможно-то? Почему?

— Не могу объяснить. Вроде так: все могут со всеми, все необязательно, выбор приблизителен, и все взаимозаменимы. Но здесь-то, я знаю, единственность, перед которой все прочее вообще не имеет смысла. Единственность...

— Ангел мой, — остановила ее Ника. — А тебе не кажется? Каждый случай единственный, поверь моему слову. Бутонов отличный любовник, и это измеряется сантиметрами, минутами, часами, количеством гормонов в крови. Это же просто параметры! У него хорошие данные — и все! Алик твой замечательный человек, умный, талантливый, Бутонов ему в подметки не годится, но Алик тебя просто недо...

— Заткнись! — закричала Маша. — Заткнись! Возьми себе своего Бутонова со всеми его сантиметрами!

И Маша выскочила вон, почему-то схватив с подзеркальника только что возвращенную Нике косынку.

Ника ее не остановила — пусть перебесится. Если у человека есть идиотские иллюзии, от них надо избавляться. В конце концов, правильно сказал Бутонов: прими как факт. А тут... Ника с раздражением вспомнила Машины стихи — «Прими и то, что свыше меры, как благодать на благодать...» Вот и прими. Прими как факт...

«Дорогой Бутонов! Я знаю, что переписка — не твой жанр, что из всех видов человеческих взаимоотношений для тебя самый существенный — тактильный. И даже профессия твоя такова — вся в пальцах, в прикосновениях, в тонких движениях. И если в этой плоскости-поверхности пребывать, в прямом и переносном смысле, то все происходящее совершенно правильно. У касаний нет ни лица, ни глаз — одни рецепторы работают. Мне и Ника пыталась то же объяснить: все определяется сантиметрами, минутами, уровнем содержания гормонов.

Но ведь это только вопрос веры. На практике оказалось, что я исповедую другую веру, что мне важно выражение лица, внутреннее движение, поворот слова, поворот сердца. А если этого нет, то мы друг для друга только вещи, которыми пользуемся. Собственно говоря, меня это больше всего и мучает: разве, кроме взаимоотношения тел, нет никаких иных? Разве нас с тобой ничего не связывает, кроме объятий до потери мира? Разве там, где теряется ощущение границ тела, не происходит никакого общения превыше телесного?

Это Ника, твоя любовница, моя более чем сестра, говорит мне: есть только сантиметры, минуты, гормоны... Скажи «нет»! Ты скажи «нет»! Неужели ничего между нами не происходило, что не описывается никакими параметрами? Но тогда нет ни тебя, ни меня, вообще никого и ничего, а все мы механические игрушки, а не дети Господа Бога.. Вот тебе стишок, дорогой Бутонов, и прошу тебя: скажи «нет».

Играй, кентавр, играй,
химера двух пород,
гори, огонь, по линии раздела
бессмертной человеческой души
и конского не взнузданного тела.
Наследственный удел — искусство перевоза,
два берега лежат, забывши о родстве,
а ты опять в поток, в беспамятные воды,
в которых я никто — ни миру, ни тебе.
Маша Миллер»

Прочитав письмо, Бутонов только крякнул. Зная уже Машин характер, он ожидал от нее

больших переживаний по поводу открывшейся соперницы. Но ревности, которая
выражалась бы так не просто, так витиева-
то, он и предположить не мог. Видно, страдает девчонка...

Дней через десять, давши улечься про-
исшествию, он позвонил Маше и спросил,
не хочет ли она прокатиться в Расторгуево. Маша через паузы, через редкие «да»,
«нет» — хотя и на телефонном расстоянии
Бутонов чувствовал, что она только о том и
мечтает, — согласилась.

В Расторгуеве все было по-новому, потому что выпал настоящий снег, и сразу так
много, что занесло тропинку от калитки до
крыльца, и, чтобы загнать машину, Бутонову пришлось сгребать деревянной лопатой
снег в большой сугроб.

В доме было холодно, казалось, что
внутри холоднее, чем снаружи. Бутонов
сразу же задал Маше такую встрепку, что
обоим стало жарко. Она стонала сквозь слезы и все требовала:

— Скажи «нет»!

— Какого же тебе «нет», когда «да», «да», «да»... — смеялся Бутонов.

А потом он затопил печку, открыл банку завалявшихся консервов — килька в томатном соусе, — сам ее и съел. Маша к еде не прикоснулась. Другого ничего в доме не было.

В Москву решили не возвращаться, пошли пешком на станцию. Маша позвонила по автомату домой и сказала Деборе Львовне, что ночевать не приедет, поскольку заехала к друзьям на дачу и не хочет на ночь глядя возвращаться. Свекровь пыхнула гневом:

— Конечно! О муже и ребенке ты не беспокоишься! Если хочешь знать, как это называется...

Маша повесила трубку:

— Все в порядке, предупредила...

По белой дороге они пошли к дому. Бутонов показал ей окна дома, в котором жил Витька Кравчук.

— Хочешь зайдем? — предложил он.

— Упаси боже, — засмеялась Маша.

В доме Бутонова было прохладно — дом тепла не держал.

«Теперь печка на очереди, в будущем году переложу», — решил Бутонов.

Устроились на кухне, там было все-таки теплее. Стащили матрасы со всего дома. Только согрелись — у Бутонова заболел живот, и он пошел в уборную, во двор. Вернулся, лег. Маша, водя пальчиком по его лицу, стала говорить об одушевленности пола, о личности, которая выражает себя прикосновением...

Рыбные консервы всю ночь гоняли Бутонова во двор, живот крутило, бессонная Маша что-то тренькала нежным голосом с надрывно-вопросительной интонацией.

Надо отдать ему должное, он был вежлив и не просил Машу заткнуться, просто временами, когда немного утихала боль, он проваливался в сон. Утром, когда они уже ехали в город. Бутонов сказал Маше:

— За что тебе сегодня благодарен — что ты, пока меня понос одолевал, хоть стихов мне не читала...

Маша посмотрела на него с удивлением:

— Валера, а я читала... Я тебе «Поэму без героя» от начала до конца прочла...

С мужем отношения у Маши не разладились, но в последнее время они стали меньше общаться. Полученный вызов не был еще подан, поскольку Алик прежде подачи документов хотел уволиться с работы, а прежде ухода ему нужно было закончить какую-то серию опытов.

Он пропадал в лаборатории допоздна, отказался от дежурств на «скорой». Время от времени оттаскивал в букинистический рюкзак книг — с отцовской библиотекой все равно предстояло расставаться. Он видел, что Маша мечется, нервничает, и относился к ней с нежностью, как к больной.

В декабре Бутонов уехал в Швецию — недели на две, как он сказал, хотя, конечно, отлично знал день возвращения. Любил свободу. Ника почти не заметила его отсутствия. Предстояла очередная сдача детского спектакля к школьным каникулам, к тому же приехал наконец Вахтанг, и все свободное время Ника проводила с ним и его друзьями, московскими грузинами. Гоняла по ресторанам, то в Дом кино, то в ВТО.

Маша затосковала, все пыталась добраться хоть до Ники, чтобы поговорить с ней о Бутонове. Но Ника была недосягаема. С другими подругами говорить о Бутонове было неинтересно и даже невозможно.

Бессонница, которая до той поры только точила коготки, в декабре одолела Машу. Алик приносил ей снотворное, но искусственный сон был еще хуже, чем бессонница: навязчивое сновидение начиналось с любого случайного места, но всегда сводилось к одному: она искала Бутонова, догоняла его, а он ускользал, проливался как вода, прикидывался, как в сказках, разными предметами, растворялся, превращался в дым...

Два раза Маша ездила в Расторгуево, просто для того, чтобы совершить эту поездку от Павелецкого вокзала, доехать в электричке до знакомой станции, пешком дойти до его дома, постоять немного у калитки, увидеть заснеженный дом, темные окна — и вернуться домой. Все это занимало часа три с половиной, и особенно приятна была дорога туда.

Две недели уже прошло, но он не объявлялся. Маша позвонила ему в Хамовники. Пожилой и усталый женский голос ответил, что он будет часов в десять. Но его не было ни в десять, ни в одиннадцать, а на другое утро тот же голос ответил:

— Позвоните в пятницу.

— А он приехал? — робко спросила Маша.

— Я вам говорю, позвоните в пятницу, — раздраженно ответила женщина.

Был еще только понедельник.

«Приехал и не звонит», — огорчилась Маша. Позвонила Нике, спросила, не знает ли она что-нибудь о Бутонове. Но Ника ничего не знала.

Маша опять собралась в Расторгуево, на этот раз ближе к вечеру. Снег перед воротами бутоновского дома был расчищен, ворота закрыты и заперты. Машина стояла во дворе. В бабкиной половине горел маленький свет. Маша рванула застылую калитку. Тропинка к дому была завалена снегом. Она шла, проваливаясь чуть не до колена. Долго звонила в дверной звонок — никто не открыл.

Хотелось проснуться — настолько это было похоже на один из снов. Так же ярко, горько, и Бутонов так же мелькал каким-то знаком присутствия — его бежевой машиной, которая стояла со снежным одеялом на крыше, — не давался в руки Бутонов.

Маша постояла минут сорок и ушла.

«Там Ника», — решила она.

В электричке она думала не о Бутонове, а о Нике. Ника была соучастницей ее судьбы с раннего возраста. Их соединяла, помимо всего, еще и физическая приязнь. Никины выпуклые губы в поперечных морщинках, запас на улыбку, складки скрытого смеха в уголках рта, хрустящие рыжие волосы нравились Маше с детства, как Нике — Машина миниатюрность, маленькие ступни, резкость, тонкость во всем облике.

Что касается Маши, она без колебаний предпочла бы Нику самой себе. Ника же о подобных вещах не задумывалась, ей-то в себе всего хватало...

И Бутонов соединил их теперь каким-то таинственным образом... Как Иаков, женившийся на двух сестрах... Их можно было бы назвать «сожены», как бывают «собратья». Иаков входил в шатры, брал сестер, брал их служанок, и это была одна семья... И что такое ревность, как не вид жадности... Нельзя владеть другим человеком... Пусть так — все были бы братья и сестры, мужья и жены... И сама же улыбнулась: великий бордель Чернышевского, какой-то там сон Веры Павловны.

Ничего единственного, уникального, ничего личного. Все скучно и бездарно.

Свободны мы или нет? Откуда это чувство стыда и неприличия? Пока ехала до Москвы, написала Нике стихотворение:

> Вот место между деревом и тенью,
> вот место между жаждой и глотком,
> над пропастью висит стихотворенье, —
> по мостику висячему пройдем.
> Потемки сна и коридоры детства
> трофейным освещаю фонарем,
> и от признаний никуда не деться:
> не убиваем, ложек не крадем,
> не валенками шлепаем по лужам,
> не песенки запретные поем,
> но, ощущая суеверный ужас,
> мы делаем ужасное вдвоем...

До дому добралась около двенадцати — Алик ждал ее на кухне с бутылкой хорошего грузинского вина. Он закончил эксперименты и мог хоть завтра подавать заявление об уходе. Только тут Маша окончательно поняла, что скоро она уедет навсегда.

«Отлично, отлично, кончится эта позорнейшая тягомотина», — подумала она. Они провели с Аликом длинный вечер, затянувшийся до четырех утра. Разговаривали, строили планы, а потом Маша уснула без сновидений, взявши Алика за руку.

Проснулась она поздно. Деборы Львовны уже несколько дней не было дома, в последнее время она часто и подолгу гостила у больной сестры. Алики уже позавтракали, играли в шахматы. Картина была самая мирная, даже с кошкой на диванной подушке.

«Как хорошо! Кажется, я начинаю выздоравливать», — думала Маша, крутя тугую ручку кофейной мельницы.

Потом взяли санки и пошли втроем на горку. Вывалялись в снегу, взмокли, были счастливы.

— А в Бостоне снег бывает? — спросила Маша.

— Такого не бывает. Но, мы будем в штат Юта ездить на горных лыжах кататься, будет не хуже, — пообещал Алик. А все, что он обещал, он всегда выполнял.

Бутонов позвонил в тот же день вечером:

— Ты не соскучилась?

Накануне он видел топтавшуюся у калитки Машу, но не открыл ей, потому что в гостях у него была дама, милая толстуха переводчица, с которой они были вместе в поездке. Две недели они поглядывали друг на друга выразительно, но все случая не представлялось. Мягкая и ленивая женщина, очень похожая, как он потом понял, на его жену Ольгу, сонной кошкой ворочалась в бутоновских объятиях под треньканье Машиных звонков, и Бутонов чувствовал острое раздражение против переводчицы, Машки и себя самого. Ему нужна была Машка, острая, резкая, со слезами и стонами, а не эта толстуха.

Он звонил Маше с утра, но сначала телефон не отвечал, был отключен, потом два раза подходил Алик, и Бутонов вешал трубку, и только под вечер дозвонился.

— Пожалуйста, не звони больше, — попросила Маша.

— Когда? Когда приедешь? Не тяни, — не расслышал Бутонов.

— Нет, я не приеду. И не звони мне больше, Валера. — Уже тягучим, плаксивым голосом: — Я не могу больше.

— Машка, я соскучился ужасно! Ты что, сбрендила? Обиделась? Это недоразумение, Маш. Я через двадцать пять минут буду у твоего дома, выходи. — И повесил трубку.

Маша заметалась. Она так хорошо, так прочно решила больше с ним не видеться, испытала если не освобождение, то облегчение, и сегодняшний день был такой хороший, с горкой, с солнцем... «Не пойду», — решила Маша.

Но через тридцать пять минут накинула куртку, крикнула Алику: «Буду через десять минут!» — и понеслась вниз по лестнице, даже лифта не вызвав.

Бутоновская машина стояла у порога. Она рванула ручку, села рядом:

— Я должна тебе сказать...

Он сгреб ее, сунул руки под куртку:

— Обязательно поговорим, малыш.
Тронул машину.

— Нет-нет, я никуда не поеду. Я вышла
сказать, что я никуда не поеду.

— Да мы уже поехали, — засмеялся Бутонов.

В этот раз Алик обиделся:

— Чистое свинство! Неужели сама не
понимаешь? — отчитывал он ее поздно вечером, когда она вернулась. — Человек уходит на десять минут, а приходит через пять
часов! Ну что я должен думать? Попала под
машину? Убили?

— Ну прости ради бога, ты прав, свинство. — Маша чувствовала себя глубоко виноватой. И глубоко счастливой...

А потом Бутонов исчез на месяц, и
Маша всеми силами старалась принять его
исчезновение «как факт», и этот факт про-
жигал ее до печенок. Она почти ничего не
ела, пила сладкий чай и вела нескончаемый

внутренний монолог, обращенный к Бутонову. Бессонница приобретала все более острую форму.

Алик встревожился: нервное расстройство было очевидно. Он стал давать Маше транквилизаторы, увеличил дозировку снотворного. От психотропных препаратов Маша отказывалась:

— Я не сумасшедшая, Алик, я идиотка, и это не лечится...

Алик не настаивал. Он считал, что это еще одна причина, почему надо торопиться с отъездом.

Дважды приезжала Ника. Маша говорила только о Бутонове. Ника его ругала, сама каялась и клялась, что видела его последний раз в декабре, еще перед его отъездом в Швецию. Еще говорила, что он пустой человек и вся эта история только тем и ценна, что Маша написала столько замечательных стихов. Маша послушно читала стихи и думала: неужели Ника ее обманывает и это она была у Бутонова, когда Маша звонила под дверью?

Алик гонял по всякого рода канцеляриям. Собрал целую кучу документов. Он спешил не только из-за Маши — в Бостон гнала его и работа, в отсутствие которой он тоже как бы заболевал. Способ выезда был непростой: сначала в Вену, по еврейскому каналу, а оттуда уже в Америку. Не исключено было, что между Веной и Америкой вклинится еще и Рим — это зависело от скорости прохождения документов уже через зарубежных чиновников.

Ко всем сложностям отъезда неожиданно прибавился еще и бунт Деборы Львовны: «Никуда не поеду, у меня больная сестра, единственный близкий человек, я ее никогда не оставлю...» Дальше шел канонический текст «идише маме»: «Я всю жизнь на тебя положила, а ты, неблагодарный... этот проклятый Израиль, от него у нас всю жизнь неприятности... эта проклятая Америка, чтоб она провалилась!»

Перед подобными аргументами Алик замолкал, брал мать за плечи:

— Мамочка моя! Ты умеешь играть в теннис? А на коньках кататься? Есть что-то на свете, чего ты не умеешь? Может быть, ты чего-то не знаешь? Какой-нибудь малости? Помолчи, умоляю тебя. Никто тебя не бросает, мы едем вместе, а Фиру твою мы будем содержать из Америки. Я буду там зарабатывать много денег...

Дебора Львовна затихала на минутку, а потом вспенивалась новой страстью:

— Что мне твои деньги! Мне плевать на твои деньги! Мы с папой всегда плевали на деньги! Вы погубите ребенка своими деньгами!

Алик хватался за голову, уходил в комнату.

Когда все документы были собраны, Дебора Львовна категорически отказалась ехать, но разрешение на отъезд дала. Документы наконец подали, и снова объявился Бутонов. Дело было утром. Маша собрала

Алика Маленького, отвезла его к Сандре, поехала в Расторгуево — прощаться.

Прощанье удалось. Маша сказала Бутонову, что приехала в последний раз, что скоро уезжает навсегда и ей хочется увезти с собой в памяти все до последней черты. Бутонов заволновался:

— Навсегда? Вообще-то правильно, Маш, правильно. Жизнь у нас хреновая по сравнению с западной, я повидал. Но навсегда...

Маша прошла по дому, запоминая его, потому что и дом ей тоже хотелось бы сохранить в памяти. Потом они вместе поднялись на чердак. Здесь было по-прежнему пыльно и захламленно. Бутонов споткнулся о выбитое сиденье венского стула, поднял его:

— Посмотри:

Центр сиденья был весь пробит насквозь ножевыми ударами, вокруг лежали метки неточных попаданий. Он подвесил сиденье на гвоздь:

— Это главное занятие моего детства.

Он вынул нож, отошел на другой конец чердака и метнул. Лезвие воткнулось в стену в самой середине круга, в старой пробоине...

Маша вытащила нож из стены, подошла к Бутонову. Ему показалось, что она тоже хочет метнуть нож в цель, но она только взвесила его на руке и отдала ему:

— Теперь я знаю про тебя все...

После этой поездки Маша начала тихие сборы в эмиграцию. Вытащила все бумаги из ящиков письменного стола, разбирала, что выбросить, что сохранить.

Таможенники не пропускали рукописей, но у Алика был знакомый в посольстве, и он обещал отправить Машины бумаги через дипломатический канал. Она сидела на полу в ворохе бумаги, перечитывала каждую страничку, над каждой задумывалась, грустила. Вдруг оказалось, что все написанное — лишь черновик к тому, что ей хотелось бы написать теперь или когда-нибудь...

— Соберу сборник, назову его «Бессонница».

Стихи выходили на нее, как звери из лесу, совершенно готовыми, но всегда с каким-то изъяном, с хромотой в задней ноге, в последней строфе. «Есть ясновиденье ночное, когда детали прячет тьма, из всех полосок на обоях лишь белая одна видна. Мой груз ночной растаять хочет — заботы, мелочь, мельтешня, — восходит гениальность ночи над неталантливостью дня. Я полюбила даль бессонниц, их просветленный горизонт. На дне остаток нежной соли, и все недостижимей сон...»

Маша сильно похудела, утончилась еще более, и утончился тот дневной мир, который, в отличие от ночного, казался ей неталантливым.

Появился ангел. Сначала она не видела его воочию, но ощущала его присутствие и иногда резко оборачивалась, потому что ей казалось, что очень быстрым взглядом его можно уловить.

Когда он приходил во сне, черты его были яснее, и та часть сна, в которой он являлся, была как вставка цветного куска в черно-белом фильме.

Он выглядел всегда немного по-разному, умел принимать человеческое обличье, однажды явился к ней в виде учителя в белой одежде наподобие костюма фехтовальщика и стал учить ее летать. Они стояли на склоне живой, слегка дышащей горы, тоже принимающей свое неопределенное участие в этом уроке.

Учитель указал ей на какую-то область позвоночника, ниже уровня плеч и глубже, где таился маленький орган или мышца, и Маша почувствовала, что полетит, как только обучится легкому и точному движению, управляющему этим органом. Она сосредоточилась и как будто включила кнопку — тело стало очень медленно отрываться от горы, и гора немного помогала ей в этом движении. И Маша полетела — тяжело, медленно, но было уже совершенно ясно, что именно делать, чтобы управлять скоростью и направлением полета — куда угодно и бесконечно...

Она подняла голову — выше нее летали полупрозрачные люди свободным и сильным полетом, и она поняла, что тоже может летать так, как они. Тогда она медленно опустилась, так и не испробовав всей полноты наслаждения.

Этот полет не имел ничего общего с птичьим: никаких взмахов, трепыханий, никакой аэродинамики — одно усилие духа...

В другой раз ангел учил ее приемам особой словесно-мысленной борьбы, какой не бывает в здешнем мире. Как будто слово было в руке и оно было оружием, он вложил его ей в руку, гладкое, удобное в ладони, и повернул кисть, и смысл сверкнул острым лучом. И тут же, немедленно появились два противника: один — справа и выше, второй — слева и чуть ниже. Оба были опасные и опытные враги, умелые в искусстве боя. Один сверкнул в нее — и она ответила. Второй с небольшого расстояния нанес быстрый удар, и каким-то чудом ей удалось его отразить.

В этих нападениях был острый диалог, непереводимый, но совершенно ясный по смыслу. Оба они подсмеивались над ней, указывали ей на ее ничтожество и полную несоразмерность с их мастерским классом.

Но она, изумляясь все более, отражала каждый удар и с каждым новым движением обнаруживала, что оружие в ее руках делается все умнее и точнее, и борьба эта действительно более всего напоминала фехтование. Тот, кто был справа, был злей и насмешливей, но он отступал. Отступил и второй... Их не стало. Это значило, что она победила.

И тогда она со слезами, с открытым рыданием кинулась на грудь к учителю, и он сказал ей: «Не бойся. Ты видишь, никто не может причинить нам вреда...»

И Маша заплакала еще сильней от ужасающей слабости, которая и была ее собственной, потому что вся умная сила, которой она победила, была не ее собственная, а заемная, от учителя...

Нечеловеческую свободу и неземное счастье Маша испытывала от этого нового опыта, от областей и пространств, которые открывал ей ангел, но при всей новизне и невообразимости происходящего она догадывалась, что запредельное счастье, переживаемое ею в близости с Бутоновым, происходит из того же корня, той же породы.

Ей хотелось спросить об этом ангела, но он не давал ей задать вопроса: когда он появлялся, она подчинялась его воле с наслаждением и старанием.

Но зато когда он исчезал, иногда на несколько дней, становилось очень плохо, как будто счастье его присутствия надо было непременно оплачивать душевным мраком, темной пустотой и тоскливыми монологами, обращенными к почти не существующему Бутонову, — «Фаворский свет нам вынести едва ли, но во сто крат трудней — пустого диска темное сиянье всех следующих дней...»

Маша колебалась, рассказывать ли об этом Алику. Она боялась, что он, с его рационализмом, станет оценивать ее сообщение не с точки зрения мистической, а с точки зрения медицинской. Но в ее случае между мистикой и медициной пролегло поле поэзии, на котором она была хозяйкой.

Отсюда она и начала. Поздним вечером, когда весь дом уже спал, она стала читать ему стихи из последних:

> Я подглядела, мой хранитель,
> как ты присматривал за мной.
> К обломку теплого гранита
> я прижималась головой,
> когда из Фрейдовых угодий,
> из темноты, из гущи сна,
> как сор на берег в половодье,

волна меня в мой дом внесла,
и, как в бетоне и в металле
гнездятся пузыри пустот,
в углу протяжно и овально
крыла круглился поворот.
Мне кажется, мой ангел плакал,
прикрыв глаза свои рукой,
над близости условным знаком,
и надо мной, и над тобой.

— Я думаю. Маша, это очень хорошие стихи. — Алик был искренне восхищен, в отличие от тех случаев, когда выражение одобрения считал семейной обязанностью.

— Это правда, Алик. То есть стихи... да, это не метафора и не воображение. Это действительное присутствие...

— Ну, разумеется, Маша, иначе вообще ни о каком творчестве и речи быть не может. Это метафизическое пространство... — начал он, но она его перебила:

— Ах нет! Он приходит ко мне, как ты... Он научил меня летать и многому другому, чего нельзя пересказать, нельзя выразить словами. Ну вот, послушай:

Взгляни, как чайке труден лет —
ее несовершенны крылья,
как напряженно шею гнет,
как унизительны усилья
себя в волну не уронить,
срывая с пены крохи пищи...
Но как вместить, что каждый нищий
получит очи, и чело, и оперенное крыло
взамен лохмотьев и медяшек
и в горнем воздухе запляшет
без репетиций, набело...

Такое простенькое стихотворение, и как будто из него и не следует, что я летала, что я действительно там была, где полет естествен... как все...

— Ты хочешь сказать — галлюцинации, — встревожился Алик.

— Ах нет, какие галлюцинации! Как ты, как стол... реальность... Но немного иная. Объяснить не берусь. Я как Пуська. — Она погладила кошку. — Все знаю, все понимаю, но сказать не могу. Только она не страдает, а я страдаю.

— Но, Маша, я должен сказать тебе, что у тебя все получается. Отлично получается.

Он говорил мягко и спокойно, но был в крайнем замешательстве: «Шизофрения, маниакально-депрессивный психоз? Завтра позвоню Волобуеву, пусть разберется».

Волобуев, врач-психиатр, был приятелем его однокурсника, а в те времена еще не распалось цеховое содружество врачей, наследие лучших времен и лучших традиций.

А Маша все читала, уже не могла остановиться:

Когда меня переведет
мой переводчик шестикрылый
и облекутся полной силой
мои случайные слова,
скажу я: «Отпускаешь ныне
меня, в цвету моей гордыни,
в одежде радужной грехов,
в небесный дом, под отчий кров».

...Бутонов Машу все не отпускал. Трижды она ездила к нему в Расторгуево. Казалось, что взятая нота была так высока, что выше уже не подняться — сорвется голос, все сорвется... Только теперь, когда каждая встреча была как последняя, Бутонов признался себе, что Маша настолько затмила свой прообраз, полузабытую Розку, что он не мог даже вспомнить лица исчезнувшей наездницы, и уже не Маша казалась ему подобием Розки, а, наоборот, та мелькнувшая любовь была обещанием теперешней, и неминуемый отъезд усиливал страсть.

Тех двух-трех женщин, которые одновременно и необязательно присутствовали в его жизни, он забросил. Одна, даже несколько нужная по делу, секретарша из Спорткомитета, дала ему понять, что обижена его пренебрежением; вторая — клиентка, молодая балерина, для которой он делал исключение, поскольку массажный стол считал рабочей поверхностью, а не местом для удовольствий, отпала сама собой, переехав в Ригу. Нику он действительно не видел с декабря, они перезванивались несколько раз, выражали вежливое желание встретиться, но оба и шагу не делали.

У Бутонова вызревал очередной профессиональный кризис. Ему надоела спортивная медицина, однообразные травмы, с которыми он постоянно имел дело, и жестокие интриги, связанные с выездами за рубеж. Подоспело предложение: при Четвертом управлении организовывали реабилитационный центр, и Бутонов был одним из претендентов на заведование. Это сулило разные интересные возможности. Жена Оля, достигшая к тридцати пяти годам профессионального потолка, как это бывает у математиков, подталкивала Валерия: новое дело, современное оборудование, нельзя же всю жизнь по одним и тем же точкам пальцами двигать...

Иванов, высохший и желтый, все более походивший с годами на буддийского монаха, предостерегал: «Не по твоему уму, не по твоему характеру...»

В этом замечании присутствовало одновременно и уважительное признание, и тонкое пренебрежение.

Бутонов, высоко ценивший Нику, особенно после ее столь удачного вмешательства в ремонт, решил с ней посоветоваться. Встретил ее возле театра, пошли в паршивенький ресторанишко на Таганской площади, удобный своим расположением на перекрещении их маршрутов.

Ника выглядела отлично, хотя все в ней было немного чересчур: длинная шуба, короткая юбка, большие кольца и пушистая грива. Просто и весело болтали о том о сем, Бутонов рассказал ей о своей проблеме, она неожиданно подобралась, нахмурилась, сказала резко:

— Валера, знаешь, в нашей семье есть одна хорошая традиция — держаться подальше от властей. У меня был один близкий родственник, еврей-дантист, у него была чудесная шутка: «Душой я так люблю советскую власть, а вот тело мое ее не принимает». А ты на этой работе все время будешь ее за тело тискать... — Ника выругалась предпоследними словами легко и высокохудожественно.

У Бутонова на сердце сразу полегчало: своим веселым матом Ника решила его вопрос. Четвертое управление он отменил. О чем тут же и сообщил ей с благодарностью.

Их дружеское расположение достигло такого градуса, что, покончив с шашлыками, они сели в бежевый «Москвич» и Бутонов, не задавая лишних вопросов, развернулся на Таганской и взял курс на Расторгуево.

...Маша маялась самым нестерпимым видом бессонницы, когда все снотворные уже приняты и спят руки, ноги, спина, спит все, кроме небольшого очага в голове, который посылает один и тот же сигнал: «Не могу уснуть... не могу уснуть...»

Она выскользнула из постели, где, подтянув колени к подбородку, спал Алик Большой, такой маленький в этой детской позе. Пошла на кухню, выкурила сигарету, поставила руки под холодную воду, умылась и прилегла на кухне на кушетке. Закрыла глаза, и опять: «Не могу уснуть... не могу уснуть...»

Он стоял в дверном проеме, всегдашний ангел, в темно-красном, мрачном, лицо его было неясным, но глаза густо синели, как из прорезей театральной маски. Маша отметила, что проем был ложным, настоящая дверь находилась правее. Он протянул к ней руки, положил ладони на уши и даже прижал немного.

«Сейчас научит ясновидению», — догадалась она и поняла, что надо снять халат. Осталась в длинной ночной рубашке.

Он оказался позади нее и зажал уши и глаза, а средними пальцами стал водить поперек лба, доходя до самой переносицы. Тонкие цветовые волны приплывали и уплывали, радуги, растянутые на множество оттенков. Он ждал, что она остановит его, и она сказала:

— Хватит.

Пальцы замерли. В полосе бледно-желтого, с неприятным зеленым оттенком цвета она увидела двоих, мужчину и женщину. Очень молодых и стройных. Они приближались, как в бинокле, до тех пор, пока она не узнала их — это были родители. Они держались за руки, были заняты друг другом, на маме было голубое в синюю полоску знакомое платье. И лет ей было меньше, чем самой Маше. Жаль, что они ее не видели.

«Этого нельзя», — поняла Маша. Он снова стал гладить ее поперек лба и нажал на какую-то точку.

«Бутоновская наука, точечная», — подумала Маша. Она остановила полосу желтого света — и увидела расторгуевский дом, закрытую калитку, возле калитки себя. И машина за воротами, и маленький свет в бабкиной половине. Она прошла через калитку, не открывая ее, подошла к светящемуся окну, а вернее, окно приблизилось к ней, и, легко поднявшись в воздух, пролетела внутрь, сделав плавный нырок.

Они ее не увидели, хотя она была совсем рядом. Длинной запрокинутой Никиной шеи она могла бы коснуться рукой. Ника улыбалась, даже, пожалуй, смеялась, но звук был выключен. Маша провела пальцем по бутоновской лоснистой груди, но он не заметил. Его губа дрогнула, поплыла, и передние зубы, из которых один был поставлен чуть-чуть вкось, открылись...

— Развернись, пожалуйста, и обратно, — тихо сказала Ника Бутонову, разглядев за окнами Рязанское шоссе.

— Ты так думаешь? — слегка удивился Бутонов, но спорить не стал, включил поворотник, развернулся.

Остановился он на Усачевке. Они сердечно простились, с хорошим живым поцелуем, и Бутонов нисколько не обиделся — нет так нет. В таких делах никто никому не должен. Был непоздний вечер, шел редкий снег. Катя с Лизой ждали мать и спать не ложились.

«Бог с ним, с Расторгуевом», — подумала Ника и легко взбежала по лестнице на третий этаж...

Маша стояла в коридоре между кухней и комнатой на ледяном сквозняке, и вдруг ей открылось — как молнией озарило, — что она уже стояла однажды точно так же, в рубашке, в этом самом леденящем потоке... Дверь позади нее сейчас отворится, и что-то ужасное за дверью... Она провела пальцами поперек лба, до переносицы, потерла середину лба: подожди, остановись...

Но ужас за дверью нарастал, она заставила себя оглянуться — фальшивая дверь тихо двинулась...

Маша вбежала в комнату. Толкнула балконную дверь — она распахнулась без скрипа. Холод, дохнувший снаружи, был праздничным и свежим, а тот, леденящий, душный, был за спиной.

Маша вышла на балкон — снегопад был мягким, и в нем была тысячеголосая музыка, как будто каждая снежинка несла свой отдельный звук, и эта минута тоже была ей знакома. Это — было. Она обернулась — за дверью комнаты стояло что-то ужасное, и оно приближалось.

— Ах, знаю, знаю... — Маша встала на картонную коробку из-под телевизора, с нее — на длинный цветочный ящик, укрепленный на бортике балкона, и сделала то внутреннее движение, которое поднимает в воздух...

Подтянув к животу ноги, спал ее муж Алик; в соседней комнате точно в такой же позе спал ее сын. Было начало весеннего равноденствия, светлый небесный праздник.

16.

Телеграмму Медея получила через сутки. Почтальонша Клава доставила ее утром. Телеграммы посылали по трем поводам: дня рождения Медеи, приезда родственников и смерти.

С телеграммой в руке Медея пошла к себе в комнату и села в кресло, которое стояло теперь на том месте, где прежде стояла она сама, — против икон.

Она довольно долго просидела там, шевеля губами, потом встала, вымыла чашку и собралась в дорогу. От осенней болезни осталась неприятная тугота в левом колене, но она уже привыкла к ней и двигалась чуть медленнее, чем обыкновенно.

Потом она заперла дом и отнесла ключ к Кравчукам.

Автобусная остановка была рядом. Маршрут был тот, которым обычно ездили ее гости, — от Поселка до Судака, от Судака до симферопольской автостанции, оттуда до аэровокзала.

Она успела на последний рейс и поздно вечером позвонила в дверь Сандрочкиного дома в Успенском переулке, где прежде она никогда не была.

Ей открыла сестра. Они не виделись с пятьдесят второго — двадцать пять лет. Обнялись, облились слезами. Лида и Вера только что ушли. Распухшая от слез Ника вышла в прихожую, повисла на Медее.

Иван Исаевич пошел ставить чайник — он догадался, что приехала из Крыма старшая сестра его жены. Смутно вспомнил о какой-то их давней ссоре. Медея сняла с головы по-деревенски накинутый пуховый платок, под ним была черная головная повязка, и Иван Исаевич изумился ее иконописному лицу. В сестрах он нашел большое сходство.

Медея села за стол, обвела глазами незнакомый дом и одобрила его: здесь было хорошо.

Машина смерть, великое горе, принесла Александре Георгиевне и великую радость, и теперь она недоумевала, как может один человек вмещать в себя столь различное.

Медея же, сидя по левую от нее руку, никак не могла осознать, почему это получилось, что она не видела самого дорогого ей человека четверть века, — и ужасалась этому. Ни причин, ни объяснений как будто не было.

— Это болезнь, Медея, тяжелая болезнь, и никто ничего не понял. Аликов друг, врач-психиатр, оказывается, смотрел ее неделю назад. Сказал, надо срочно госпитализировать: маниакально-депрессивный психоз в острой форме. Прописал лекарство... Понимаешь, они ждали разрешения со дня на день... Вот так. Но я-то видела, что она не в порядке. За руку ее не держала, как тогда... Никогда себе не прощу... — приговаривала себя Александра.

— Перестань, ради Бога, мама! Вот уж этого на себя не бери. Вот уж это точно мое... Медея, Медея, как мне с этим жить? Поверить невозможно... — плакала Ника, но губы ее, самой природой предназначенные к смеху, как будто все улыбались...

Похороны состоялись не на третий день, как обыкновенно принято, а на пятый. Делали экспертизу. В судебно-медицинский морг, где-то в районе Фрунзенской, Алик приехал с двумя друзьями и Георгием.

Ника была уже там. Она обернула стриженую Машину голову и шею, на которой был виден грубый прозекторский шов, куском белого крепдешина и завязала его плоским узлом на виске, как это делала

Медея. Лицо Маши было нетронутым, бледно-восковым, и красота его — ненарушенной.

Священник на Преображенке, к которому Маша ездила изредка последние годы, очень о ней горевал, но отпевать отказался. Самоубийца.

Медея попросила проводить ее в греческую церковь. Самой греческой из московских церквей было Антиохийское подворье. Там, в храме Федора Стратилата, она спросила настоятеля, но служащая женщина учинила ей допрос, и, пока она, поджав губы и опустив глаза, объясняла той, что она понтийская гречанка и много лет не была в греческой церкви, подошел старик иеромонах и сказал по-гречески:

— Гречанку вижу издалека... Как тебя зовут?

— Медея Синопли.

— Синопли... Твой брат монах? — быстро спросил он.

— Один мой брат ушел в монастырь в двадцатых годах, в Болгарии, ничего о нем не знаю.

— Агафон?

— Афанасий...

— Велик Господь! — воскликнул иеромонах. — Он старец на Афоне.

— Слава тебе, Господи, — поклонилась Медея.

Они понимали друг друга не без затруднений. Старик оказался не греком, а сирийцем. Греческий язык его и Медеин резко различались. Более часу разговаривали они, сидя на лавке возле свечного ящика. Он велел привозить девочку и обещал сам совершить отпевание...

Когда автобус с гробом подъехал к церкви, уже собралась толпа. Семья Синопли была представлена всеми своими ветвями — ташкентской, тбилисской, вильнюсской, сибирской... К разномастному церковному золоту окладов, подсвечников, облачений примешивалась и многоцветная медь синоплинских голов.

Между Медеей и Александрой стоял Иван Исаевич, широкий, с мучнисто-розовым лицом и асимметричной морщиной вкось лба. Старые сестры перед гробом, украшенным белыми и лиловыми гиацинтами, единодушно думали одно: «Мне бы здесь лежать, среди красивых цветов, Никиной рукой уложенных, а не бедной Маше...»

За свою долгую жизнь они к смерти притерпелись, сроднились с ней: научились встречать ее в доме, занавешивая зеркала, тихо и строго жить двое суток при мертвом теле, под бормотанье псалмов, под световой лепет свечей... Знали о мирной кончине, безболезненной и непостыдной, знали и о разбойничьем, беззаконном вторжении смерти, когда гибли молодые люди прежде своих родителей...

Но самоубийство было невыносимо. Невозможно было смириться с той умелькнувшей минутой, когда совершенно живая девочка самочинно выпорхнула в низ-

когудящий водоворот медлительных сне-
жинок — прочь из жизни...

Ко гробу вышел иеромонах, и певчие
запели слова, лучшие из всех, сложенные
для земного расставания... разлучения...

Служба была по-гречески, даже Медея
понимала только отдельные слова. Но все
ясно чувствовали, что в этом горьком и не-
внятном пении содержится смысл больший, чем может вместить в себя даже самый мудрый из людей.

Кто плакал, плакал молча. Алдона вы-
тирала слезы клетчатым мужским платком.
Гвидас-Громила нервно провел кожаной
перчаткой под глазом. Дебора Львовна,
свекровь, попробовала было заплакать в
голос, но Алик кивнул своим врачам, и они
вывели ее из церкви.

Похоронили Машу на Немецком кладбище, в могилу к родителям, а потом поехали в Успенский — Александра Георгиевна настояла, чтобы устроить поминки
там. Народу было много, за стол усадили

только стариков да приехавших родственников. Молодежь вся была на ногах, с рюмками и бутылками.

Маленький Алик улучил момент и спросил у отца шепотом:

— Пап, как ты думаешь, она умерла навсегда?

— Скоро все изменится, и все будет хорошо, — педагогично ответил ему отец.

Алик Маленький посмотрел на него длинным и холодным взглядом:

— А я в Бога не верю...

Утром того дня пришло разрешение на выезд. На сборы было дано двадцать дней, даже много. Проводы в памяти друзей слились с поминками, хотя проводы Алик устраивал в Черемушках.

Дебора Львовна осталась с сестрой, и Алик уезжал с сыном и клетчатым болгарским чемоданом среднего размера.

Таможенники отобрали у него один листочек бумаги — последнее Машино стихотворение, написанное незадолго до самоубийства. Разумеется, он знал его наизусть:

Исследованье тянет знатока
уйти с головкой в сладкие глубины
законов славной школы голубиной
иль в винные реестры кабака,

но опытом, тончайшим, как струна,
незримые оттенки испытуя,
сам станет голубем или глотком вина,
всем тем, чего его душа взыскует,

и, воплощаясь в помыслы свои,
беспечнейшие в человечьей стае,
мы головы смиренные склоним
пред тем, кто в легкой вечности истает...

Эпилог

Последний раз мы с мужем были в Поселке летом девяносто пятого года. Медеи давно уже не было в живых. В ее доме жила татарская семья, и мы постеснялись зайти туда. Пошли к Георгию. Он построил свой дом еще выше Медеиного и пробил артезианскую скважину. Его жена Нора по-прежнему имеет детский облик, но вблизи видно, что подглазья иссечены тончайшими морщинками — так стареют самые нежные блондинки.

Она родила Георгию двух дочек.

В доме было многолюдно. Я с трудом узнавала в этих молодых людях подросших детей семидесятых годов. Пятилетняя девочка с рыжими кудряшками, очень похожая на Лизочку, скандалила из-за какой-то девчачьей чепухи.

Георгий обрадовался моему мужу, с которым давно не виделся. Мой муж тоже из семьи Синопли, но не от Харлампия, а от его младшей сестры, Поликсены. Долго считались родством, получилось — четвероюродные братья.

Георгий повел нас на кладбище. Медеин крест стоит рядом с Самониным обелиском и скромно уступает ему в высоте. Георгий рассказал нам на обратном пути, как неприятно были удивлены племянники Медеи, когда после ее смерти обнаружилось завещание, по которому дом отходил никому не известному Равилю Юсупову.

Этого Юсупова никто искать не стал, и Георгий перебрался тогда в Медеин дом с Норой, Танечкой и маленькими дочками. Работу нашел себе на биостанции.

Через несколько лет явился Равиль, точно так же, как когда-то к Медее, — поздним вечером ранней весны, и тогда Георгий достал из сундучка завещание и показал Равилю. Однако прошло еще несколько лет, прежде чем Равиль получил этот дом. Два года шел нелепый судебный процесс, чтобы переоформить дом, и произошло это в конце концов исключительно благодаря настойчивости Георгия, дошедшего до республиканской инстанции, чтобы Медеино завещание было признано действительным. С тех пор все поселковые считали его сумасшедшим.

Сейчас ему исполнилось шестьдесят, он по-прежнему крепок и силен. При постройке дома ему много помогали Равиль с братом. Когда дом был поставлен, поселковые переменили свое мнение и теперь говорят, что Георгий страшно хитрый: вместо ветхого дома Медеи получил новый, в два раза больший.

Вечер мы провели в этом доме. Летняя кухня очень похожа на Медеину, стоят те же медные кувшины, та же посуда. Нора научилась собирать местные травы, и так же, как в старые времена, со стен свисают пучки подсыхающих трав.

Многое переменилось за это время, семья еще шире разлетелась по свету. Ника давно живет в Италии, вышла замуж за богатого толстяка, остроумного и обаятельного, выглядит матроной и страшно любит, когда в ее богатый дом в Равенне приезжают родственники из России.

Лизочка тоже живет в Италии, а вот Катя в Италии не прижилась. Как это иногда случается с полукровками, она страшная русофилка. Вернулась в Москву, живет на Усачевке, и рыженькая девочка, которая скандалила во дворе, — ее дочка.

Алик Большой стал американским академиком и, того и гляди, осчастливит человечество лекарством от старости, а вот Алик Маленький после окончания Гарвардского университета подался «в евреи», изучил иврит, надел кипу, отрастил пейсы и теперь заново учится в Бней-Брак, еврейской академии под Тель-Авивом.

Алик через несколько лет после переезда в Америку издал сборник Машиных стихов.

Георгий принес нам эту книжечку, на первой странице ее портрет, сделанный с любительской фотографии ее последнего крымского лета. Она обернулась и смотрит в объектив с радостным изумлением. Стихи ее оценивать я не берусь — они часть моей жизни, потому что то последнее лето я тоже провела с моими детьми в Поселке, в доме Медеи.

Бутонов прилепился к расторгуевскому дому, перевез туда, после долгих уговоров, жену с дочкой и родил сына, в которого беспредельно влюблен. Он давно не занимается спортивной медициной, сменил направление и работает со спинальными больными, которых бесперебойно поставляет ему то Афганистан, то Чечня.

Все старшее поколение ушло, кроме Александры Георгиевны, Сандрочки. Она долгожительница, ей уже под девяносто. После Машиной смерти она приезжала сюда каждое лето, а последний Медеин год провела здесь вместе с Иваном Исаевичем и проводила сестру.

Последние два года она не приезжала в Крым: стало тяжеловато.

Иван Исаевич считает обеих сестер праведницами, но Сандрочка улыбается своей до старости не увядающей улыбкой и поправляет мужа:

— Праведница у нас была одна...

Я очень рада, что через мужа оказалась приобщена к этой семье и что мои дети несут в себе немного греческой крови, Медеиной крови. До сих пор в Поселок приезжают Медеины потомки — русские, литовские, грузинские, корейские. Мой муж мечтает, что в будущем году, если будут деньги, мы привезем сюда нашу маленькую внучку, родившуюся от нашей старшей невестки, черной американки родом с Гаити.

Это удивительно приятное чувство — принадлежать к семье Медеи, к такой большой семье, что всех ее членов даже не знаешь в лицо и они теряются в перспективе бывшего, не бывшего и будущего.

1996 год

Литературно-художественное издание

Улицкая Людмила Евгеньевна

МЕДЕЯ И ЕЕ ДЕТИ

Ответственный редактор *Н. Холодова*
Художественный редактор *С. Киселева*
Компьютерная верстка *Л. Кузьминова*
Корректор *В. Стакова*

ООО «Издательство «Эксмо»
127299, Москва, ул. Клары Цеткин, д. 18/5. Тел. 411-68-86, 956-39-21.
Home page: **www.eksmo.ru**   E-mail: **info@eksmo.ru**

Оптовая торговля книгами «Эксмо»:
ООО «ТД «Эксмо». 142702, Московская обл., Ленинский р-н, г. Видное,
Белокаменное ш., д. 1, многоканальный тел. 411-50-74.
E-mail: **reception@eksmo-sale.ru**

Оптовая торговля бумажно-беловыми
и канцелярскими товарами для школы и офиса «Канц-Эксмо»:
Компания «Канц-Эксмо»: 142700, Московская обл., Ленинский р-н, г. Видное-2,
Белокаменное ш., д. 1, а/я 5. Тел./факс +7 (495) 745-28-87 (многоканальный).
e-mail: **kanc@eksmo-sale.ru**, сайт: **www.kanc-eksmo.ru**

Полный ассортимент книг издательства «Эксмо» для оптовых покупателей:
В Санкт-Петербурге: ООО СЗКО, пр-т Обуховской Обороны, д. 84Е. Тел. (812) 365-46-03/04.
В Нижнем Новгороде: ООО ТД «Эксмо НН», ул. Маршала Воронова, д. 3.
Тел. (8312) 72-36-70.
В Казани: ООО «НКП Казань», ул. Фрезерная, д. 5. Тел. (8435) 70-40-45/46.
В Самаре: ООО «РДЦ-Самара», пр-т Кирова, д. 75/1, литера «Е». Тел. (846) 269-66-70.
В Ростове-на-Дону: ООО «РДЦ-Ростов», пр. Стачки, 243А. Тел. (863) 268-83;59/60.
В Екатеринбурге: ООО «РДЦ-Екатеринбург», ул. Прибалтийская, д. 24а. Тел. (343) 378-49-45.
В Киеве: ООО ДЦ «Эксмо-Украина», ул. Луговая, д. 9. Тел./факс: (044) 537-35-52.
Во Львове: Торговое Представительство ООО ДЦ «Эксмо-Украина»,
ул. Бузкова, д. 2. Тел./факс: (032) 245-00-19.

Подписано в печать 25.12.2006.
Формат 70x108 $^1/_{32}$. Печать офсетная. Бум. тип.
Усл. печ. л. 25,2.
Доп. тираж 7000 экз. Заказ № 7114

Отпечатано в ОАО «ИПК «Ульяновский Дом печати»
432980, г. Ульяновск, ул. Гончарова, 14